Mi vida de niña soldado

Me quitaron a mi madre y me dieron un fusil

China Keitetsi

Mi vida de niña soldado

Me quitaron a mi madre y me dieron un fusil

Traducción:
J. A. Bravo

MAEVA

Edición original danesa:
Mit liv som barnesoldat i Uganda

Fotografía del cuadernillo del interior:
Página 1 © Ekstra Bladets Forlag

Foto de cubierta:
© Willersted.com; todas las demás: álbum privado de la autora

Fotografías de portada:
Foto inferior: Das Fotoarchiv
Foto superior: Ekstra Bladets Forlag

Adaptación de la portada:
Romi Sanmartí

Publicado por acuerdo con Leonhardt & Høier, Literary Agency aps, Copenhagen

Benito Castro, 6
28028 MADRID
emaeva@maeva.es

ISBN: 84-96231-36-4
Printed in the U.S.A./Impreso en U.S.A.

DEDICATORIA

Dedico este libro a todos los niños soldado, tanto los que sobreviven como los caídos, sus almas descansen en la paz de Dios.

También quiero recordar al padre de mi hijo, el fallecido teniente coronel Moses Drago Kaima. Sean recordados también el general de brigada Fred Rwigyema, Tío Caravel, mis hermanas Helen, Margie y Grace, mi madre, los tenientes coronel Bruce y Benon Tumukunde, los comandantes Moses Kanabi y Bunyenyezi, los capitanes Kayitare y Afande Ndugute, el sargento Kabawo, el soldado Sharp y todos los demás valientes del NRA que dieron sus vidas por el pueblo de Uganda. Es triste que hayan desaparecido, pero yo debo seguir firme y contribuir a que nada de eso vuelva a suceder.

Nota del editor

Mi vida de niña soldado, la conmovedora historia de la infancia y juventud de China Keitetsi, ha quedado reflejada aquí en sus propias palabras. De niña hablaba el kinyankole y no aprendió el inglés hasta después de su fuga de Uganda hacia Sudáfrica.

PRÓLOGO

Soy China Keitetsi, ex niña soldado de Uganda, en África Oriental. Mi país limita con Kenia, Tanzania, Sudán, Ruanda y la República Democrática del Congo. Desde 1999 vivo en Dinamarca por mediación de Naciones Unidas. Lo que cuento aquí es mi vida como niña soldado del Ejército Nacional de Resistencia (NRA, *National Resistance Army*) de Yoweri K. Museveni, actualmente llamado Frente Democrático Popular de Uganda (UPDF, *Uganda People's Democratic Front*).

Tal vez os preguntaréis cómo se me ha ocurrido escribir un libro. Birgitte Knudsen, jefa de la oficina de inmigración en la comunidad danesa en que vivo, me aconsejó que consignara por escrito mi dolor, y me aseguró que eso me ayudaría a superarlo. Lo dijo porque yo acudía a ella siempre que estaba triste y asustada por mis pesadillas, y lo hacía incluso a medianoche o en fin de semana. Obedecí y empecé, y todas las veces que me ponía a escribir se me saltaban las lágrimas. Escribía y lloraba. Pero al mismo tiempo experimentaba cierto alivio, y por eso no lo abandoné. Cuando tuve más de ciento cincuenta páginas se lo dije a mi padrino Knud Held Hansen, y él dijo: «¡Ah, China! ¡Estás escribiendo un libro!».

Fue entonces cuando me di cuenta de que podía llegar a ser un libro. Pero quedaba una cuestión pendiente. Yo, China, que siempre me había considerado una persona insignificante, como un trozo de papel que cualquiera desecharía sin prestar atención a su contenido, ¿cómo iba a ser autora de un libro? Yo no había pensado en eso. Escribía sólo para desahogarme, como quien se quita de encima un gran peso que le agobia.

Este libro me ha ayudado a asumir mi pasado, a hacer las paces conmigo misma. Por haberlo escrito, he aprendido a ver muchas cosas que en su momento pasé por alto sin reparar en ellas. Hasta las plantas de mi casa me ayudan a ver la inocencia de los árboles y la vegetación que dejé atrás, en los lugares donde una vez estuve como soldado. Eso hizo que me sintiera mejor, porque empecé a confiar en que más adelante soñaría los sueños de los inocentes, de las personas normales.

La acogida de mi libro cuando apareció la primera edición en Dinamarca superó mis expectativas. Al principio no tenía ninguna. Recibo mensajes desde todos los lugares del mundo por correo, e-mail y en mi página web. Todos parecen muy conmovidos y deseosos de salvar a algún niño e impedir que siga el mismo camino que yo. Por lo visto, mi caso ha interesado a muchas personas de los más diversos estratos sociales. Así es como he conocido a presidentes, estrellas de cine y altos dirigentes nacionales y de Naciones Unidas, como el secretario general, Kofi Annan, Olara Otunno, de la organización *Children in Armed Conflicts*, Nelson Mandela, Bill Clinton, Whoopi Goldberg, Harrison Ford, Robert De Niro, Graça Machel, la ex ministra de educación de Mozambique, y hasta la reina Silvia de Suecia.

Mi encuentro con Nelson Mandela fue inolvidable. Cuando me vi en su presencia no supe qué decir, y bajé la cabeza con los ojos ya arrasados en lágrimas. No encuentro más palabras para describir lo que sentí, pero llevo la respuesta en mi corazón. Mandela dijo: «He escrito un poema para vosotros» (mi amigo Ishmael y yo). Yo le miraba mientras él leía palabras de paz y amor, y las lágrimas afloraron a mis ojos. Ahora no sabría decir si eran de felicidad o por el recuerdo de las penas pasadas. Brotaron entonces sentimientos que de lo contrario nunca se habrían manifestado en mí y que no podía expresar por escrito cuando la pluma y yo andábamos divorciadas.

En Dinamarca se vive de otra manera. Todos tienen sus derechos. Cuando llegué allí me lo explicaron, pero yo seguía temerosa de decir «no», creyendo que me castigarían como antes, cuando era obligatorio decir «sí, señor» sin discusión. Más adelante, mi psicólogo y médico me corrigió la costumbre de llamar «señor» a todo el mundo. Ahora ya no se me ordena matar ni odiar, como en el ejército, pero lo mejor es no tener que vivir a las órdenes de nadie, y que nadie me obligue a hacer lo que no quiero. Y por encima de todo, no echo en falta mi fusil porque la gente de Dinamarca es pacífica.

Pese a tantas libertades nuevas para mí, los temores no me abandonan del todo. Todavía noto los abusos y las humillaciones, cicatrices para toda la vida como las que llevo en el cuerpo y que a veces, mientras me lavo, me dan ganas de arrancarme la piel. En sueños aún veo las sombras de tantos compañeros, niños soldado que se mataron con sus propias armas porque no soportaban más; veo los nativos torturados por una mera sospecha, las fosas comunes donde yacen mis camaradas muertos, la desesperación de los sobrevivientes muchas veces empujados a la traición para ganarse el favor de los mandos.

Ahora soy como una niña que pide que le cuenten una historia a la hora de acostarse. Estoy segura de que mis pesadillas no me dejarán en paz hasta que los trescientos mil niños soldado que hay en el mundo se vean libres de sus promotores y opresores. Si algún cariño conservo todavía, es por la inocencia de la infancia. Otra cosa no me queda, sino el recuento de las pérdidas. Perdimos nuestra infancia, y la dignidad de mujeres, perdimos el sueño tranquilo y aprendimos a odiar nuestra propia piel. No pensamos como niños ni como adultos normales, pero hemos engendrado criaturas con hombres de la edad de nuestros padres. Antes solía fumar con mis amigos, pero aquí fumo sola y el cigarrillo no me sabe igual. Miro el cielo, pero sólo veo nubes, no rostros de compañeros ni de seres queridos. En cuanto a la infancia, ya la he olvidado. En ocasiones me parece que tengo seis años, y otras veces soy centenaria. Pero con el afecto de la gente, quizá llegará el día en que pueda soñar y sentir lo mismo que vosotros.

C. K.

e-mail: *ck@xchild.dk*
página web: *www.xchild.dk*

2003

AGRADECIMIENTOS

Quedo en deuda de gratitud con el pueblo danés y sus autoridades, con mi nueva familia, los Hansen, el personal de Naciones Unidas en Sudáfrica, N. Omutoni, Richard, Robert, Emanuel, Lucky Dube, Thor Kujahn Ehlers, Jens Runge Poulsen y su familia, Melissa Stetson, mi maestro Søren Jesperson, Birgitte Knudsen, Eskil Brown, Søren Louv, Pia Gruhn, Dennis Hansen, Kenneth Hansen, Lisa y Kenneth, mi médica Lill Moll Nielsen, Lars Koberg y mi difunta madre.

C. K.
2003

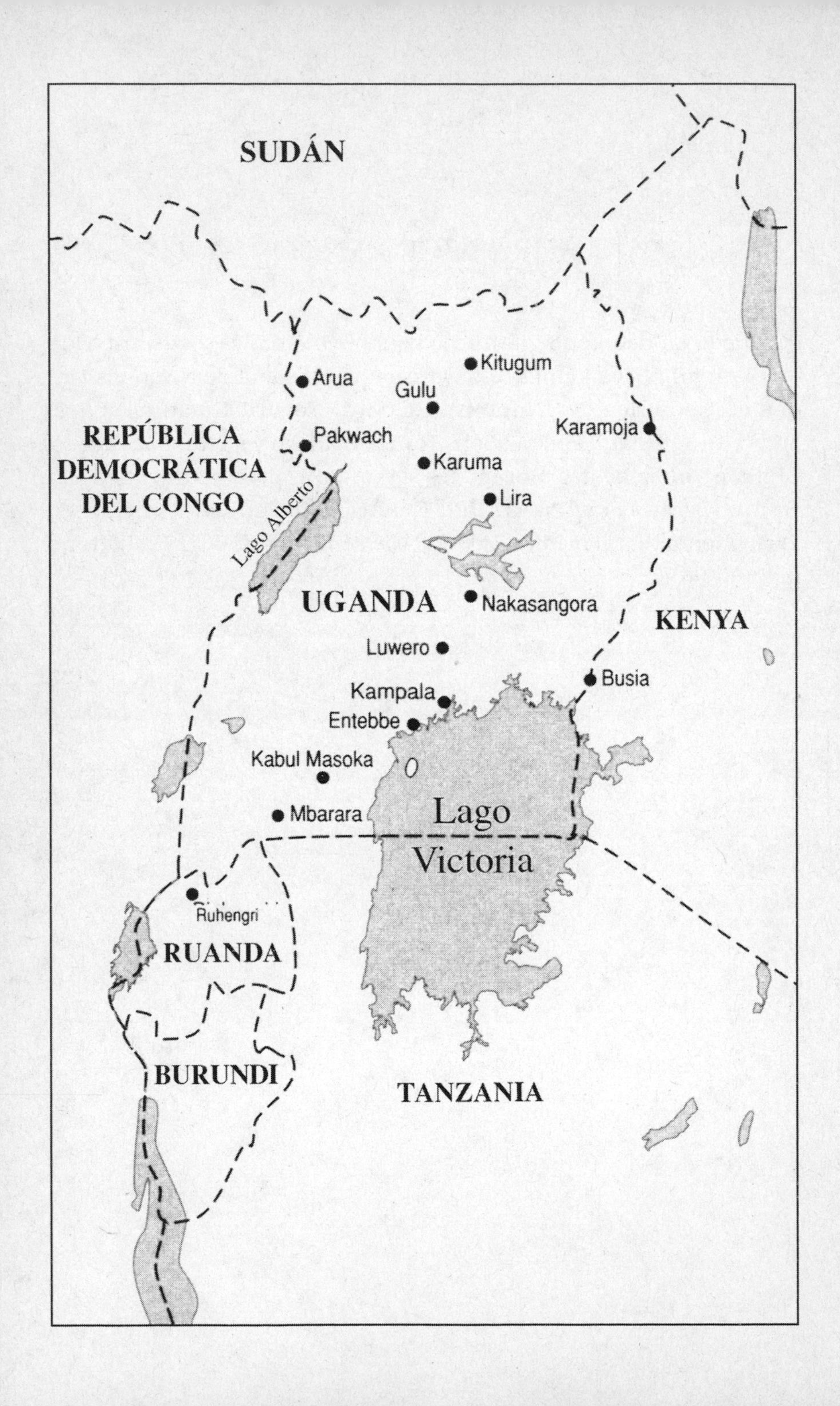
SUDÁN
REPÚBLICA
DEMOCRÁTICA
DEL CONGO
Arua
Pakwach
Gulu
Kitugum
Karuma
Lira
Karamoja
Lago Alberto
UGANDA
Nakasangora
KENYA
Luwero
Busia
Kampala
Entebbe
Kabul Masoka
Mbarara
Lago
Victoria
Ruhengri
RUANDA
BURUNDI
TANZANIA

PRIMERA PARTE

Mis primeros años

Mi madre natural

Mi padre nació y estudió en una aldea del oeste de Uganda. Hizo carrera y logró emplearse como síndico de la bolsa del café. Cuando conoció a mi madre decidió estudiar Derecho.

Todo cambió cuando nací yo, porque no era un chico. Mi padre solicitó el divorcio, y mi madre tuvo que dejar el hogar familiar cuando yo tenía seis meses y aún contemplaba el mundo con ojos de bebé, sin la menor posibilidad de intuir lo que me reservaba el futuro. La echaron de casa con prohibición de regresar bajo amenaza de muerte. En la relación entre el hombre y la mujer, en aquella época y lugar, prevalecía el más fuerte. Y ése era mi padre, y no estaba dispuesto a ceder un ápice. Mi madre no tuvo más remedio que dejarme, aun sabiendo que eso me condenaba a no tener una infancia normal. Yo era demasiado pequeña para comprender lo que perdía, y no recuerdo gran cosa de aquella época. Ahora sí me parece experimentar a veces como un gran vacío, muy diferente de las demás emociones, y me invade una tremenda sensación de tristeza e impotencia que no me deja pensar en nada más. Luego me rehago e intento recobrar el hilo de los recuerdos y los sentimientos de mi vida. Pero retornan siempre las ciénagas del olvido... por la pérdida de mi madre, supongo.

La loca de la casa

Yo aún no sabía que era una pobre niña abandonada en manos de un padre más semejante a una fiera que a un ser humano. Imagino que le estorbaba porque todavía necesitaba que alguien cuidase de mí en todo momento, así que se libró del problema enviándome a la granja donde vivía su madre.

La abuela no era una viejecita entrañable como otras ancianas que yo había visto. Era baja, gorda, con un ojo que le lagrimeaba constantemente y la boca torcida. Cuando intentaba hablar, aquella boca se le desviaba y necesitaba un gran esfuerzo de sus viejos músculos faciales para evitar que se le desencajara del todo. A mí no me importaba que fuese tan fea, con tal que nadie me obligara a besarla, y por mí también podía haberse ahorrado sus palabras siempre frías y despiadadas.

Así fue como supe que mi padre tenía muchas tierras, con platanares y toda clase de animales de granja. De éstos, los que más me gustaban eran las cabras. La granja era de adobe, con cinco espacios y un tejado de chapa ondulada. Al fondo, en la quinta habitación, estaba lo que a mí me parecía el mayor tesoro de la abuela: una despensa llena de plátanos. Por la ventana se divisaba un sembrado de calabazas que a mi entender crecían allí como por casualidad y cuyo sabor no recuerdo, pues ignoraba que fuesen comestibles y nunca las probé. Aquello era para mí como un gran patio de recreo. En esos primeros años de mi vida crecí como una niña medio salvaje, me parece ahora, y quizá por eso nunca he dejado de serlo.

Poco después vino a vivir con nosotras otra vieja, Florida, una tía de mi padre. Su semblante, comparado con el de la abuela, me pareció bellísimo y seductor. Al verla deseé ser un chico mayor. La abuela siempre le hablaba a gritos, y yo estaba perpleja porque desconocía las razones de tanta agresividad. Cuando la maltrataba de esa manera, Florida retrocedía, con los ojos muy abiertos, y no daba muestras de querer defenderse. Lo cual acentuó la antipatía que me inspiraba la abuela. Se me ocurrió que si Florida replicase, la abuela no se atrevería a seguir abroncándola. Y me propuse lograr que llegaran a las manos. Enseguida empecé a cavilar sobre la mejor manera de conseguirlo.

Una mañana, al despertar me hallé a solas en la casa. Fui al rincón de la estancia principal donde guardaban la leche y llené un recipiente casi al límite de lo que yo podía transportar. Entonces me encaminé a la habitación de la abuela y volqué el recipiente sobre las sábanas. Luego se me ocurrió pensar lo que me haría la abuela si me pillaba y salí corriendo a esconderme en los matorrales. Hasta que, al cabo de un rato, me dije en voz alta:

–¿Por qué te escondes si no te ha visto nadie? ¡Qué tontería!

Y dejé el escondite. Cuando estaba a punto de entrar en la casa pensé que me preguntarían quién se había bebido la leche. «¿Y si me escondo otra vez? –pensé–. No, no. Voy a entrar.» De camino pasé por delante del corral de las cabras y los cabritos, y me entretuve un rato mirándolos. A continuación me senté en el huerto y aguardé el retorno de Florida y la abuela. Al cabo de un rato oí a la abuela reclamándome la leche que faltaba. Con los ojos enrojecidos de sueño le dije que la cabra me la había pedido.

–¿Cuál de ellas? –chilló.

–La blanca y negra –contesté con mi vocecita.

–Tenemos muchas de esos colores –replicó ella.

–¡Ah, sí! La que tiene cuatro cabritos.

Ella prorrumpió en una risa cascada que hería los oídos. Mientras ella se carcajeaba, me dije: «Ríe ahora, que ya llorarás más tarde». Porque estaba segura de conseguir que se liaran a golpes ella y Florida.

Las dos mujeres empezaron a preparar la cena, y yo sentada entre ambas como el perro que espera un hueso. Pero aunque mis ojos no se apartaban de la carne, imaginaba la boca de la abuela y cómo se torcería cuando recibiese la paliza. ¡A ver si se le arreglaba la jeta a golpes!

Después de cenar me senté como un fantasma en un rincón y me quedé contemplándolas, hasta que la abuela me envió a la cama. Obedecí a regañadientes porque quería que ella fuese a acostarse primero y disfrutar de la trifulca que, estaba segura, estallaría a continuación. Una vez acostada empecé a dudar de mi propia conducta, que súbitamente me pareció mezquina y traicionera. Pero no me arrepentí, convencida de obrar justamente. Poco después oí a la abuela entrar en su dormitorio. Tuve miedo y me cubrí la cabeza con la manta. De un momento a otro la vieja iba a convertirse en un monstruo rugiente. Esperé un rato, pero no pasó nada. Cuando desperté, era de día, así que me levanté con diligencia temiendo haberme perdido la famosa pelea urdida por mí. Tal vez habían luchado en silencio. Fui a la estancia principal, pero entonces reparé en que iba desnuda y regresé a mi habitación como una rata furtiva, para ponerme algo. Cuando volví a la sala de estar, no supe si era más grande mi decepción o mi alivio. Nada había cambiado desde la noche anterior. Las contemplé atentamente, pero no vi ninguna señal en sus caras. Eso me intrigó, porque no era normal que la abuela se abstuviera de dar rienda suelta a su mal humor. «A lo mejor es que no he echado bastante leche», pensé.

Al día siguiente la abuela salió a inspeccionar el platanar y me quedé a solas con Florida. Ella estaba sentada en el jardincillo contiguo a la casa y fui a sentarme delante y muy cerca de ella.

–Si te digo un secreto, ¿me lo guardarás? –pregunté.

Ella asintió con su bella sonrisa, aunque parpadeaba como si estuviera a punto de echarse a llorar.

Empecé a hablarle de los sentimientos que me inspiraba la abuela, pero no me limité a eso, sino que también le conté lo que había hecho la noche anterior. Ella se acercó, supongo que para oír mejor, pero yo estaba pendiente de otra cosa, y me agachaba con disimulo para ver si ella también tenía el «animal negro y peludo».

–¿Qué miras? ¡No hagas eso! –dijo ella.

A continuación me previno en cuanto a mi abuela y me exhortó a no repetir nunca más nada semejante. Tenía los ojos húmedos, y no supe cómo interpretarlo. Yo me figuraba que debía sentirse contenta por lo que yo estaba tratando de hacer a favor de ella. Dando por terminada la conversación, me llevó a la cama para que durmiese la siesta. Cuando desperté, ya era hora de cenar. Comimos nuestras alubias y luego me fui otra vez a la cama.

Pocos meses más tarde, Florida cayó enferma y guardaba cama casi todo el día. Yo estaba muy triste porque la abuela no dejaba de abroncarla todas las veces que ella pedía algo de comer o beber. Una noche fui a sentarme a la vera de su cama esperando que me tomase de la mano como solía. Pero la de ella permaneció inerte sobre el cobertor. Yo tomé la mano y la sacudí. No hubo reacción. Salí para decírselo a la abuela, pero ésta no me escuchó y siguió lavando cacharros como si nada. Me eché a llorar, quizá creyendo que mi llanto la conmovería, pero ella me mandó callar. Cuando hubo terminado, entró en la casa, y yo tras ella. Fue a la habitación de Florida, pero yo preferí quedarme fuera. Lo único que recuerdo luego es que se presentó mi padre con un coche blanco muy grande seguido de varios coches más. Dentro de la casa vi que mi padre lloraba. Los demás callaban, y poco después empezaron a entrar uno a uno en la habitación de Florida, salían con la cara lívida y triste, llorando, o todavía más callados que antes. Me puse furiosa porque nadie quiso decirme por qué lloraban, y entonces la abuela se echó a llorar también. Al principio me sorprendió y luego decidí fijarme más, pensando que a lo mejor se había untado los ojos con saliva. No imaginaba que aquellas lágrimas pudieran ser sinceras. Después de muchos llantos, Florida volvió en sí, y todo el ambiente cambió de súbito. Los que antes lloraban estaban contentos, reían, cantaban y bebían. Mi confusión era total y pensé que mi padre y los demás se habían vuelto locos. Entonces mi padre ordenó a los braceros que sacrificasen un par de cabritos. Yo estuve allí y contemplé cómo los degollaban y miré la sangre que corría. A aquellos cabritos yo los quería como si fuesen hijos míos, y hasta les había puesto nombres. Me eché a llorar y corrí a mi cama mientras los demás seguían alborotando alrededor de Florida.

El día siguiente, al despertar encontré a Florida en la estancia principal, pero aún tenía cara de enferma. Me acerqué y le pregunté si había oído cómo habían llorado por ella. Me contestó que no, que sin duda había estado profundamente dormida y no se había enterado de nada. Pero vi que tenía los ojos llorosos. Luego dijo que mi padre se la llevaba a la ciudad y que estaba triste porque tendríamos que separarnos. Casi me invadió el pánico y le supliqué que se quedase. Ella dijo que sólo serían un par de días. Para una niña, un par de días es mucho tiempo, y mi corazón dolorido no se dejó persuadir. Fui al establo de las cabras y al cabo de un rato me di cuenta de que les estaba cantando mientras mis lágrimas humedecían el cuello de un chivito al que abrazaba. Pero al poco tiempo me enfadé. Me dije que no iba a resignarme con lo que había dicho Florida, y que iba siendo hora de hablar con mi padre para impedírselo. Así que regresé a la casa lo más deprisa que pude, pero resultó que ya se habían marchado. Me volví hacia la abuela, sin dejar de pensar en Florida, diciéndome que tal vez no la vería nunca más. Pero no encontré la respuesta en ninguna parte, y aunque lloré muchas veces la pérdida de Florida, nunca nos la devolvieron.

LA MADRE DEL LEÓN

Eclipsada Florida, las cosas empezaron a tomar mal cariz para mí. Perdido el afecto que ella irradiaba, sentí el corazón vacío y mis días fueron grises e interminables. Mientras trataba de superarlo, la abuela empezó a ponerme la vida difícil. Dejó de cambiar las sábanas de mi cama y cierto día me anunció que iba a tener que lavarlas yo misma.

–¡Deja de mearte en la cama! –chilló.

Como si yo lo hiciese adrede y sólo para fastidiarla a ella. Yo no entendía por qué habían cambiado tanto las cosas desde la marcha de Florida. Aquella noche me acosté decidida a no dormirme, ya que no hallé otra solución para mi nuevo problema y ella me había anunciado que me castigaría si volvía a descubrir la cama mojada. Pero me dormí, naturalmente. Entre la quietud y el calor de la noche, soñé que estaba orinando en el váter y contemplaba con agrado cómo salía el chorro a cámara lenta. Desperté y me quedé un rato sentada en la cama mojada, cavilando cómo salvarme del castigo. Salí y eché agua en una taza. Luego la vertí sobre las sábanas húmedas y me puse a gritar. La abuela acudió con toda la rapidez que le permitían sus viejas piernas y preguntó qué pasaba. Con la taza en las manos, dije que estaba bebiendo agua y que se me había caído la taza. Ella me miró fijamente y sin parpadear durante cinco minutos, como poco. Y luego dijo en voz baja:

–Dime la verdad.

Sentí un escalofrío en la espalda y no tuve más remedio que cambiar mi declaración. Con la mente aturdida y el corazón desbocado, confesé que me había orinado en la cama y que había tenido miedo. Sin aguardar el final de mi confesión, me agarró del brazo con sus manos de anciana, pero fuertes todavía, y me sacó de la casa desnuda como estaba y a rastras. Acercándose al matorral, arrancó una mata de ortigas y me azotó el cuerpo entero, de arriba abajo. Por último me dejó allí, chillando y llorando, con toda la piel encendida de un escozor insoportable. Estuve casi todo el día llorando y me negué a ponerme la ropa, creyendo que así la castigaba a ella como ella había hecho conmigo. Hasta que me di cuenta de que no hacía más que castigarme a mí misma. Todo aquello me puso todavía más nerviosa, porque no lograba entender los motivos de la abuela para maltratarme de esa manera. Sus castigos eran cada vez más severos.

Una noche, la abuela se acercó a despertarme, al darse cuenta de que yo tenía el vestido empapado. Me agarró del brazo como un león furioso y me arrojó al suelo. Oí un fuerte chasquido, seguido de un dolor intenso que me agarrotó desde el codo hasta el cuello. Traté de incorporarme, pero cuando me miré el brazo preferí quedarme en el suelo. El extremo blanquecino de un hueso se asomaba, pero todavía fue mayor mi consternación cuando vi mi propia sangre, tanta que me recordó el cabrito degollado. Con la sangre se me escapaba la vida. Grité y lloré al tiempo que mi corazón latía con desenfreno. Me pareció que llegaba mi última hora. La abuela me ordenó a gritos que no me moviera y redujo el hueso devolviéndolo a su lugar, con lo que retornó el dolor tan intenso como antes. Pero como yo temía más a la vieja que al dolor, obedecí y me quedé quieta. Ella me llevó a la cama y me acostó, hecho lo cual salió sin decir palabra y me dejó llorando a solas.

El día que la vieja me rompió el brazo era jueves, me parece, y ella sabía que mi padre se presentaba todos los sábados a la puesta del sol para inspeccionar el ganado y pagar a los jornaleros. El sábado por la mañana, la abuela me ordenó que mintiera en caso de que mi padre preguntara. Debía decir que me había caído de la cama. Y me advirtió que, si la desobedecía, pensaba molerme a palos en cuanto se marchase mi padre. Dicho lo cual me dejó sola en la casa y salió al campo, de donde regresó al cabo de un par de horas para ponerse a cocinar. Después de la comida me metí en el corral de las cabras y me quedé contemplando los saltos y juegos de los cabritos. Pero mi ánimo se entristecía al recordar los buenos momentos que había pasado con Florida. Al cabo de un rato me puse en pie y salí a la carretera. Sentada en la cuneta y descansando la mano en el regazo, me puse a cantar para mis adentros.

De pronto se oyó el motor de un vehículo. Me puse en pie, esperando ver a mi padre. Se acercaba un Suzuki azul que yo nunca había visto. «Ése no es mi padre», me dije, y sentí curiosidad. Una mujer alta y bien parecida se apeó del coche y me dirigió una sonrisa. Tenía los dientes blancos como la nieve y cuando sonrió de nuevo deseé que no dejara de hacerlo nunca. Cuando la mujer se acercó, vi que llevaba en brazos una especie de paquete blanco. Entonces se apeó del coche un hombre. Era mi padre, y yo me quedé boquiabierta creyendo que se acercaría para abrazarme, pero él se puso a bromear con la mujer. Me sorprendió su manera de mirarla. Parecía querer comérsela. Cuando se disponían a entrar en la casa me quité la camiseta de manga larga para enseñarle el brazo. Y antes de que él preguntase nada le conté el embuste. Él me tomó el brazo con sus manos, mirándolo con mucha atención, y luego preguntó quién me lo había entablillado.

–La abuela –dije.

–Se te curará –agregó, y entró en la casa.

Los seguí y fui a un rincón de la sala de estar, donde me quedé de pie creyendo merecer alguna atención todavía. En vista de que nadie hacía caso de mí, decidí salir otra vez, pero no había llegado a la puerta cuando la voz de la mujer me retuvo. Me preguntaba si quería tener en brazos el bebé.

«¿Qué bebé? –pensé–. ¡Se habrá vuelto loca!»

Como yo no hacía ademán de acercarme, mi padre y la mujer se miraron y luego se volvieron hacia mí. Les dije que allí no había más bebé que yo. Entonces sonrieron con melancolía y ella me invitó a acercarme para ver el bebé al que se refería. Me senté mientras ella depositaba la criatura en mi regazo y con la mano sostenía la cabeza. Iba a preguntarles si era niño o niña, pero entonces el crío vomitó sobre mí. Disgustada, le dije a la mujer que se llevase su bebé. Mientras lo hacía, dijo que era un niño, y al preguntarle quién era ella, contestó: «Soy tu madre». Regresé al lado de mis cabritos con el corazón algo más ligero y esperanzas renacidas. Los otros cuatro permanecieron dentro de la casa.

Una madre

Pensé que al fin contaba con alguien que me libraría de las garras de mi abuela. Sonreí. Ella me preguntó si me gustaría irme a vivir con ellos, y no hubo asomo de duda en mi voz cuando contesté que sí. Lo pasaba bien con mi madre, y cuando mi padre y sus jornaleros empezaron a construir una casa nueva para nosotras, lo viví como un gran acontecimiento. La nueva casa quedaba a unos dos kilómetros de donde vivía la abuela, e iba a tener más habitaciones, pero el panorama era más o menos el de antes. Con la mudanza nos llevamos las vacas y las cabras, y toda la propiedad pasó a la jurisdicción de mi madre, excepto un platanar que le dejaron a la abuela. Él regresó a la ciudad y nos quedamos solas en la casa. Yo confiaba en ella y le conté todo lo de la abuela. Incluso me pareció que se ponía de mi parte, por lo que –como habría hecho cualquier otra criatura deseosa de ganarse el afecto de una persona mayor– empecé a cargar las tintas, acusando a la abuela de cosas que nunca habían ocurrido. Cuando mi madre se quedó embarazada otra vez, no supe darme cuenta y apenas recuerdo cuándo ni cómo apareció por allí otra criatura.

Lo que sí recuerdo es que la pequeña Pamela quedó confiada a mi cuidado. A mí me gustó porque era como tener una muñeca viva para jugar. Pero cierto día mi madre tuvo que ir no sé adónde y me dijo, para mi extrañeza, que debía procurar que la niña no llorase. Al principio todo resultó bien, hasta que llegó la hora de acostarla. Pamela se durmió, pero al cabo de un rato se despertó llorando. Traté de darle el biberón, pero no sirvió de nada. Lo intenté todo, pero ella seguía llorando porque echaba en falta a su madre. Cuando ésta regresó, me arrebató el bebé sin atender a razones y me acusó de no haberla alimentado. Esa injusticia me ofendió mucho, pero guardé silencio porque sentí miedo al contemplar su rostro desfigurado por la cólera.

Ella le dio el pecho, la acostó y luego regresó por mí. Me sorprendió tanto que no acerté a defenderme cuando se abalanzó sobre mí como un perro rabioso. Me tiró de las orejas y los labios y me empujó hasta derribarme. Permanecí tumbada en el suelo mientras intentaba comprender qué ocurría, pero cuando noté en la boca el sabor de la sangre ya nada me importó. Las semillas del odio contra mi hermanita habían quedado sembradas. Yo estaba convencida de que nada habría ocurrido si a ella no le hubiese dado por llorar. Cuando la miraba, me entraban ganas de tirarle de las orejas y los labios como su madre había hecho conmigo. Convertida en mi enemiga, cada vez que la pequeña lloraba mi corazón se sobresaltaba de miedo y odio, consciente de que su madre la emprendería conmigo. Así se extinguió el afecto entre mi madre y yo, que yo había creído que iba a durar para siempre.

Pasó algún tiempo, y entonces mi padre regresó de la ciudad. Durante la cena, ella le contó que yo mojaba la cama todas las noches, y dijo que estaba harta de cambiar las sábanas cada mañana. Y así continuó amontonando calumnias contra mí, y me dolió mucho recibir semejante puñalada por la espalda. ¡Porque la que cambiaba mis sábanas todos los días era yo misma, y mi madre era una embustera! Por la expresión de mi padre, sin embargo, me di cuenta de que sería mejor no decir nada.

Después de la cena, mi padre me anunció que yo dormiría en el sofá, y que me daría una paliza si por la mañana resultaba que lo había mojado. Me acosté espantada y diciéndome que pasaría la noche en vela, aunque en el fondo tenía mis dudas. Lo primero que hice al despertar fue comprobar el estado del sofá, que en efecto estaba mojado. «¡No!», exclamé para mis adentros llevándome las manos a la cabeza. Salí a contemplar el amanecer mientras esperaba a que despertase mi padre y cumpliese su promesa.

Después de darme la paliza, mi padre dijo que estaba castigada sin comer todo el día, hasta la hora de cenar. Las mentiras de mi madre habían trastornado mi idea de cómo debía comportarse una madre, y para mayor confusión yo veía el cariño con que trataba a mi hermana y mi hermano. Estaba celosa, y para colmo el lugar que yo consideraba mi casa se había convertido en una especie de guardería. Mientras uno de los pequeños dormitaba, el otro se despertaba y se ponía a berrear.

Por aquella época se presentó en nuestra granja una vieja a la que llamaban Jane, y me explicaron que era mi abuela por parte de madre. Me puse muy nerviosa, temiendo que se quedara a vivir con nosotros y que yo volviese a pasarlo mal. Por lo que fue grande mi alivio cuando se marchó al cabo de un par de días. Poco después mi madre se fue a la ciudad para ver a mi padre y la vieja regresó para quedarse un mes o dos junto con sus pertenencias, dos hijas, un hijo y algunas vacas. Con lo que me vi obligada a llamar «tías» a las dos muchachas, y «tío» al chico, pese a que era casi de la misma edad que yo. Me cayeron pésimamente. Por lo visto traían hambre atrasada, porque cayeron sobre la comida como plaga de langostas. Todos los días me despertaba deseando que se largaran de una vez y dejaran de arramblar con nuestra despensa.

A los tres días de la llegada de la nueva familia se presentó mi padre para asignarles alojamiento. De modo que me vi repartida entre dos familias, porque las dos abuelas reclamaron mis servicios. Y me harté de transportar paquetes, paquete arriba, paquete abajo, mientras cada una de las viejas me daba la lata interrogándome acerca de lo que había recibido la otra. La llamada Jane era una vieja haragana, por lo que siempre me retenía para encargarme las faenas de la casa mientras sus hijos jugaban fuera. Por tanto, regresaba tarde a la mía, y entonces mi madre me molía a golpes. Pero lo peor era que nadie tenía nunca una palabra de agradecimiento. Tuve la impresión de estar a las órdenes de todo el mundo, y me di cuenta de que debía poner fin a tal estado de cosas si quería conservar la salud y mis cabales.

Teníamos varias clases de venenos, aunque sus efectos eran desconocidos para mí. De vez en cuando se hacía preciso desparasitar las vacas. Era un trabajo arduo. Toda la familia salía donde las vacas y se les pulverizaba sobre el lomo un líquido desinfectante. Al recordarlo creí haber hallado una salida para mis tormentos.

Me fingí enferma para quedarme en casa y poder ensayar. Cuando se hubieron marchado todos, busqué un palo y con el extremo cogí un grumo de veneno, que acto seguido le tendí a la gata. Por su color blanco debió de creer que era leche, y cuando se lo hubo zampado giró varias veces sobre sí misma y salió disparada hacia el campo. Fui tras ella, dándome cuenta por primera vez, con pesar y tristeza, de lo que acababa de hacer. Al pasar por la puerta vi los gatitos que me perseguían con alegres maullidos. Empecé a buscarla entre el matorral, los ojos anegados en lágrimas de arrepentimiento y maldiciéndome por mi mala acción. Pero la gata no apareció por ninguna parte, así que permanecí un rato indecisa, escudriñando en derredor con ansiedad. Con la aceleración del pulso y la fatiga mental se me secó el llanto, y busqué un lugar donde tenderme. Echada en la hierba, dejé que el sol me abrasara la piel. Recordé cómo vivía la gata y los buenos ratos que había pasado con ella, y sus ojos de color amarillo verdoso que contrastaban con el pelaje negro de su cuerpo rechoncho pero fuerte. Nunca le dábamos más que leche, para que no olvidase sus obligaciones. Aunque ella tampoco se aventuraba demasiado lejos de la casa, porque el matorral era territorio de los nutridos ejércitos de ratas. Dejábamos que entrase en casa y ella pasaba mucho tiempo dentro, jugando con sus cachorros. A menudo, cuando alguien se marchaba y regresaba más tarde, la gata se lo quedaba mirando hasta que se sentaba, luego se aproximaba como si tal cosa, con indiferencia afectada, a ver si podía sentarse en el regazo de uno. Bastaba decirle una palabra para que ella se encaramase de un salto. Pero si no era así, la gata nos volvía la espalda con arrogancia. Si encontraba un lugar alto al que saltar, se subía y se quedaba al acecho, reclamando la atención mientras movía nerviosamente la cola.

De pronto tuve un pensamiento descorazonador: «Si les doy el veneno, ¿empezarán a dar vueltas y desaparecerán corriendo como hizo la gata?». Y en caso afirmativo, ¿regresarán? El temor a un posible regreso me disuadió de mi plan. Cuando volvieron mi madre y Jane, me hallaron en el lugar donde me había dejado caer después de la búsqueda. Tenía una insolación y además me sentía muy triste, lo cual dio verosimilitud a la excusa de la enfermedad. Más tarde oyeron los lamentos de los cachorros y me preguntaron qué había ocurrido. Dije que no lo sabía, que me había pasado todo el rato durmiendo. Pero mi corazón lleno de remordimiento me invitaba a confesar lo que había hecho, y la posibilidad de un retorno de la gata no se apartaba de mi mente.

Mente peligrosa

Teníamos dos estanques, uno lejos y cruzando una extensión de matorrales y bosque, y el otro más cerca, pero las aguas de éste se hallaban contaminadas, por lo que era preciso abrevar los ganados en el más distante. Para mí, como andaba descalza, esto era un suplicio, y además los arbustos espinosos me rasguñaban las pantorrillas. Una tarde regresaba yo con los corderos, tras haber pasado largo rato con ellos cantándoles, cuando me salió al encuentro mi madrastra y se plantó con los brazos en jarras delante del cobertizo.

–¿Por qué los has llevado al lago malo? ¿Es que hemos de perder todo el ganado por tu culpa?

Se me ocurrió negar la acusación, aunque ella estaba en lo cierto.

Furiosa, echó a andar hacia mí. Esgrimía una vara, por lo que retrocedí.

–¿Te has propuesto matarlos a todos?

Dije que yo quería a los corderos y por nada del mundo deseaba hacerles nada perjudicial, pero ella estaba cada vez más furiosa, de modo que finalmente no tuve más remedio que confesar la verdad.

–Te duelen los pies, pero no te duele comer lo que te damos. Estoy harta de ti. ¡Más nos valdría echar la comida a los cerdos!

¿Cómo se atrevía esa mujer a decir cosa semejante, ella que se había presentado con un hijo envuelto en trapos y nada más? ¡Ni que fuese suya la comida que nos daba! Me pareció que hablaba sin ton ni son, pero naturalmente preferí mantener la boca cerrada. De lo contrario me vería otra vez castigada un día o dos sin comer. Así que puse cara de perro hambriento para que me compadeciese y olvidase lo que yo había hecho.

–¡Vete a la cama! –me ordenó–. Te quedas sin cenar, ¡y no creas que he terminado contigo todavía!

Me alejé despacio, como perro apaleado con el rabo entre las patas, creyendo que al final se apiadaría de mí y diría: «Ven aquí, perro, y come un poco». Pero no lo hizo.

Esa noche no pude conciliar el sueño porque el estómago me crujía de hambre. Hacia las dos de la madrugada me levanté. Estaba todo oscuro, tan oscuro que anduve con los ojos cerrados hasta llegar a la puerta, y luego continué hacia la despensa donde guardaban las sobras. Cogí la olla y me puse a zamparme lo que contenía, atenta a cualquier ruido que anunciase problemas. No pasó nada y regresé a mi cama. Ahora sí podría dormir. Pero la ansiedad tomó el relevo del estómago para desvelarme, al recordar lo que había hecho.

A primera hora de la mañana corrí hacia la olla para borrar las huellas de mis dedos. Pero entonces me pareció que el interior revelaba que alguien había comido de allí. Me di cuenta de que mis angustias por la olla no iban a terminar, así que me resigné a salir y escuchar la amonestación de todos los días.

–De ahora en adelante harás todas y cada una de las cosas que sea preciso hacer.

Dicho esto, ella se metió en la casa y me dejó con la duda de si habría visto la falta de comida. Me quedé donde estaba en espera de que regresase, pero como no volvió a salir, entré a ver si se había marchado a casa de su madre saliendo por la otra puerta. Ella me oyó desde su habitación y me ordenó que pusiera leche a hervir. Yo estaba hambrienta, pero no me atrevía a pedir el desayuno. De modo que, cuando la leche estuvo hervida, tomé un cazo y me dispuse a llenarlo, pero con la precipitación se me escapó de las manos y me derramé la leche sobre una pierna. El cazo cayó al suelo y yo grité al notar la quemadura. Ella entró, vio el desaguisado y dijo:

–Tienes el estómago demasiado grande, y eso acabará contigo algún día.

Luego se marchó sin dar muestras de que le importase la leche derramada. Me acerqué a un árbol, tomé algunas hojas e intenté cubrirme la quemadura, pero las hojas se caían y me eché a llorar. Al cabo de un rato procuré tranquilizarme, arranqué una tira de mi ropa y me envolví la pierna. Luego me senté con la espalda recostada contra un tronco y contemplé a los corderos jugar.

A nadie le importó que me hubiese hecho daño. Los sentimientos de mi madre hacia mí no cambiaron, y se empeñó en que podía trabajar.

Tres días más tarde me envió a recoger los corderos que estaban pastando en el campo. Antes de llegar al lugar se me cayó la venda de la pierna. La recogí y decidí que más tarde me examinaría la herida. Cuando llegué al lugar me senté y volví a quitarme el trapo. Entonces vi unas cosas blancas, que al principio creí fibras desprendidas de la venda. Pero cuando traté de quitármelas descubrí que no eran briznas de trapo, ¡sino gusanos! Grité y eché a correr llorando, segura de que tenía la pierna gangrenada. Mi madre me ayudó a quitármelos y cubrió la herida con algodón hidrófilo. Pero no por eso desapareció mi temor a perder la pierna, por lo que me pasaba todo el día levantando el apósito para mirarme.

Al día siguiente me tocó llevar la leche a mi abuela. Ella no estaba, de modo que me senté en el huerto a reflexionar sobre mis dificultades en casa. Me sentí triste y no tenía el menor deseo de regresar. Paseando los ojos por el terreno vi un machete. Lo cogí y mientras lo contemplaba noté una especie de velo rojo que me nublaba la vista. De pronto apoyé el pulgar en un tocón de madera y con el machete le hice un corte por la mitad. Cuando abrí los ojos vi una falange colgando y que sangraba mucho. Quise llorar para aliviar el dolor, pero aunque éste no desapareció, me sentí feliz creyendo que así la abuela me permitiría quedarme con ella. Me apoyé contra la pared mientras observaba el goteo, y tan intenso era el deseo de quedarme que incluso me apreté la herida cuando me pareció que la sangre empezaba a coagularse.

Al poco rato apareció uno de los jornaleros, llamado Byoma (que quiere decir «metal»), enviado a recogerme. Era un hombre de aspecto tan curioso como su nombre, musculoso y con unos labios colgantes que le daban expresión de vaca. Cuando le dije que no estaba en condiciones de caminar, él se limitó a menear la cabeza y se fue por donde había venido.

Cuando por fin se presentó mi abuela y me preguntó qué había pasado, le dije que un forastero que pasaba por allí había cogido el machete y me había cortado el dedo. Ella me preguntó si había visto antes a ese hombre, a lo que contesté que no, y entonces su semblante arrugado se arrugó todavía más. Al parecer tuvo miedo, y tras llenar una palangana de agua me lavó el dedo y luego me lo vendó. Pero tan pronto como hubo terminado se quedó mirándome y dijo:

–Ahora ya puedes irte a casa.

Regresé sola, cruzando herbazales y arboledas, muy entristecida al recordar lo del machete, el dedo y el dolor que a fin de cuentas no había servido para nada.

Cuando llegué a casa, resultó que mi padre había vuelto de la ciudad, pero no estaba porque había salido a inspeccionar las vacas. Regresó al anochecer, y cuando fui a saludarle fingí estar medio muerta sujetándome el antebrazo.

–Quítate la venda –ordenó, y yo lo hice despacio.

Noté que su rostro cambiaba, al que asomó una expresión como de lástima que me reconfortó mucho. Me acerqué a él y descansé el antebrazo sobre sus rodillas. Él pidió que le enseñara la mano antes de preguntarme cómo había ocurrido, y con lágrimas en los ojos contesté:

–¡La abuela lo hizo! –Y aún conseguí derramar otra lágrima.

Él bajó los ojos y se quedó callado, sin soltar mi mano, después de lo cual se puso en pie, salió y empezó a pasearse por delante de la casa visiblemente alterado. Al poco se presentó Byoma y, antes de que pudiese pronunciar palabra, mi padre le ordenó a voces que llamase a la abuela. Pensé decir la verdad y salí adonde él estaba, pero al escuchar sus gritos tuve miedo y regresé al sofá, donde permanecí hasta que llegó la abuela. Ésta se sentó a mi lado y yo iba a saludarla cuando mi padre entró y empezó a gritarle que no era más que una vieja malvada y que sólo pensaba en sí misma. Cuando ella quiso tranquilizarlo y pedirle una explicación, él ordenó:

–¡Fuera de mi casa!

Dicho lo cual, volvió a salir. Ella me miró y me preguntó si sabía por qué se había puesto así mi padre. Me limité a menear la cabeza y, como no deseaba escuchar más preguntas, corrí a la habitación dejando sola a la vieja en la sala de estar. Ella habló un buen rato a solas antes de marcharse, y yo quedé satisfecha con mi venganza por no haber permitido que me quedara con ella. Estaba tan excitada que no me atreví a salir de mi habitación.

En vista de mis lesiones, ya no me enviaban a vigilar las cabras ni los corderos; a cambio tuve que asumir las tareas domésticas de las hermanas de mi madre, y llevarles todas las noches comida y otras provisiones. Entre la casa de mi padre y la de Jane no había caminos, sólo un sendero flanqueado de hierbas y matorral. A mí me daba miedo, por si me salía al paso alguna fiera. Pero ella siempre me enviaba de noche, después de meter el ganado en los corrales y de preparar la comida.

Pasaron muchas semanas sin ningún problema, hasta que una noche oí un alboroto como de gente borracha. Espantada, me detuve en el acto y escuché con atención, pero no se oyó nada más. Me dije que sólo habían sido imaginaciones mías. Pero al otro día oí el aullido de una hiena y eso sí que me daba muchísimo miedo. Estaba todo oscuro y no pude ver si las bestias andaban cerca o no. Permanecí inmóvil, sin saber si convenía más continuar o desandar el camino. La elección estaba entre plantar cara a las hienas o enfrentarme a mi madre cuando regresara a casa. Preferí las hienas, pero al final no ocurrió nada. Cuando llegué a casa de Jane conté lo que había oído, creyendo que ella haría que una de sus hijas me acompañase en el camino de regreso. Pero ella hizo oídos sordos, con no poca decepción por mi parte, y tuve que volver sola. En la oscuridad de la noche cantaba en voz alta para dominar el miedo. Cuando llegué a casa no conté nada de lo ocurrido, sabiendo que de todos modos a mi madre le traía sin cuidado.

Una noche las oí aullar muy cerca de mí, por lo que volví sobre mis pasos temiendo que me atacaran. Cuando mi madre vio que regresaba sin haber entregado la comida en casa de Jane, me exigió una explicación. Yo le dije:

–Las hienas aullaban cerca del sendero y pensé que me atacarían, por eso me he vuelto corriendo.

Ella repitió aquello de que yo sólo era buena para zamparme la comida, y que no entraría en casa sin haber cumplido antes con el encargo.

Bajé los ojos con la sensación de que el mundo entero estaba contra mí, y reemprendí el camino en la oscuridad. Habría sido estupendo ser un pájaro y volar por encima de las fieras peligrosas. Pero no, yo no era un pájaro y no entraba en mis posibilidades nada de eso. Podía plantearle mis quejas al camino si quería. Miré alrededor y vi los matorrales, y más allá las tinieblas. Sólo se oían los chillidos de las rapaces nocturnas.

Mientras caminaba noté un súbito dolor en el talón. No presté atención y seguí andando. Cuando llegué a la casa de Jane me dolía toda la pierna. Con todo, me sorprendió la reacción de Jane cuando se lo conté. Ella supo enseguida que me había mordido una serpiente. Sin pérdida de tiempo examinó mi pie, ensanchó la herida con una cuchilla de afeitar y me aplicó un ungüento casero. Luego me puso otra cosa que, según dicen, sirve para chupar la sangre de las venas. A mí me dio mucho miedo, sobre todo porque nadie supo explicarme adónde iba la sangre que me chupaba.

Aquello era una maravilla. De ahí saqué la demencial idea de golpearme la pierna con un palo cada vez que diese muestras de mejorar. Prefería el dolor antes que salir de noche a hacer recados. ¡Yo no condenaba a la serpiente, sino a la persona que me enviaba por ese camino!

Las abejas

Cierto día que mi madre fue a la ciudad, me quedé con la abuela y al cuidado de mi hermana Pamela. Mi abuela salía todas las mañanas al platanar, pero como no podía dejarme a solas con el bebé, no tuvo más remedio que llevarnos consigo. Ella iba delante con

Pamela a la espalda y una azada al hombro, y yo con un bidón de cinco litros de agua. Cuando llegamos a la plantación miré el sol y vi que eran las once. Pamela y yo nos quedamos a la sombra de un mango, y la abuela se metió detrás de un plátano para cambiarse. Dejé a la niña e intenté acercarme con disimulo para ver a la vieja sin ropa, pero una vez más la pequeña me estropeó la diversión echándose a llorar, con lo que me obligó a regresar rápidamente y taparle la boca. Cuando la cría se cansó de tratar de morderme la mano, vimos a la abuela, un poco más lejos, plantando alubias. Al rato dejé a Pamela jugando y me acerqué a unos naranjos. Cuando levanté la vista tuve una bonita sorpresa: un gran panal de abejas. No veía la hora de catar el dulce sabor de la miel. «¿Voy a quedarme aquí relamiéndome o voy a hacer algo?», me dije. Al mismo tiempo vi un palo largo, como si estuviera esperándome. Antes de cogerlo me acordé de la abuela. Por fortuna, estaba ocupada en sus menesteres, así que agarré el palo y me quedé un rato mirando el panal antes de acercarme al árbol. Intenté darle con el palo, pero mi escasa estatura y flacos bracitos me dificultaban su manejo. Sin embargo, no era cuestión de rendirse, de modo que seguí esgrimiéndolo hasta que el panal se desprendió y cayó sobre mi cabeza haciéndose mil pedazos y aventando miles de abejas enfurecidas. Con un brazo me quité las abejas de la cara y trastabillando regresé junto a Pamela, a la que tomé de la mano libre y echamos a correr. Pero no sirvió de nada. Ahora las abejas nos perseguían a ambas y recibimos infinidad de picaduras. Imposible librarse de ellas por más prisa que me daba. Pamela empezó a gritar, lo que me obligó a taparle la boca y la nariz para que la abuela no se enterase. Al tener ambas manos ocupadas no podía espantar las abejas, que se ensañaron conmigo. Yo apretaba los labios para evitar que me entrasen en la boca, que por lo visto era lo que más les interesaba. Cuando vi que no servía de nada correr, traté de revolcarme sobre la tierra con la niña, pero este remedio tampoco dio resultado. Grité llamando a la abuela. Aunque estábamos muy maltrechas, yo no temía tanto a las abejas como a lo que pasaría cuando nos viesen mi abuela, mi madrastra y mi padre.

La vieja oyó los gritos y acudió. Me agarró por un brazo mientras yo rodeaba fuertemente a Pamela, y salimos corriendo.

Cuando nos hubimos alejado lo suficiente, me quitó a la niña, se detuvo a contemplarla y gritó. Nos encaminamos hacia la casa a toda prisa. Durante el camino me chillaba como si quisiera tapar los berridos desgarradores de Pamela, que se dolía de las picaduras. Una vez en casa, la sentó en el sofá y llamó a uno de los jornaleros para enviarlo a la ciudad con una nota para mis padres que garabateó deprisa. Hecho esto, se acercó a la niña, la levantó y se puso a extraerle los aguijones. La mano de la abuela pellizcaba la piel de la criatura y hacía ademán de arrojar algo, pero sabiendo que la vieja veía muy mal, era para dudar de la eficacia del tratamiento. Yo permanecía sentada y callada, tratando de pasar desapercibida. La situación era de muy mal augurio para mí, aunque de momento la abuela parecía atenta únicamente a la tumefacta Pamela. A mí también me dolía como nunca en la vida, pero cuando me hice notar para ser objeto de las mismas atenciones, la abuela se volvió como una fiera y me lanzó una mirada asesina. Esto me hizo pensar en lo que me harían mis padres, y la sola idea me dio tanto miedo que empecé a maldecirme. Por último, y sintiéndome como una paria, mientras la abuela seguía anunciándome los castigos que iba a recibir, salí de la casa y me senté sobre una piedra. Los párpados se me cerraban, de tan hinchados por las picaduras, por lo que fui a mi habitación e intenté dormir. Pero el miedo no me dejó conciliar el sueño, cuando al final estaba a punto de quedarme dormida, oí los gritos de mi madre. Entonces supe que había visto a su hija. A continuación oí los pasos de mi padre y su voz que me llamaba. Era tanto el miedo, que en vez de obedecer me hice un ovillo debajo de la manta, como si pudiera esconderme allí hasta que todos hubiesen desaparecido. Pero él se limitó a arrebatarme la manta, me agarró por la nuca y me sacó a la estancia principal. Irguiéndose ante mí, preguntó qué se me había perdido entre los árboles.

–Quería comer un poco de miel –contesté, y él me soltó un fuerte bofetón diciendo:

–Conque miel, ¿eh? ¡Toma miel! –Y se alejó.

Imaginé que regresaría con un bastón, como así sucedió. Cuando se cansó de molerme a golpes llamaron al médico. Oí que el doctor le preguntaba por qué tenía yo aspecto de haber recibido una paliza. Mi padre dijo que había tropezado y caído mientras corría huyendo de las abejas. Yo escuchaba las mentiras de mi padre y sentí deseos de coserle la boca con una aguja.

CUATRO CABRITAS

Mi padre se marchó y poco después mi madre, para castigarme, me mandó guardar las cabras, sin darse cuenta de que con eso me hacía feliz porque estaría lejos de casa desde la mañana hasta el anochecer, a salvo de golpes e insultos. Mi nuevo trabajo me gustaba bastante. Las cabras me obedecían y no me creaban ninguna dificultad. Todas las mañanas me reía para mis adentros mientras mi madre salía a la puerta para ver cómo me alejaba con las cabras hacia el matorral cumpliendo con el supuesto castigo.

Cierto día, mientras estaba en el matorral con mis cabras, descubrí unas setas, de las que crecen durante la estación de las lluvias. Lo único que me pesaba a veces de mi trabajo era que las cabras no hablaban, y me faltaba una compañía con quien cambiar chismes y bromas. Las setas eran bastante apreciadas entre nosotros, así que consideré la posibilidad de regresar a casa y anunciar mi descubrimiento. Pero luego, al recordar cómo me trataban, preferí no decir nada.

Abandonando un momento mis cabras, me encaminé a casa de los vecinos, aunque sabía perfectamente que eran enemigos de mi padre, con la intención de invitarlos a entrar en la finca de mi familia. La vecina estaba sentada a la puerta hablando con otras dos mujeres.

–Hola –dijo ella al verme–. ¿Qué haces aquí?

Soslayando la pregunta, les comuniqué mi hallazgo. Enseguida las tres se deshicieron en sonrisas y hubo un alboroto mientras corrían de aquí para allá buscando cestos para recoger las setas.

–Vamos –dijo una de ellas.

–¿No van a llamar a nadie más? –pregunté.

–¡Nooo! –replicaron todas al unísono.

–Pero es que hay muchas, y vais a tardar bastante. ¿Por qué no lleváis unos plátanos por si os entra hambre?

Cuando les hube mostrado el lugar, regresé con mis cabras y me senté sobre la hierba con mi manojo de plátanos mientras ellas recogían las setas. Aquella noche al acostarme sólo tenía un deseo: que todos los días me fuese posible descubrir más y más setas. Por la mañana, mi madre me dio un vaso de leche, indicándome que me la bebiese enseguida y fuese a sacar las cabras, después de lo cual se marchó. Cuando dejé de oír sus pasos, corrí a la cocina, cogí un trozo de carne de la olla y me lo zampé. Con las prisas me atraganté y se me llenaron los ojos de lágrimas. Creo que me habría ahogado, pero conseguí hacerme con un vaso de agua. Por fin pude tragar la carne y me quedé sentada, sudando y respirando con agitación. Cuando me repuse, saqué las cabras y las llevé al campo. De camino iba contándoles el mal comienzo que había tenido la jornada.

Llegamos a un prado de hierba fresca y las dejé pastando mientras yo buscaba setas. Después de recorrer un buen trecho sin ningún resultado, oí los balidos de unos cabritos no lejos de donde me había detenido. Contesté imitando sus voces y al poco salieron de la espesura cuatro crías preciosas. Sentí ganas de llorar, pero luego, al comprobar que todas eran hembras, se me secaron de repente las lágrimas y me entró la risa. Las cuatro cabritas me siguieron y las reuní con las demás, loca de alegría por un hallazgo que me daba la sensación de tener por fin algo mío. Después de cumplir con mis tareas de la jornada, no veía la hora de dar la buena noticia, creyendo que se alegrarían de que yo hubiese encontrado aquellas cabritas y que recibiría elogios por ello. Así que me presenté muy orgullosa y sonriente. Pero ellos no sonrieron, y la abuela se limitó a decir:

–Mañana las veremos.

Cuando vi sus caras inexpresivas, vacías de emoción, mi felicidad se evaporó poco a poco y quedé perpleja y entristecida. A la mañana siguiente tampoco dijeron nada, y yo me pregunté en qué estarían pensando y si dirían que las cabritas eran mías o suyas. Pocas semanas después apareció mi padre y por poco me olvido de saludarlo, con las prisas por tomarle de la mano y conducirle a donde las guardaba.

–¡Qué cabritas tan bonitas tienes! –dijo–. ¡Esto está bien! Pero será preciso que las cuides mucho, porque todavía son muy pequeñas.

Le aseguré que lo haría, porque les tenía mucho cariño. Y me dejó llena de felicidad y convencida de que iban a ser mías. Pero no tardaría en averiguar cuán equivocada estaba. Quizá fue que no entendí bien sus palabras. Que lo juzgue el lector por lo que voy a contar ahora. Andando el tiempo mis cabras iban pariendo y llegué a tener doce cabritos.

Hubo una fiesta y en la granja se congregó toda la familia. Era el día de mi bautizo, por lo que me levanté muy temprano, y mientras me vestía, oí por la ventana a mi padre ordenar a Byoma que sacrificase dos cabras. Luego abrí los ojos como platos al ver que mi padre las ataba con cuerdas al tronco donde los jornaleros solían degollarlas. Yo sabía que no podría impedirlo, y me eché a llorar cuando Byoma se dispuso a sacrificarlas. Y seguía con los ojos llenos de lágrimas cuando la abuela me tomó de la mano para llevarme a la iglesia, donde aguardaban la madrina y el padrino. Nos sentamos un rato para esperar al padre Robert. La solemne música religiosa sólo sirvió para aumentar mi tristeza. Vi que todo el mundo se ponía en pie y que el sacerdote se acercaba al altar. A continuación alguien pronunció mi nombre y la abuela me dio un ligero empujón, con lo que eché a andar a desgana hacia el altar. Al regresar, la madrina me dio un abrazo y me preguntó por qué estaba triste, pero creo recordar que no pronuncié palabra.

Tan pronto pude, abandoné mi banco y salí con disimulo dejando el resto de la ceremonia a los demás, y con intención de no regresar a casa. Luego fui al platanar, donde tenía mi escondrijo de plátanos, y me felicité por mi decisión de no regresar, ya que de hacerlo tendría que comerme a mis amigas. Se me ocurrió castigar a mi padre y a Byoma bebiéndome aquel líquido desinfectante, con lo que daría vueltas sobre mí misma y desaparecería para siempre como había hecho la gata, pero luego la idea me dio un poco de miedo. Me entretuve pensando en lo que pasaría con ellos si yo desapareciese. ¿Tal vez vendría la policía y se los llevarían a todos? Era una idea regocijante y estuve un rato dándole vueltas, pero al final pensé que no me atrevería a tomar el líquido venenoso, abandoné el plan y decidí regresar.

De camino, una bandada de pájaros revoloteó sobre mi cabeza y les dediqué una canción, pero antes de llegar me detuve a la sombra de un árbol, tratando de urdir alguna mentira que me salvara de la azotaina. Como no se me ocurrió nada, decidí entrar en casa poniendo cara de mucho enfado. Mi padre, mi madre y mi abuela estaban en la sala. Todos se volvieron a mirarme. Mi padre se levantó meneando la cabeza y luego me tiró de las orejas, diciendo que me habían buscado por todas partes. Enseguida salimos fuera.

Mientras él me atizaba, vi que la abuela y mi madre miraban por la ventana, de manera que contuve las lágrimas para no darles la satisfacción. Pero no había previsto que mi padre, al creer que no me hacía daño e irritado por mi silencio, me golpearía cada vez más fuerte. Cuando se cansó de pegarme, corrí a esconderme detrás de la casa para dar rienda suelta a mi llanto.

Cuando desperté, todo estaba oscuro a mi alrededor. Eso me desorientó al principio, hasta que sentí el frío del relente y me di cuenta de que había anochecido. Sólo se oían las voces de las aves nocturnas. Agucé el oído tratando de captar algo más. Las ranas croaban en los estanques y más lejos se escuchaban los peculiares ladridos de las hienas. Sentí miedo, aunque peor era la idea de tener que llamar a la puerta de la casa. No supe qué hacer, y finalmente decidí acostarme en el corral de las cabras. El olor no me importaba; únicamente me preocupaba que las cabras pudieran pisotearme. Pero cuando entré, noté que estaban pacíficamente tumbadas y durmiendo. La mañana siguiente descubrí manchas de sangre en mi vestido, y que tenía un dedo roto. Fui a sentarme cerca de una esquina de la casa, los brazos pegados al cuerpo para protegerme del frío vespertino, a esperar que ellos despertasen. Presté atención a mi dolor, pero sólo conseguí hallar cólera dentro de mí, y lloré otra vez deseando poder contar con un hombro amigo sobre el que desahogarme. Pero allí no había nada más que viento, y deseé ser libre como él.

Mi padre fue el primero en salir, y cuando vi su cara deseé que cayera del cielo una roca y le aplastara la cabeza. Hizo una mueca de remordimiento al advertir mi estado y bajó la cabeza como un ladrón pillado en plena faena.

–Tengo un dedo roto, padre –anuncié.

Sin decir palabra, él se acercó al tronco donde solían degollar las cabras y se quedó contemplando el cielo. Luego se volvió y entró en la casa.

Al poco volvió a salir con un cuchillo y una madera, se sentó sobre un pedrusco y se puso a cortar la madera en trocitos pequeños. Yo me pregunté para qué iba a servir aquella leña, pero confié en que no iban a emplearlas para asarme a mí. Cuando hubo terminado me llevó dentro, me lavó la mano dañada y me entablilló el dedo roto. Me hizo daño, pero como no deseaba mostrarme débil tosí en vez de quejarme. A él se le escapó entonces una ventosidad. Era la primera vez que una persona adulta hacía algo semejante en mi presencia, y pensé que era porque se había atiborrado con la carne de mis cabras. Juré vengar a mis amigas cuando fuese mayor, y mi resolución se acrecentó cuando más tarde me obligaron también a comer de ellas. Así fueron desapareciendo una a una.

Estaba desesperada y no lograba conciliar el sueño. De noche me parecía oír los balidos de mis cabras. Se me ocurrió dar de beber el veneno a todas las vacas de mi padre para vengarme, pero desistí de la idea al imaginar el desastre que organizarían las vacas cuando empezasen a girar sobre sí mismas.

De sueños extravagantes

Sentada al pie de un árbol, me hallaba disfrutando de un vientecillo fresco cuando, al volver la mirada hacia el sendero, vi acercarse a un joven a paso lento. Tuve la extraña sensación de que me contemplaba con bondad, a tal punto que no sentí la menor alarma mientras iba acercándose, ni siquiera cuando estuvo tan cerca que habría podido tocarme.

–¿Cómo estás? –me preguntó.

Contesté que bien, sin dejar de mirarle a los ojos. Él me preguntó si estaba mi padre en casa. Poco me faltó para contestarle que yo no tenía padre, pero como no le conocía, preferí decirle que esperase, que yo le daría el recado a mi padre. Pero cuando eché a andar, él me retuvo llamándome por mi nombre y preguntó si la abuela vivía con nosotros.

–Sí, está aquí ahora, pero ella tiene su propia casa –contesté.

Su semblante cambió y vi en sus ojos cierta expresión de expectante impaciencia, aunque su tono fue amable cuando me pidió que llamase a mi progenitor.

–Dile que se acerque –ordenó mi padre.

El chico me acompañó. Al acercarnos, vi que mi padre estaba en el umbral con las manos apoyadas en el marco de la puerta y los ojos bajos. Evidentemente conocía al forastero. Le dijo que se detuviese fuera y que no entrase en la casa. Mi curiosidad despertó ante tan extraño recibimiento, de modo que fui a esconderme no lejos de allí. Oí a mi padre preguntarle qué quería. El chico rompió a llorar y dijo que no tenía adónde ir.

–Te he dicho que no te acerques por aquí. ¿Qué quieres de mí?

–Eres el único hermano que tengo –dijo el joven.

La palabra «hermano» me dio a entender que se trataba de un tío mío, así que procuré no perderme ni una sola palabra del diálogo. Mi padre le advirtió que no disponía de mucho tiempo, y su hermano replicó:

–¿Qué será de mí? ¡Por favor, ayúdame!

En ese momento comprendí el desvalimiento de mi tío, tan semejante al mío propio. Lo que más me extrañó fueron las miradas de mi madre y mi abuela, que también espiaban la conversación.

Mi padre le hablaba a su hermano en un tono cada vez más despótico, hasta que el recién llegado se arrodilló delante de él y le suplicó, sollozando en silencio. Poco después vi que mi tío se alejaba. Deseosa de averiguar la verdad del asunto, corrí tras él.

–¡Tío! ¡Tío! –le llamé.

Él se detuvo y preguntó si me enviaba su hermano.

–No –dije–. Él ni siquiera sabe que estoy aquí.

–Pues entonces, ¿qué quieres? –preguntó, y yo dije que deseaba ayudarle si podía, a lo que él sonrió.

Al preguntarle su nombre dijo que se llamaba Nyindo, que significa «nariz», y fue entonces cuando noté que la tenía abultada, como una patata. Nos sentamos y le pregunté por qué le había echado mi padre, pero él fingió no saberlo y luego dijo en tono amable:

–Aún eres una niña, no lo entenderías.

Le contesté que estaba segura de entenderlo, pero cuando le miré a los ojos comprendí que no iba a contarme nada. Conque le pregunté si deseaba conocer mi historia, y él asintió y se acercó un poco más a mí.

–Tú no eres el único aborrecido por mi padre, ¿sabes? A mí también me odia.

Y empecé a contarle cómo me trataban, y cuando las lágrimas no me dejaron continuar, alargó sus manos para enjugármelas. Después de esto se avino a hablar un poco de sí mismo. Me contó cómo mi abuelo se había divorciado de mi abuela y echado de casa a mi padre con prohibición expresa de regresar jamás. A los catorce años mi padre se unió a un jefe que vivía no lejos de donde mi abuelo. A cambio de trabajar en la granja de ese cacique se le permitió continuar sus estudios. Mi abuela volvió a casarse y tuvo un hijo, al que llamaron Nyindo. Pocos años después, el abuelo murió y dejó todas sus pertenencias a su mujer y su hijo. En cambio, mi padre quedó desheredado. Mi tío era demasiado joven para confiarle los documentos, por cuya razón se los quedó su madre.

Le pregunté por qué había acudido a mi padre como suplicante, si era verdad que había heredado una fortuna. Dijo que mi padre se lo había quedado todo.

–Cuando mi padre murió, mi hermano se presentó al entierro y se las arregló para sonsacarle los documentos a su madrastra.

Yo escuché lo que me decía muy callada, porque me pareció que había olvidado a quién se lo estaba contando. Cuando mi padre logró hacerse con todo, dejó ver cuál era su verdadera índole y desahució al mismo tío Nyindo y a la madre de éste.

Cuando Nyindo terminó su relato se echó a llorar. Ambos quedamos en silencio. Yo cavilaba cómo sería posible ayudarle y me acordé de mi madrina de bautizo y de su marido. Estaba segura de que se mostrarían comprensivos, y de que ella notaba el trato que me dispensaba mi familia. Le dije que lo presentaría en casa de aquellas personas. Él se quedó mirándome con un leve destello de esperanza en los ojos. Echamos a andar y cuando llegamos a la cima de la colina le indiqué la casa. Vi que sus lágrimas se desvanecían como un sueño olvidado mientras sonreía y se apresuraba a darme un abrazo. Continuamos, y mientras tanto yo le hablaba de las cosas de mi madre, allá en casa. Pero cuando mencioné por segunda vez la palabra «madre», él me interrumpió diciendo:

–Ésa no es tu madre.

A mí me costaba creerlo, y pensé que lo decía por la animadversión que sentía contra ellos.

Mi madrina estaba sentada en su jardín con un hijo suyo. Cosía un mantel, y me conmovió la sinceridad de su sonrisa cuando se apresuró a salir a nuestro encuentro para darnos la bienvenida. Nos sirvió leche en vasos bellamente decorados con flores y me agradó mucho beber de ellos, aunque en casa los teníamos iguales, sólo que a mí me obligaban a beber en vasos de plástico. La conversación corrió de mi cuenta, mientras mi tío titubeaba en busca de la frase adecuada, supongo. Les pedí que lo albergasen durante un par de días, a lo que ella asintió no sin algún comentario condenatorio para mi padre. Cuando volví la mirada hacia él, dispuesta a cambiar una sonrisa de triunfo, me sorprendió por segunda vez el advertir que estaba sollozando. No lo entendí, pues suponía que esta vez nos hallábamos en el lado de los ganadores. Como se me estaba haciendo tarde, me vi obligada a despedirme. Me resultó difícil, y tuve que disimular que no pasaba nada. Tenía el presentimiento de que no volvería a verlo, porque el odio que él había visto en los ojos de su hermano le disuadiría de intentarlo. Por eso me fui con el corazón roto y los ojos llorosos.

Cuando regresé a casa, mi madre se ocupaba de servir la cena, y mi padre estaba en casa. Esto significaba que me pondría en el plato más de lo que yo podía comer. Y aquella noche no me faltaba más que eso, porque no tenía hambre. Miré el guiso tratando de recobrar el apetito, pero no pude. Cada vez que los miraba a ellos se me encogía el estómago. Mi padre me infundía miedo al recordar lo que le había hecho a mi tío. Era muy posible que cualquier día de éstos me echara de casa a mí también.

Estaba muy asustada. Salí corriendo y empecé a vomitar. Mi padre, que me había seguido, se quedó de pie mirando hasta que terminé, y luego me agarró de la mano y tiró de mí para meterme en la casa. Entonces dio comienzo el interrogatorio. Me preguntaba si había comido fuera de casa. Al fondo oía la voz de mi madre asegurando que ella siempre me ponía mucha comida, pero que yo me atracaba de cosas prohibidas, como mangos, naranjas y plátanos. Amenazó con abandonar a mi padre por mi culpa, y le exigió que hiciese algo para corregir mi conducta. La cara de mi padre se puso como la de los toros que yo solía observar. Cerré los ojos y me resigné a que hiciese lo que quisiera por complacer a su mujer. Cuando me empujó contra la pared tuve ganas de decirle que estaba enfadada por el dolor de mi tío, pero cerré la boca antes de que se me escaparan semejantes palabras. Más tarde, ya de noche, me acosté a oscuras en el silencio de mi habitación. Notaba en el paladar el sabor salado de mi llanto mientras recordaba las palabras de mi tío, e iba pareciéndome que eran verdad.

La mañana siguiente, al despertar, me di cuenta de que la paliza había sido muy fuerte. Me dolía todo el cuerpo, y tenía costras de sangre seca en la nariz y la boca. No me cambié las prendas manchadas para ver si mi padre se apiadaba de mí. Salí, me lavé la cara con agua fría y me puse a barrer el suelo delante de la entrada. Al avanzar la mañana el sol empezó a arder y me sentí un poco mareada, pero estaba decidida a terminar lo que había comenzado. Me distraje pensando en mi tío, y abandoné la tarea cuando lo imaginé atacado por unos leones hambrientos. Cuando desperté, me hallé tumbada debajo del árbol y cubierta con una sábana húmeda. Aunque no tenía ni la menor idea de lo ocurrido, decidí quedarme allí con la esperanza de que mi padre saliera a ver qué me pasaba. Pero no salió, y una vez más me convencí de que no le importaba. Eché la sábana a un lado y esperé un minuto o dos, mientras pensaba adónde podría ir a conseguir algo de comer. Le dije a mi madre que iba a vigilar los animales, y como no me contestó, salí otra vez y me encaminé al platanar, donde me puse a buscar plátanos maduros. Mientras andaba entre los plataneros, de pronto oí pisadas sobre hojas secas. No hice caso, porque acababa de ver un racimo de plátanos maduros y, procurando no hacer demasiado ruido, al fin conseguí arrancarlo. Empecé a comer, pero los pasos se oyeron de nuevo y cada vez más cerca. Así que recogí todos los plátanos que pude y, cuando me incorporaba para alejarme, vi que era mi padre, que estaba hablando con otros tres hombres. Me pareció que todos se acercaban hacia donde yo estaba. Eché a correr zigzagueando entre los troncos como un conejo asustado. Mi padre y sus hombres se hallaban muy cerca, pero tuve la fortuna de escapar sin perder ningún plátano. Ese mismo día, sentada a la mesa y con los ojos bajos, oí a mi padre contarle a su mujer lo ocurrido en el platanar. Me faltó poco para soltar una carcajada cuando ella dijo:

–¡A lo mejor eran unos perros vagabundos!

No sequé tus lágrimas, tío, cuando he visto que corrían como los arroyos de montaña. Dondequiera que estés, sé que el cariño que intenté darte estará siempre en tu corazón. Aunque estés lejos te veo en mis sueños, con los ojos del corazón. Y creo que tú también me recordarás, aunque yo nunca llegue a saber dónde anda tu alma. Mi corazón y mis ojos lamentan tu tristeza. Mi alma está contigo y guardo tus palabras en el recuerdo.

C. K.

Mi padre se daba cuenta del sufrimiento, pero estaba demasiado atrapado en su propia vida y por su necesidad desesperada de ser el centro de todo.

C. K.

TIRANDO DE LA CUERDA

Las hermanas de mi madre la visitaban a menudo. Hablaban de sus cosas, pero ella no me quitaba la vista de encima. A mí me ofendía porque era como si diese a entender que yo era una niña horrible. Y aunque no comprendía mucho lo que decía, sus palabras me afectaban.

Ese rechazo me llenaba de malos pensamientos que me tenían continuamente inquieta. No veía que tuvieran lugar para mí en sus corazones. Mis tribulaciones llegaron al límite de lo soportable y era preciso que reaccionase, o reventaría. Empezaba a desesperar viendo que nadie me daba lo que yo necesitaba. En mi vida faltaban tantas cosas que no llegaba a abarcarlas. Lo que me hacía falta por encima de todo era ser libre. Pero ¿dónde encontraría esa nueva vida? Mi madre tiraba y yo tiraba, y así no íbamos a ninguna parte. Con mucha firmeza me prometí no ceder jamás, no permitir que ella se apoderase de mi alma. Yo seguiría tirando por mi lado hasta que se me despellejasen las manos, porque estaba segura de que algún día la cuerda acabaría por romperse. Así me infundía fuerzas mientras buscaba un alma gemela con la que pudiese desahogarme. Pero nunca la encontré.

Llegué a tal punto que dejó de importarme el trato que recibía en casa. Nada en el mundo me importaba, excepto escapar de mi penosa condición. Aquella misma noche, justo después de ordeñar las vacas, se presentó Jane, la madre de mi madre, para quejarse de que no contaba con nadie que la ayudase a limpiar los establos. Tenía otros hijos, pero no podían hacerlo o faltarían a clase. Mi madre dijo que me enviaría a mí. Al cabo de una semana tenía los pies llagados. Regresaba siempre demasiado tarde y demasiado fatigada para lavármelos. Pero cuando finalmente lo hice, resultó que las heces de las vacas me habían abrasado la planta de los pies. Procuré quitarme aquellas manchas negras, y hasta me froté con una piedra, pero desistí cuando vi que sangraba. Entonces mi odio contra las hermanas y el hermano de mi madre se encendió al rojo, y me pregunté por qué tenía que hacer el trabajo de ellos.

Un sábado por la tarde mi madre me dio un cesto lleno de plátanos y me ordenó llevarlos a casa de su madre. Cuando llegué, las chicas revisaron los plátanos y me acusaron de haber comido algunos. Eso me ofendió sobremanera y las insulté diciendo que eran unas desgraciadas que no sabían más que mendigar. Y les exigí que dejaran de comerse la hacienda de mi padre. Tan pronto como acabé, ellas se lanzaron a perseguirme con gran griterío. Yo corrí, y cuando hube alcanzado distancia suficiente me detuve y les grité que si no fuese por mi padre estarían ya muertas de hambre. Nuevos chillidos de sorpresa e indignación, pero continué corriendo hasta llegar a casa. Respiré hondo creyendo que iba a tener un rato de tranquilidad, pero las vi acercarse con trote cansino. Rápidamente fui a la cocina, agarré unos cuantos plátanos y me escondí debajo de la cama de mi padre, pues imaginaba que ellas se quedarían aguardándome delante de la puerta, como sabuesos. Empecé a atracarme a más no poder, y tanto comí que se me hinchó la barriga y no lograba salir de debajo de la cama. Desperté de pronto al oír la voz de mi padre, aunque al principio creí estar soñando porque le hacíamos en su casa de la ciudad. Conseguí presentarme en la sala de estar fingiendo que acababa de llegar a casa. Saludé a mi padre y me fui al patio, pero entonces me acordé de las pieles de plátano. Sólo cabía confiar en que nadie las encontrase. La mañana siguiente, mi madre se dignó a barrer personalmente la casa, cosa desacostumbrada, y fue entonces cuando aparecieron las pieles. Para mi desgracia, yo era la única sospechosa porque mis hermanos y hermanas estaban en casa de la abuela. Mi padre me llevó a la habitación para ver las pieles que mi madre había amontonado delante de la cama. Eran tantas que yo misma quedé sorprendida y por un momento sospeché que ella había añadido algunas más. Nos quedamos mirándonos todos en silencio, él con una expresión de perplejidad, hasta que se echó a reír, meneando la cabeza. Luego me pidió que le dijera quién se había comido los plátanos, y prometió no pegarme. Le miré a la cara y dije:

–Han sido los habitantes del matorral, esos que van cubiertos de pelos negros desde la cabeza hasta los pies.

–¿Tú los has visto? –preguntó entre risas. A decir verdad, reía tanto que los ojos se le llenaron de lágrimas, pero dijo que no me creía ni media palabra.

Le conté que las chicas me habían acosado tanto que en vez de regresar a casa me había visto obligada a esconderme en el matorral, y que finalmente cuando pude volver tenía mucha hambre, pero no encontré a nadie en casa. Creí que mi padre iba a reprenderme, pero lo que hizo fue volver a la sala de estar, donde le dijo a su mujer que le anunciase a la abuela Jane que debía abandonar la granja. A ella le faltó poco para caer desmayada de la sorpresa. Pero luego frunció el ceño y se acercó a mi padre. Esbozó una sonrisa conciliadora e intentó persuadirle. Él ni siquiera la escuchaba. Yo la observé sin molestarme en disimular mi satisfacción. Pero mi padre estaba cada vez más furioso, por lo que preferí refugiarme en el dormitorio. La batalla comenzó enseguida. Al oír los gritos de ella me acerqué a espiar. La perdedora era ella, obviamente, puesto que estaba tumbada en el suelo. Me espantaban un poco aquellas voces, por lo que me tapé los oídos, pero en el fondo deseaba que siguiera golpeándola. Ella permaneció en la cama hasta la mañana siguiente. Él no regresó hasta la tarde. Yo me fui a dormir con el estómago vacío, pero feliz. Cuando desperté, mi padre ya había emprendido el regreso a su casa de la ciudad, y al entrar en la habitación principal vi que ella se aplicaba un paño húmedo sobre la cara. Salí a contemplar las bandadas de pájaros cuyas siluetas se recortaban contra el sol naciente. Al cabo de un rato fui a ver a Byoma, que estaba ocupado atando unas cabras. Al verlo enfrascado en lo suyo, me acerqué con disimulo al lugar donde tenía puestos a secar unos saltamontes. Para evitar que supiera que se los había robado, los esparcí como si los hubiese picoteado una gallina y, hecho esto, me llevé un puñado para ponerlos a buen recaudo.

Por la tarde, cuando regresé de sacar agua, tenía hambre y descubrí algo de comida en un cazo. Iba a meterle mano cuando recordé que me habían dicho que siempre pidiera permiso, y me quedé sin saber qué hacer, la mirada fija en el recipiente. La boca y el estómago estaban de acuerdo en no esperar, pero el trasero me aconsejaba lo contrario. Mientras debatía conmigo misma a cuál de las partes de mi cuerpo escuchar, las manos se me fueron al cazo. En ese preciso instante apareció mi madre. Yo ni siquiera había tomado el primer bocado, pero ella me quitó la comida de la mano y me embadurnó con ella toda la cara. Furiosa y ofendida, salí corriendo, agarré una piedra y estuve golpeando el suelo hasta cansarme. Pero aún no me había desahogado y estaba decidida a vengarme de ella, si se me ocurría alguna manera.

Mientras andaba buscando los saltamontes del día anterior me acordé de la gallina que tan aficionada era a ellos. Abandonando la búsqueda, corrí al gallinero y me puse a recoger excrementos.

Mi madre acababa de ordenarme que le hiciera el té, como de costumbre. Mientras vigilaba la puerta de reojo, sequé mi botín al fuego. A continuación lo machaqué para mezclarlo con un puñado de té. En cierta ocasión había oído decir que si una persona come excrementos de gallina se le caen los dientes. Ese día me dio mucho gusto contemplar cómo tomaba su té, y cuanto más tomaba, más crecía mi excitación. Pero el desencanto fue grande al comprobar que no se le caía ningún diente.

Al día siguiente, mientras hacía la limpieza descubrí un montón de medicamentos en una caja. Los saqué todos en busca de algo que sirviera para dárselo a ella. Pero entonces oí que me llamaba a gritos y, presa del pánico, mientras intentaba guardar las medicinas, un frasco se me derramó en el vestido, y olía a carne podrida. Al acercarme, mi madre arrugó la nariz. Antes de que me hiciera ninguna pregunta le conté que había sacado la caja y se me había derramado un frasco. Ella me reprendió a voces, como solía hacer, y me prohibió que volviese a acercarme a las medicinas. Pero esta vez no iban a ser sus gritos los que me lo impidiesen.

Más tarde, ese mismo día, ella fue a ver cómo seguían sus hijos en casa de la abuela. Sin pérdida de tiempo fui a por la caja de medicinas. Por último encontré lo que dábamos a los cabritos para purgarlos. No olía a nada, conque me figuré que no sería demasiado peligroso. Faltaba sólo inventar la manera de dárselo. Imposible echarlo en el té, porque solía servirse la leche ella misma. Entonces se me ocurrió la idea perfecta: todas las mañanas tomábamos un poco de papilla de avena mezclada con leche. Ella regresó por la tarde y nos sentamos a cenar. Yo hice todas las tareas acostumbradas, como llevarle agua en un barreño, pero por dentro de mí reía pensando en la trastada que iba a hacerle.

Llegó la mañana con su ardiente sol africano y su profundo cielo azul. Yo montaba guardia en la puerta como un perro, hasta que recibí la orden y puse manos a la obra. Cuando estuvo a punto la papilla de avena, aparté dos tazas para mí, fui a buscar el botellín de la medicina y lo vertí en el cazo con el resto de la papilla. Hecho esto, fui al dormitorio y le anuncié que tenía el desayuno preparado. La dejé en la sala de estar tomando la papilla y salí fuera a tomar la mía. Luego entré a lavar los platos, con la atención puesta en la habitación de mi madre. Pasaron dos horas y no ocurrió nada, pero justo cuando empezaba a cavilar qué otra cosa podía pergeñar, la vi pasar corriendo hacia el retrete. ¡En ese momento me sentí la niña más feliz del mundo! Al cabo de un rato, sin embargo, y habiendo perdido la cuenta de las veces que ella había visitado el retrete, tuve miedo y pensé contárselo. Pero me contuve, sabiendo que sería capaz de matarme. Parecía una rata mojada, y me preocupé al ver que tenía la cara bañada en sudor. Ella, con voz muy natural, me mandó por el médico. Corrí como alma que lleva el diablo. Durante el regreso decidí contarle al doctor lo que había hecho. Él me preguntó qué clase de medicamento le había dado, y tras suplicarle que no se lo contase a ella, le dije que el que le dábamos a los cabritos cuando estaban estreñidos. El médico me miró con sorpresa y meneó la cabeza sonriendo.

–¿Por qué hiciste eso? –me preguntó, y entonces yo le conté toda la historia de mi familia.

El doctor se asombró de todo aquello. Se detuvo un momento a mirarme antes de entrar en la casa, y yo me quedé fuera con el corazón encogido. Crucé los brazos y me puse a pasear alrededor de la casa tratando de dominar el miedo creciente. Ante la perspectiva del inminente castigo, empezaba a odiarme a mí misma por lo que había hecho. Mientras intentaba urdir una mentira, el médico salió y me dijo:

–No vuelvas a hacerlo nunca más, ¿me oyes?

–Lo prometo –repuse con un hilo de voz–. ¿Se va a morir?

–No –contestó él–. ¿A ti te gustaría que muriese? –agregó tras una pausa.

Pero esta vez le mentí, ya que ni siquiera estaba segura de lo que me gustaría y en aquel momento lo único que me interesaba era tranquilizar al doctor. Antes de marcharse, él aseguró que la mujer de mi padre se curaría y que todo acabaría bien. Cuando se alejó y desapareció de mi vista me eché a llorar, pero la verdad es que ni siquiera sé por qué.

Al principio mi madre hasta me pareció demasiado buena para mí, toda sinceridad y buenas intenciones. Pero luego descubrí que eran falsas promesas. Me engañó. Ella ansiaba mi sangre y aun eso no era nada comparado con los planes que tenía para mí, en quien veía, me pareció, el único obstáculo para sus planes.

C. K.

La verdad sobre mi madre

Algún tiempo después, aquel mismo año, mi padre regresó a la granja y por la mañana me envió por los hombres que se encargaban de la matanza de las reses. Por el camino me tropecé con uno de ellos, y quedó muy complacido al enterarse de la noticia. Le acompañé hasta reunirnos con los demás y todo el rato preguntaba cuántas vacas debían sacrificar. Aquel sujeto estaba tan excitado que le faltó poco para babear. Lo cual no me sorprendió, porque no ignoraba que existían gentes distintas de nosotros y más aficionadas a comer carne.

Una hora más tarde regresé a casa con dos de ellos. Mi padre estaba de pie en la entrada. Enseguida les indicó qué bestias debían sacrificar. Pero a mí no me gustaba ver ese espectáculo, así que fui al jardín y me puse a barrer la hojarasca. A la hora de sacar los platos para la comida ellos ya habían terminado y en un abrir y cerrar de ojos encendieron una hoguera. Yo los contemplaba, impresionada. Estaban como locos. Uno de ellos se puso a hervir las tripas, mientras que el otro se afanaba con la cabeza de la vaca. En menos de un minuto le cortó la lengua y se quedó mirando aquel trozo de carne. Parecía que iba a comérsela cruda.

Un par de horas más tarde se presentaron los invitados. Uno de los cuatro hombres era muy raro. Tenía la piel luminosa de tan blanca. Yo lo miraba con fascinación porque era la primera vez que veía a alguien así. Traté de acercarme más para ver si era una quemadura lo que lo hacía tan diferente de nosotros. Me gustó la mirada de sus ojos grandes y relucientes, color castaño. Era corpulento, de enormes orejas y con bigote debajo de su gran nariz. Me habría gustado alargar la mano y tocarlo. Pensé que si pellizcaba aquella piel se me quedaría un poco entre los dedos. Pero la presencia de mi padre me contuvo. Sin embargo, me causó una impresión tan grande que todavía me acuerdo. Aunque he olvidado su nombre, un nombre extraño en nuestro mundo y perteneciente a los lugares de donde él era oriundo. Yo imaginaba ese otro mundo, un mundo sin palizas y sin nadie que me mandara qué hacer o me dijera cómo y cuánto comer. Si yo hubiera sabido algo de Dios entonces, le habría dado las gracias, porque en aquel momento supe que vencería a mis enemigos, y que llegaría a ser libre por mucho que tardase en arrancarme las cadenas, hasta poder exclamar con júbilo: ¡Soy libre!

Mientras pensaba en estas cosas se me humedecieron los ojos y me dolía la cabeza, así que me senté al pie de nuestro gran árbol sin dejar de observar a los visitantes, que estaban dándose el gran banquete. Al anochecer, cuando se despidieron, dejaron mucho que lavar para mí. Más tarde, mi padre se acercó y estuvo contemplándome un rato. Dijo que al día siguiente me llevaría a la ciudad, y sonrió y me dio un regalo. Me sentí embargada por la alegría y mi dolor de cabeza desapareció al momento. Le miraba sonriente sin saber qué decir ni qué hacer, por lo que sentí alivio cuando apareció mi madre y se lo llevó. Esa noche me acosté con la mente despejada y tuve sueños alegres y felices.

La mañana siguiente, cuando llegamos a la vivienda de la ciudad, nos esperaban tres chicas y un muchacho. Me miraron fijamente y mi padre dijo que eran hermanos míos. Yo también los miré atónita, y observé que las prendas de buena calidad que vestían les daban un aspecto flojo y de niños consentidos. Desde que cambiamos los primeros saludos supe que los aborrecía. Ellos estaban llenos de curiosidad y me preguntaron que cómo me trataba mi «madrastra». Pero yo desconocía el significado de esa palabra, por lo que me quedé mirándolos en espera de una explicación.

–*Mutesi* –dijeron.

–¿Queréis decir nuestra madre? –pregunté.

–¡No! –protestaron ellos–. ¡Ésa no es nuestra madre!

–Pues entonces, ¿nuestra madre dónde está?

A esto no supieron contestar, pero agregaron:

–Lo único que sabemos es que esa mujer no es nuestra madre.

Empecé a contarles lo mal que me trataba. Ellos pusieron caras tristes, y entonces les pregunté qué tal lo pasaban ellos.

–¿A vosotros también os maltrata cuando viene por aquí? –añadí.

Contestaron que no.

Me alejé un poco y me quedé sentada reflexionando sobre lo que acababa de escuchar. Recordaba los malos tratos de mi madre, y sin embargo me costaba admitir que no lo fuese de veras. Pese a mi incredulidad, en mi fuero interno decidí que en adelante la llamaría «madrastra».

Dos días después se presentó en casa otra hermana nuestra, y yo no sabía cómo dirigirme a ella. Annette era la mayor, pero de otra madre. La admití lo mismo que todo lo demás que me sobrevenía. La presencia de la primogénita contrarió a dos de mis hermanas, aunque no a Grace. Ésta era una niña reservada, pero voluntariosa, dispuesta a reñir con cualquiera que le llevase la contraria. Muchas veces yo provocaba peleas entre ella y Margie, que era la más mandona. Un día oí a mis hermanas murmurar contra Annette, pero no llegué a saber por qué. Yo sólo veía que Annette lloraba todos los días. No podía hacer nada por ayudarla, pero me aliviaba el ver que Marie, la niñera, trataba de consolarla. Aquel nuevo ambiente fue un alivio para mí. Me llevaba bien con mi hermano, y Marie me demostraba que no todas las mujeres eran malas. Mis hermanas regresaron a la escuela y yo también inicié el primer año con mi hermano Richard. Éste me fastidió mucho al presentarme en la escuela como «Baby». Este mote le hizo gracia a todo el mundo, menos a mí. Casi todos los días volvía a casa con nuevas heridas después de pelearme con alguno que me hubiese llamado por ese nombre.

Cierto día, un viernes, mi padre se marchó a la granja para pasar el fin de semana con su mujer. Mi hermano y yo nos quedamos al cuidado de Marie. Pero por la tarde ella salió con sus amigas y no regresó. A mediodía del sábado, y en vista de que no aparecía, empezamos a darnos cuenta de la tremenda libertad que representaba para nosotros la ausencia de adultos. En la parte de atrás la casa de mi padre tenía un terrenito con algunos plátanos verdes *matoke* y de otras especies. Recogimos todas las hojas de plátano que pudimos transportar y las vendimos en el mercado. Con el dinero resultante nos acercamos a un tenderete y compramos plátanos dulces. Los comimos mientras mirábamos a los transeúntes y tratábamos de adivinar los afanes que los llevaban de un lado para otro.

Cuando se nos acabaron los plátanos fuimos a otro puesto del mercado y compramos más. Así estuvimos largo rato, sintiéndonos dueños de nuestra libertad y comiendo sin parar, hasta que de pronto noté una sensación rara en el estómago. Me volví hacia la mujer de los plátanos, a ver si se había dado cuenta de algo. Enseguida tiré de mi hermano hacia la salida más próxima, mientras él se guardaba su último plátano en el bolsillo. Con premura le pregunté si sabía de algún lavabo por allí, pero él se limitó a reír. Eché a correr hacia el único retrete que conocía, el de la escuela, en aquellos momentos desierta, pero ya era demasiado tarde. Iba dejando un reguero. Avergonzada, interrumpí la carrera y continué al paso, apretando las nalgas para no dejar escapar nada más. Salí de los lavabos con una mezcla de alivio y contrariedad, ya que mi hermano se negó a prestarme su camisa. Regresamos a casa, él andando por la calle y yo con el culo al aire, disimulándome entre los matorrales. Marie nos recibió con gran alivio y corrió a darme algo para cubrirme. Al atardecer se presentó en casa un hombre con una garrafa de cinco litros de cerveza casera. Se sentó con Marie a beber en el porche. Hacían bromas y reían. Yo los contemplaba sonriente, y Marie me dijo que llamase a mi hermano. El hombre le pasó un poco de dinero y nos dijo que lo tomáramos, pero que no mencionáramos a nadie lo ocurrido. «Así que el día resultaba bien a pesar de todo», pensé sonriendo mientras mi hermano y yo corríamos a comprar caramelos y galletas. Durante el regreso, mi hermano vio al hijo del vecino y me sugirió que peleara con él, y si resultaba más fuerte que yo, él intervendría para ayudarme. De manera que cuando Muhamad se disponía a saludarnos, yo lo desafié. Pero él replicó que no pelearía conmigo porque no quería romperme los huesos. Yo le dije que era tan canijo y feo como «el peluquero de su padre». De nuevo me contrarió no dejándose provocar por mis palabras, así que le di un tirón de pelo, y entonces sí comenzó la pelea. Pero no iba como yo esperaba, porque él era más fuerte y estaba haciéndome daño. Me volví hacia mi hermano, pero éste no mostraba ningún interés en cumplir con su promesa. Por lo que, tan pronto como pude, eché a correr llorando y mascullando insultos contra mi hermano.

A la mañana siguiente llegó mi padre con su mujer y mis hermanastras y hermanastros. Traían un bebé y a mí me tocó cuidarlo todos los días después del colegio. Eso me quitaba tiempo para jugar o pelear, y me sentía tan furiosa que quise arrojar el crío al váter. No lo hice, sabiendo que si lo hacía no volvería a jugar nunca más. Empecé a maquinar otros procedimientos para librarme de aquella obligación. Cierto día estaba sentada delante de casa con el bebé en brazos mientras los demás jugaban. Varias veces me invitaron a reunirme con ellos, así que me enfadé y le pellizqué el dedo gordo al bebé, que rompió a llorar. Tuve miedo de que su madre le viese el morado. Yo sólo quería que mi madrastra me quitase la criatura, pero no lo hizo. No obstante, acabaría por hacerlo si el niño no dejaba de berrear. Esta vez lo pellizqué en la espalda para que no se viese el motivo de su llanto, y después de repetir la operación varias veces mi plan dio resultado. Pero ella era tan pérfida que yo nunca lograba prever su siguiente malicia, que consistió en ponerme a lavar los pañales del crío. Era la mofa de todo el vecindario, y yo, cada vez más furiosa, los odiaba a todos y los desafiaba a pelear. Con una sola excepción, mi amiga Sofía, que nunca se burlaba de mí. Al otro día, cuando encontré los pañales cagados, me di cuenta de que aquello se asemejaba mucho a unos huevos revueltos. De manera que entré en la casa y, tras echarle un poco de sal, les serví las cacas a mis hermanastros Ray y Emanuel. Cuando pidieron repetir, apenas pude contener la risa y les anuncié que tendrían que esperar al día siguiente. Con todo, no me quedaba más remedio que aguardar el retorno de mis hermanas para que me descargaran de algunas obligaciones. Al cabo de un par de semanas comenzaron las tan esperadas vacaciones del internado, y pensé que por fin podría descansar. La casa de la ciudad estaba abarrotada y por alguna razón eso fue demasiado para mi madrastra, que se declaró enferma y pasaba la mayor parte del tiempo en la cama. Y cuando no estaba tumbada, incordiaba a mi padre para que castigase a mis hermanas. Tal vez por eso Annete y Grace se hicieron grandes amigas y pasaban mucho tiempo juntas.

Un sábado por la mañana, cuando despertamos, Annette y Grace habían desaparecido. Mi padre salió a buscarlas, pero no las encontró, y esta desaparición me hizo concebir esperanzas de que mi padre por fin se curaría de su ceguera y abriría los ojos y comprendería cómo era mi madrastra en realidad.

LUCHA IMPOSIBLE CONTRA MIRADAS INDESEADAS

Sucedió que los hijos de mi madrastra empezaban a asistir también a la escuela y a cada uno le compraron dos pares de zapatos, y yo sin un vestido decente que ponerme. Le pedí que me comprase uno y ella replicó que eso debía pedírselo a mi padre. Por la tarde fui a la sala de estar, donde él se hallaba sentado fumando una pipa. Me miró con una sonrisa enigmática, pero que fue suficiente para fortalecer mi resolución. Le dije lo que me hacía falta y él, sin dejar de sonreír, dijo que por la mañana procuraría acordarse de comprarme un bonito vestido. Aquella noche apenas pude pegar ojo, tumbada en la cama y con un aleteo de mariposas en el estómago. Trataba de imaginar cómo sería el vestido. En esta espera transcurrió también la mañana, hasta que vi a mi padre regresar de su trabajo. Salí corriendo para darle la bienvenida y cogí el paquete que traía. Corrí a la sala de estar y le esperé allí, de pie, con el paquete entre las manos. Mi padre se acercó y dijo que lo abriera, y cuál no sería mi desencanto al descubrir que era un vestido negro con dos tiras blancas en la pechera. Pero no fueron las tiras blancas lo que me contrarió, sino que era un vestido muy escotado por delante y por detrás. No me atreví a decir nada, no fuese mi padre a recobrar su antiguo carácter y me propinase una paliza. Salí corriendo en busca de un escondrijo donde echarme a llorar. Quise quitarme el vestido, pero mi hermana Marge me siguió y me aseguró que me sentaba muy bien, y que era la última moda. Mi hermana no entendía que a mí no me importaba que fuese la última moda, sino que me veía casi desnuda con él. Creo que nunca olvidaré ese vestido. A veces aparece todavía en mis pesadillas mientras yo intento cubrir mi desnudez ante las miradas de los extraños y no lo consigo.

Fui a la escuela con aquel vestido largo y descalza, en cambio mis hermanastras y hermanastros tuvieron todo lo que quisieron. Por fortuna, el primer día de clase pasó sin mucha alarma, excepto mi propio malestar. Durante el regreso a casa iba malhumorada, con la cabeza baja y procurando no pisar los guijarros que me lastimaban los pies, mientras cavilaba qué mentira le diría a mi padre para que me comprase un par de zapatos. Me figuraba que la aspereza de los guijarros por sí sola sería argumento suficiente. Antes de llegar a casa me tropecé con Sofía, que iba al colegio de Newton. Charlamos, y al contarle yo mis cuitas, ella me aconsejó que dijera que no estaba permitido entrar a clase descalza. Entonces sonreí pensando que con eso mi padre no iba a tener más remedio que comprarme unos zapatos. Aunque nunca tuve tantas cosas como mis hermanastros, pronto vino a liberarme de mi preocupación la noticia de que la dirección de la escuela pensaba imponer el uniforme obligatorio. Esperé con impaciencia ese momento. Durante los recreos me escondía tras una arboleda hasta la hora de entrar otra vez a clase, porque no soportaba ver a mis hermanastros comprándose todas las chucherías que se les antojaban. Muchas veces ni siquiera llegaban a terminárselas, pero si yo me quedaba a mirar, como había hecho otras veces, ellos apartaban la mirada como si creyeran que yo llevaba mi propia merienda, y no compartían nada conmigo. Aunque no por eso encontraba motivo para odiarlos, porque estaba segura de que su conducta obedecía a instrucciones de su madre, que procuraba inundar de codicia sus corazones. Llegué a pensar que mis cuitas no tendrían fin cuando mis amigas de la escuela empezaron a meterse con mi indumentaria. Mis hermanastras tenían tres uniformes para cambiarse y yo sólo uno para toda la semana. Mis compañeras no sabían que éramos de diferentes madres y yo no sabía qué explicación dar, por lo que me limitaba a bajar los ojos y alejarme de ellas. No recuerdo por qué motivo rompí finalmente mi silencio. A lo mejor porque estaba harta de tantas preguntas. Pero no preví lo que iba a ocurrir después, ni que una acción de solidaridad fuese a desembocar en un conflicto terrible.

Al día siguiente, al entrar en la escuela una amiga me esperaba con un par de zapatos. Dijo que me los probase y, para mi satisfacción, comprobé que me iban a la perfección. La miré con timidez, no muy segura de si debía darle las gracias o no. Estaba contenta, pero al mismo tiempo deseaba quitarme aquellos zapatos y ponerme otra vez los míos. Pero ella no lo consintió de ninguna manera, y además yo no deseaba devolverlos. Cuando regresé a casa, mi madrastra me echó una mirada terrible y me preguntó que a quién había robado los zapatos. Le contesté que no eran robados, que me los había regalado una amiga.

Ella replicó en tono colérico:

–Así que ahora te dedicas a mendigar como si no tuvieras padre. –Y me anunció que se lo diría a él.

Durante la cena, que todos menos yo parecieron disfrutar, me limité a dejar que se enfriara el plato y miraba todo el rato a mi madrastra. Cuando se lo contó, él se volvió con brusquedad, como un perro incomodado por una mosca.

–¿Qué? –rugió, y poniéndose en pie sin dejar de mirarme fijamente pidió ver los zapatos.

Cuando los tuvo en su poder me ordenó que le siguiera. Una vez en el retrete, me dijo:

–¡Mira! –Al tiempo que echaba los zapatos en la taza del váter.

Me fui a la cama triste, pero no lloré. Me acordé de que mis hermanas regresaban al internado.

La mañana siguiente llovía a cántaros, pero no me importó, sino que salí hacia la escuela sin pérdida de tiempo y tapándome con una hoja de platanero. Cuando les conté a mis amigas lo sucedido la noche anterior se me saltaron las lágrimas, y todavía fue peor cuando ellas me compadecieron. Una de las chicas, la líder de nuestra pandilla, propuso hablar del asunto a los padres. La tarde siguiente se presentaron los padres de dos amigas. Estaban delante de la puerta de la escuela, junto a un coche, esperándome. Uno de ellos me saludó y me tendió la mano. A continuación anunció que iban a hablar con mi padre, lo que me causó una enorme desazón. Ya cerca de casa, el miedo se hizo tan grande que, aunque apreté las piernas, no pude evitar orinarme encima. Mi padre estaba en el jardín, las manos en los bolsillos. Al apearnos del coche no supe de qué lado ponerme, por lo que permanecí unos momentos inmóvil, mirándole a los ojos. Por último, entré y me puse a su lado. Los hombres lo saludaron y luego explicaron que sus hijas eran amigas mías y que ellas me habían regalado los zapatos. Mi padre apenas les hizo caso y por la expresión de su cara adiviné lo que estaba a punto de decirles.

–¡Largaos de aquí! –masculló, y los hombres, en vez de seguir defendiendo mi causa como yo esperaba, giraron sobre los talones y se marcharon sin más.

Entonces mi padre se volvió como un león enfurecido, aunque por lo visto yo era un bocado demasiado insignificante, pues me dejó allí plantada y enfiló hacia la casa. Aquella misma noche oí que mi madrastra regresaba a la granja, lo que me alegró mucho y mi tristeza se disolvió como un azucarillo.

(En esta primera parte es posible que haya confundido algunas fechas y algunos progenitores, por lo que pido disculpas a mis lectores. Por entonces todavía era una niña.)

Segunda Parte

La purga de los tutsis

Acosados

En 1982 el gobierno de Uganda, encabezado por el presidente Milton Obote, se hallaba en estado de asedio, y más que convencido de que el movimiento rebelde llamado Ejército Nacional de Resistencia (NRA) contaba con el apoyo de los tutsis y los habitantes de la región occidental. Cuando aquél se persuadió del todo, lanzó una proclama al país propugnando la expulsión de los tutsis. Supongo que imaginaba que la única solución para evitar la ofensiva rebelde era lograr que la población tutsi fuese empujada hacia Ruanda, su lugar de procedencia. No se daba cuenta de que el verdadero problema del país era él mismo, y por supuesto no sería él quien lo solucionase, porque Obote era un hombre tan ávido de poder como otros muchos estadistas africanos, pendientes sólo de enriquecerse y perpetuarse en el poder. Nunca comprendió que forzar el regreso de los tutsis al país donde en otro tiempo fueron masacrados no era la mejor política para mantenerse en el poder, sino una imprudencia. Con ella perdía toda perspectiva de realizar su sueño de perpetuarse, porque no hizo sino enconar la resistencia de un NRA cada vez más poderoso. Obote era un bebedor empedernido, y la botella de whisky nunca se alejaba demasiado de sus manos, pero la población le hizo caso, y las tropas gubernamentales, así como algunos paisanos, se lanzaron a saquear las propiedades de los tutsis. Las autoridades contemplaron con pasividad cómo ardían las casas de los tutsis, y cómo sacrificaban sus reses y violaban a sus mujeres mientras los críos chillaban desesperados. El resto del mundo, al parecer, no se enteró de lo que estaba perpetrando aquel hombre.

Muchos niños se convirtieron en refugiados cuando sus padres regresaron a Ruanda; otros, abandonados, vagaban por las calles y los caminos de Uganda tratando de buscarse la vida; los funcionarios abusaban de las muchachas con la promesa de un salvoconducto y una salida del país. Cuando los tutsis miraron adónde los enviaba Obote no vieron más que la muerte. Aunque me parece que no era la muerte lo que más les preocupaba, sino la manera de morir. Por eso miles de ellos buscaron la manera de unirse al NRA. Oficialmente la finalidad de todo esto consistía en asegurar la paz y la estabilidad de la región. Los vecinos de Obote no tuvieron nada que objetar a su brutalidad, lo cual posiblemente se debió a que éstos y otros muchos dirigentes africanos habían hecho lo mismo, aunque a menor escala, y no podían condenarlo sin dar pie a serios cuestionamientos en sus propios regímenes. Así que continuaron repantigados en sus poltronas y llenándose las barrigas. Al fin y al cabo, la suerte que sufrían los tutsis venía a ser la misma que afligió a los indígenas en tiempos de Idi Amin.

Mi familia también era de origen tutsi y ése fue el comienzo de una serie inacabable de tribulaciones para toda ella.

Yo veía lo que estaba ocurriendo con otras familias tutsis y me alegraba pensando que también mi padre y su mujer iban a pasarlo mal, con lo que la venganza se hallaría de mi parte. Pero estaba escrito que yo tampoco iba a salir indemne. Todavía hoy me estremezco al recordar los abusos a que me sometió un individuo al que todos conocíamos por «el Jefe», que era uno de los dignatarios de la población, y que me amenazó de muerte si alguna vez se me ocurría contarlo. Por si fuesen pocas mis preocupaciones, todos los días me volvía el recuerdo de la tarde en que aquel viejo me arrastró cruzando un campo de golf abandonado hasta un edificio medio derruido por los bombardeos. El aborrecimiento que me inspiraban los míos me prestaba clarividencia suficiente para saber que ocurrirían más penurias de esa clase, sabiendo que no podía contar con ellos para ninguna dificultad en que me encontrase. Por aquel entonces parecía como si alguien me obligase a recordar continuamente, en contra de mi voluntad. A temer que nuevas desgracias iban a destrozar mi alma, una y otra vez, hasta el amargo final.

Cuando mi padre supo que las autoridades habían decidido expulsar a los tutsis de Uganda, regresó a la granja a ver si lograba salvar algo. Por el camino se tropezó con uno de los braceros, que también era tutsi. Éste le aconsejó que no se arriesgase. Yo estaba en el jardín jugando con mi amiga Sofía cuando vi que regresaba mi padre con una bolsa de viaje en la mano y seguido de aquel hombre. Comprendí que las cosas se habían puesto feas en la granja, y recordé entonces que muchos de nuestros vecinos no apreciaban especialmente a mi padre. Mi padre tenía muchas tierras y un par de colinas desde donde se avistaban hermosos arroyos. Como era abogado, le parecía perfectamente lógico expoliar a los vecinos arrebatándoles parte de sus tierras con artimañas. Pero ahora las cosas se habían vuelto contra él y por eso no tuvieron miramientos. Se habían lanzado como leones famélicos, contó el empleado de mi padre, y aquellos a quienes él había ayudado fueron los primeros en sacrificar todas las vacas y cabras. Saquearon la casa mientras otros corrían por los campos derribando los plataneros al tiempo que gritaban: «¡Que se vayan los tutsis o morirán todos!». Los corazones de aquella gente eran como los de mi familia. No hubo bicho viviente que mereciese su compasión. Mataron las vacas que deambulaban desesperadas buscando a sus terneros, y dejaron que éstos muriesen de hambre. Todo lo que no robaron, lo exterminaron.

Buscaron a mi padre por toda la finca y en la casa, y como no lo encontraron, arrasaron los dos edificios hasta no dejar piedra sobre piedra. Cuando él lo supo le mortificó mucho, y me pareció deprimido y amargado. A mí me dolía que se hubiesen quedado con nuestras tierras, pero más aún lo ocurrido con las cabras. Mientras el bracero relataba aquellos sucesos, yo le escuchaba esperando –en vano, según resultó– a que contase cómo les habían cortado los brazos y las piernas a la abuela y a mi madrastra. Cuando hubo terminado, mi padre se quedó sin saber qué decir ni qué hacer. Empezó a pasearse por la casa con expresión ausente, los ojos fijos en el suelo. Al final se derrumbó en un sofá y rompió a llorar. Yo lo miraba por la ventana. Por último, empezó a hablar solo y a arrojar al suelo todos los objetos de la sala de estar, haciéndolos añicos.

Transcurridos unos días regresaron mis hermanas del internado y las llevaron a casa de un amigo de mi padre. Mi hermano y yo les acompañamos a la nueva granja. Al comenzar el viaje se veían lágrimas de rabia en los ojos de mi padre. A nosotros nos tocó pagar el pato. El viaje, que yo creía más breve, se eternizaba más que un descenso a los infiernos. Nos habló mucho de la gente que le había quitado sus tierras, pero a mí me sonaba como si nada de eso tuviera mucho que ver con nosotros, puesto que yo no era más que una niña que observaba lo bueno y lo malo. Si era tan listo como él creía, con todos sus libros y sus posesiones, ¿por qué no era capaz de entender a su familia y a sus propios hijos? Siempre malas caras, nunca una expresión de afecto o de preocupación. Maldecía a mi madre como si estuviera allí, diciendo:

–Vaya hembra estúpida. No paría más que hijas, en vez de hijos. Por eso ahora me encuentro solo, porque no tengo más que niñas.

Lo que me extrañó, puesto que su nueva esposa le había dado cuatro niños. Ahora que las esperanzas de mi padre decaían, las mías se reconfortaban. En un instante de debilidad él había mencionado a mi madre verdadera, y por un momento pensé en taparme los oídos con algodón, pero cuando intenté meter la mano en el asiento para arrancar un poco de relleno, los dedos se me inmovilizaron como si hubieran sentido la presencia de mi padre.

La nueva granja era muy diferente de la antigua, tan bonita con su platanar. La abuela se nos había adelantado y, sin molestarse siquiera en preguntar qué tal el viaje, empezó a calentarle la cabeza a su hijo diciéndole que algunas vacas habían regresado espontáneamente a la granja antigua. Él se volvió hacia mí y me dio un bofetón que me derribó al suelo y me hizo ver las estrellas. Luego sentí un fuerte dolor en el estómago, porque estaba pateándome y sólo se detuvo cuando nuestro veterinario le llamó la atención a gritos. Me levanté y entré en la casa para lavarme la boca. Estaba muy contrariada por haberme encontrado allí a la aborrecida vieja. «¡Ya empezamos otra vez! –me decía–. ¿Es que nunca voy a verme libre de esa bruja?»

CÓMO NACIÓ MI LADO OSCURO

Cierto día que íbamos a vigilar las cabras le pregunté a mi hermano qué haríamos si no nos daban de comer.

Él se volvió y, mirándome fijamente, contestó:

–Por la mañana, cuando saquemos las cabras a pastar, nos llevamos los perros. Hacemos que maten una cabra y la asamos en una hoguera, así tendremos qué comer.

Lo miré con espanto, porque aquello me parecía una brutalidad. Le conté que a mí me gustaban las cabras y que aborrecía a cualquier persona que les hiciera daño.

–Pero ¿no te das cuenta de que nuestra madrastra y nuestro padre nos odian? –repuso él–. Entonces ¿por qué has de querer tú a sus cabras?

Consideré la cuestión unos momentos y luego dije:

–Puede que no sean más que animales, pero puede que también odien a nuestro padre. Que no paguen por las culpas de él.

Vi que sonreía como dándose por vencido, y creí que había logrado hacerle cambiar de opinión. Pero lo de las cabras todavía me daba que pensar y le pregunté qué habríamos dicho cuando ellos comprobasen que faltaba una cabra.

–Pues que a lo mejor se la habían comido los leones –replicó.

Nuestro padre y su mujer se volvieron a la casa de la ciudad y nos dejaron con la abuela. Con ellos desaparecían mis dos cuitas principales, pero el caso fue que se marcharon sin dejarnos nada decente que comer. Era duro vivir en la granja a base de leche y *posho* (torta hecha con harina de maíz y agua) todos los días, o sólo leche cuando no había *posho*. Mi hermano y yo no estábamos acostumbrados. Para nosotros esa clase de comida era lo propio de la otra tribu. El desayuno siempre era de leche, o papillas en el mejor de los casos. Hasta que aborrecimos la leche, y la abuela nos atizaba para obligarnos a tomarla. Recordé los tiempos en que tenía que suplicar para que me la dieran.

Todas las mañanas le decíamos que nos gustaba tomar la leche fuera. Entonces íbamos detrás de la casa y echábamos la leche en las escudillas de los perros. Esperábamos a que los perros se la bebieran toda antes de volver a entrar para decirle a la vieja que ya habíamos desayunado. Los chuchos empezaron a ponerse lustrosos y tenían mejor aspecto que los de los vecinos. El truco funcionó hasta el día que los perros se pelearon por la leche y armaron tanto alboroto que la abuela salió a ver qué ocurría. Empezó a dar voces y nos aseguró que algún día nos acordaríamos de esa leche. Sus palabras me llamaron la atención y me puse a temblar pensando en las muchas interpretaciones que admitían. Pero lo peor fue que mi hermano dijo que necesitábamos comer alguna otra cosa, y mencionó una gallina a título de ejemplo. Ella replicó que éramos unos ogros, que sólo pensábamos en devorarlo todo y que nos comeríamos la hacienda de nuestro padre antes de que hubiese fallecido. Gritaba cada vez más y se puso casi histérica, asegurando que cuando muriese nuestro padre nos hallaríamos en la miseria porque nos lo habríamos comido todo. Para que lo tuviéramos bien claro, agregó que nada de aquello era nuestro y que podíamos ir olvidándonos de cualquier clase de herencia. Mi temor y mi rabia crecieron enseguida, y me prometí destruir cuanto pudiera, para que fuesen ellos los perjudicados. A partir de entonces me volví destrozona y descuidada con todo lo que perteneciese a mi padre. Puesto que no tenía nada que perder, a mí me daba igual que leones se comieran las vacas.

Una mañana mi hermano y yo sacamos las cabras a pastar. Mientras caminábamos, íbamos quejándonos de nuestra abuela. Cuando llegamos al matorral, lejos de miradas indiscretas, le echamos los perros a un cabrito, que resultó mordido en una pata. El animal balaba de miedo y dolor, pero yo no sentí ningún arrepentimiento. Era como una parte de mi padre.

Al día siguiente, un intenso chaparrón nos impidió salir con las cabras, y la abuela dijo que el animal lastimado debía quedarse. No había mucho que hacer en un día así. La abuela y yo estábamos sentadas junto al juego y mi hermano tumbado en la cama. El tamborileo de la lluvia sobre el tejado de hojalata imposibilitaba toda conversación. Entonces apareció en la puerta el cabrito herido. Venía empapado y se quedó un rato temblando antes de acercarse cojeando a la cama de mi hermano. Cuando trató de cobijarse debajo de la cama, mi hermano lo sacó cogiéndolo por el hocico y arrastrándolo. Yo fui a echarle una mano mientras el animal se debatía sin poder respirar. La abuela continuó sin hacer nada, sentada y dándonos la espalda. Por último acabó el forcejeo desesperado del animal, y cuando le dijimos a la abuela que el cabrito estaba muriéndose, ella sonrió complacida y le dijo a mi hermano que lo sacrificase.

Mientras comíamos, resucitó mi temor. Recordaba cómo se había debatido el cabrito luchando por su vida y me dije que la única manera de sacarme el miedo en adelante sería matar más y más. Decidí hablar con un muchacho que vivía cerca de la carretera que seguramente conocía algunos trucos que podrían servirme para matar una vaca, porque su padre era carnicero. Una tarde, poco antes del anochecer, salí acompañada por uno de los perros y fui a hablar con el vecino. Él me escuchó y luego dijo que todas las noches, antes de acostarme, debía pinchar un trozo de carne en un palo y dárselo a olfatear a la vaca durante diez minutos, y que a los cinco días de repetir esta operación la vaca moriría. Hice lo que me aconsejaba y al quinto día me levanté muy excitada y fui corriendo a mirar, pero la vaca seguía allí con las demás, incluso más lozana que antes. Recordé lo hablado y llegué a la conclusión de que no había ejecutado el ritual de la manera correcta, por lo que me prometí volver a intentarlo. Por la tarde mi abuela se marchó a inspeccionar el trabajo de los braceros. Mi hermano y yo salimos para perseguir a las gallinas, tratando de cazar alguna. Por último acosamos al gallo usando unos palos largos hasta atraparlo. Mi hermano le arrancó plumas del cuello y las alas. Cuando regresó la vieja le mostramos el maltrecho gallo y dijimos que lo había atacado un águila.

–También la vieja bruja se alegrará ahora –susurré al oído de mi hermano.

La abuela dijo:

–Está bien, ya puedes desplumarlo. –Y yo miré a mi hermano con una sonrisa significativa.

Mientras ella preparaba el gallo para guisarlo, yo me mantuve a su lado. Guardaba la sal en el bolsillo. Tan pronto como se alejó de la cazuela le eché bastante sal. Ella regresó diciendo que no encontraba la sal, así que se la di. Sabíamos que a ella no le gustaban los guisos demasiado sazonados, y así nosotros nos lo comeríamos todo. Ella guisó y nosotros comimos. Mientras empezábamos a devorar el gallo, la abuela se maldecía a sí misma creyendo que se le había ido la mano con la sal, y nos maldecía a nosotros por comer la carne sin importarnos lo salada que estaba.

Mi hermano pasaba la mayor parte del tiempo con sus perros. Me parece que encontraba en ellos buena compañía, y se querían mutuamente. Ellos parecían siempre dispuestos a complacerlo, y con frecuencia vi que él les reía sus gracias como si le hubieran contado un buen chiste. Una mañana me sentí algo indispuesta y él tuvo que salir solo con las cabras. Esperé su regreso todo el día. Hacia las seis de la tarde regresó con aire fatigado. Venía con intención de meterse en la cama, pero todavía era preciso esperar al recuento de las cabras. El peón encargado de hacerlo descubrió que faltaba una y se lo dijo a la abuela. Ésta salió de la casa hecha una fiera, gritando tanto que hasta los perros se echaron a temblar. Fue derecha hacia mi hermano y empezó a atizarlo. Los perros contemplaban el espectáculo con inquietud y mirándose nerviosamente. Yo, apoyada contra la pared de la casa, miraba también conteniendo mi cólera. Cuando la vieja lo agarró del pelo para golpearle la cabeza contra el suelo, los perros se abalanzaron sobre ella para salvar a su amo. Dos hicieron presa en las ropas de la vieja y le arrancaron la falda. Menos mal que llevaba algo debajo, pensé con regocijo.

A la mañana siguiente, la abuela prohibió que se les diese de comer o beber a los canes, y nos advirtió que no intentáramos robar leche para ellos porque nos castigaría también sin comer. Pero nosotros teníamos muchos trucos para alimentar a nuestros queridos perros de largas orejas.

Después de los años transcurridos he llegado a comprender un poco el carácter de mi abuela. No tenía familia, excepto una hija y un hijo, nuestro padre. La hija vivía bastante lejos y no la visitaba nunca. Todavía me pregunto qué debió de ocurrir con el resto de la familia.

Una mañana mi hermano y yo regresamos de nuestra acostumbrada cacería de liebres y sorprendimos a la abuela en el corral. Lo primero que pensé fue que no iba a ser necesario continuar haciendo de águilas.

Dos días después se presentó también mi padre. Al anochecer reunió a los peones, y a dos de ellos les dijo que se buscaran otro trabajo porque la nueva granja era demasiado pequeña y él no podía pagar tantos salarios. Mientras cenábamos nos anunció que regresábamos a la casa de la ciudad. Tras desayunar unos vasos de leche, nuestro padre y abuela se pusieron a liar sus petates. Nosotros sólo mirábamos, puesto que no teníamos nada que liar. Cuando llegamos, vi que no estaban mis hermanas Margie y Helen. Pregunté a la niñera Marie, y dijo que estaban en el internado. Mi hermano y yo dispusimos de una semana para adaptarnos. Él recuperó sus viejas amistades, y yo mis viejas enemistades. Me resultaba difícil hacer amigas porque siempre he preferido seguir mi propio camino, pero al cabo de una semana tuve suerte y conseguí trabar nuevas amistades, dos hermanas del tercer curso. Judith y Mutton iban siempre muy elegantes, con zapatos de última moda y con mucho dinero suelto en los bolsillos. Por razones que ignoro, eran muy respetadas en el colegio, y me di cuenta de que no dispensaban su amistad a cualquiera. Yo las había elegido a ellas, no ellas a mí, y nunca hicieron demasiado caso de mi persona. Pero al menos consentían que yo las acompañase.

Un día que la madre de ellas fue a la escuela, me la presentaron, y durante la conversación ella me preguntó cómo se llamaba mi padre. Me di cuenta de que lo conocía y, para mi sorpresa, también conocía a mi madre verdadera. Sus palabras captaron mi atención y como, a diferencia de sus hijas, parecía sinceramente interesada, me atreví a preguntarle por el paradero de mi madre. La mujer, que se llamaba Patricia, me dio la dirección, pero advirtiéndome que mi padre no debía enterarse en ningún caso, cautela que reiteró varias veces. Me pareció que podía confiar en las buenas intenciones de aquella señora, así que guardé la dirección en el fondo de mi mente, tan escondida que ni siquiera me acordé de contarles lo sucedido a mis hermanas cuando éstas regresaron a casa con motivo de las vacaciones. Mi hermana Margie nos sorprendió a todos, porque venía con brío y carácter de mujer hecha y derecha. Enseguida comenzó la batalla sin cuartel entre ella y nuestra madrastra. Ésta adelgazaba a ojos vista y no era ni sombra de lo que había sido. Pero aún le quedaban fuerzas suficientes para atizar la discordia entre mi padre y sus hijas. Mis hermanas recibían tundas todos los días, pero en el caso de Margie sólo servían para reforzar su resolución. Cuando empezaban a llover los golpes, Helen, la mayor, gritaba que por favor no la golpease más. En cambio Margie apretaba los dientes y callaba. Varias veces la oí decir «otra vez me castigas sin que yo haya hecho nada, padre». Y recuerdo haber contemplado por la ventana cómo mi madrastra apartaba los muebles para despejar el escenario de la paliza.

Inocencia traicionada

Helen no soportaba aquellos castigos. Era alta, bien formada y muy bonita, con su piel clara y sus grandes ojos pardos y luminosos, que transmitían una sensación de vulnerabilidad e inocencia.

Helen se convirtió en espía al servicio de nuestra madrastra. Le contaba todo lo que decíamos y hacíamos. De esta manera trataba de evitar las palizas. El miedo la cegaba hasta el punto de no advertir los terribles designios de aquella mujer, que nos odiaba a todos. Muchas veces no entendímos cómo aquella bruja lograba enterarse de nuestros secretos, y mientras Margie me miraba con desconfianza, yo volvía los ojos hacia Helen y ésta empezaba a parpadear. Margie acusaba a la hija menor de nuestra madrastra, pero yo tenía mis dudas porque siempre procurábamos hablar con cuidado cuando ella estaba presente. Para evitar escenas, sin embargo, preferí guardarme mi opinión.

Mi hermana Margie propuso que saliéramos a robar plátanos en un patio vecino. Cuando estuvimos allí me dijeron que trepase a un árbol de los que dan un fruto de gran tamaño llamado *fenne*. Mientras tanto, una de mis hermanas arramblaba con la caña de azúcar y la otra desplumaba completamente de plátanos maduros un platanero. Fascinada por el espectáculo, me olvidé de los *fenne* y me quedé contemplando los estragos que hacían mis hermanas. Parecían una manada de jabalíes. De pronto mi hermana gritó:

–¡Corre!

–¿Qué pasa? –pregunté, pero ellas corrían ya como el viento. Yo tenía un *fenne* en las manos y me disponía a lanzarlo al suelo cuando una voz dijo:

–Baja, ladrona.

Era la vieja vecina, a la que temíamos mucho. Llevaba un garrote en la mano y alzaba el rostro hacia donde yo estaba. Me di cuenta de que no me había reconocido.

–Ya bajo, ya bajo –dije mientras trataba de afinar la puntería. Cuando vi asomar su cabeza le lancé el *fenne* y la mujer cayó al suelo. Me descolgué con rapidez, recogi mi *fenne* y eché a correr para reunirme con mis hermanas en nuestro escondite secreto. Cuando vieron que venía sosteniendo el *fenne* sobre la cabeza, se echaron a reír y Margie me puso un mote que ahora mismo no recuerdo. Helen me preguntó cómo había logrado escapar y yo dije que había matado a la vieja. Yo misma me sobresalté al oír su grito de espanto, y vi con sorpresa que echaban a correr hacia el lugar de donde veníamos. Las seguí, pero no encontramos ningún cadáver.

Odiábamos a aquella mujer. Aunque no tenía más que un nieto y su patio abundaba en plátanos y otros muchos frutos, nunca quiso darnos nada y cuando nos veía por allí, agarraba el primer objeto que tuviese a mano y nos perseguía.

Después del incidente dejamos que transcurrieran varias semanas sin ir a robar, y yo empezaba a echar en falta los plátanos. No le quitaba ojo al racimo que teníamos colgado en la cocina, hasta el día en que alcanzaron el punto más delicioso de madurez. Todo el día anduve cavilando cómo conseguiría zampármelos. Por la noche, a la hora de la cena, este pensamiento se hizo tan dominante que me encaminé a la cocina. Con una rama larga de las que guardábamos para encender el fuego hurgué en el racimo hasta que conseguí desprender cuatro plátanos. Me escondí detrás de la casa y, mientras me agachaba para orinar, comí un plátano y contemplé el cielo. Aquella noche era imposible ignorar las estrellas, y esas tres experiencias simultáneas me transportaron a un mundo perfecto y muy distante. Pero entonces apareció Helen como un rayo, para destrozarlo todo, y su voz clamando mi nombre resonó como el trueno.

–Estoy aquí –respondí sin ocultar lo que tenía entre las manos, pues se me ocurrió que a lo mejor querría uno.

–¿Qué haces?

–Estoy comiendo un plátano –contesté en un susurro–. ¿Quieres uno?

Pero ella rehusó y acto seguido anunció que iba a contárselo a mi padre. Sonreí creyendo que lo decía sólo para asustarme. Pero cuando lo repitió muy en serio, su voz retumbó de nuevo como un trueno. Esta vez contesté de la manera más clara y sincera:

–Nuestra madre es una mala pécora, Helen... Por favor, no me lleves dentro.

Finalmente opté por suplicar, llorando en silencio y tratando de soltarme de su presa. Pero ella tiraba con más fuerza y por último no me quedó más remedio que admitir la traición de mi hermana. Ella tiraba con una mano mientras con la otra sostenía el plátano, y así me llevó a presencia de padre. Mi madrastra empezó a lloriquear diciendo que en aquella casa no se agradecían sus esfuerzos. Como le hablaba en tono de creciente hostilidad, él empezó a montar en cólera, hasta que por fin estalló y me arrojó al suelo. Me pisó el hombro y exigió explicaciones sobre el robo de los plátanos. Preferí no decir nada, segura de que cualquier cosa que dijera sería malinterpretada y equivaldría a echar leña al fuego de mi madrastra.

Al parecer ella no se daba por satisfecha con los golpes. En una fracción de segundo vi que él la miraba de reojo antes de reanudar mi castigo. Entonces fue a la habitación de matrimonio, sacó una de sus chaquetas y me anunció que esa noche dormiría sobre ella. Y que no se me ocurriese mojarla porque entonces iba a continuar la paliza. Al final me acosté llorando, pero no por los golpes recibidos, sino porque continuamente me exigían cosas imposibles para mí. Luego me puse a cantar para mis adentros para no conciliar el sueño.

Por la mañana desperté y con el corazón acelerado palpé la chaqueta. Pero no estaba mojada, por lo que recobré las esperanzas y me llevé la prenda a la nariz. Sentí un fuerte mareo, triste recordatorio de la paliza de la víspera, y volví a tener miedo cuando toqué mis rasguños y moratones. Pensé en escapar de casa, pero no tenía adónde ir.

Al salir me tropecé con Helen y quedé inmóvil unos instantes, consumiéndome de odio. Me senté en el jardín a esperar a mi padre. Cuando por fin apareció, le tendí su chaqueta sin decir palabra. Él se quedó un rato con los ojos bajos, nuevamente avergonzado como un ladrón sorprendido en plena faena. Vi que parpadeaba y no supe si iba a partirse de risa o echarse a llorar. Seguí clavándole la mirada hasta que giró despacio sobre los talones y se metió de nuevo en casa.

Aquella misma tarde Margie y yo citamos a Helen en nuestro escondite. Margie le explicó que luchábamos todas por la misma causa y que nada de lo que hiciéramos apaciguaría el odio de nuestra madrastra. Pero si empezábamos a traicionarnos las unas a las otras, ella triunfaría sobre nosotras sin dificultad. Cuando Helen empezó a llorar, nos levantamos y la dejamos a solas con su pena. Estábamos desenterrando unos boniatos cuando vino a nuestro lado y prometió que no volvería a traicionarnos jamás.

El trueque

Al día siguiente, sábado, mis hermanas y yo tomábamos el fresco en el jardín cuando oímos el motor de un vehículo. Aguzamos las orejas como los perros cuando ventean la caza. Miramos hacia la calle y vimos a Annette por primera vez desde su fuga. Iba en el asiento delantero de un Land-Rover cargado hasta los topes y sacaba el brazo por la ventanilla, agitando la mano. Con un chillido, echamos a correr hacia el coche al tiempo que repetíamos el nombre de Annette a voces. Aún no se había detenido del todo el vehículo y ya tratábamos de abrir la puerta. Una de nosotras rompió a llorar. Annette sonreía y consiguió apearse, incólumes tanto ella como el bonito bebé que llevaba en brazos. Enseguida mis hermanas empezaron a disputarse el privilegio de recibir a la criatura. Cuando padre oyó el griterío salió a ver qué pasaba, pero se detuvo en la puerta con la pipa entre los dientes. Luego nos mandó que sacáramos de la casa unas cuantas sillas. Cuando entramos vimos que nuestra madrastra nos lanzaba miradas de desconfianza y temor. Los recién llegados se presentaron sin más demora. Entre ellos, un hombre de nariz larga que dijo llamarse Mugabo y que venía a pedir la mano de Annette. Mi padre le dijo a Mugabo que la mano le costaría siete vacas y cuatro cabras. «Olvida las gallinas», me dije para mis adentros. El hombre contestó que no podía dar más que cuatro vacas y dos cabras, y padre aceptó sonriendo beatíficamente. Los visitantes se despidieron para ir a buscar la dote, y Annette se quedó con nosotros. El fin de semana se presentó un futuro cuñado mío con las vacas y se llevó a Annette.

Con mi escaso entendimiento, supuse que mi hermanastra no podía estar enamorada del tal Mugabo, que aparentaba casi la misma edad que padre. Cuando ella se hubo marchado, mi padre nos explicó a todas por qué Annette era tan especial, y añadió que le parecía que con nosotras no iba a ganar gran cosa. Y todas las veces que nos tomábamos nuestro vaso de leche, él repetía:

–No olvidéis que estáis desayunando gracias a las vacas de Annette.

Aquello acabó por convertirse en su letanía cotidiana. Yo lo miraba y pensaba: «¿Se habrá vuelto idiota o será así de avaricioso?

¡No pretenderá casarnos a todas antes de cumplir la edad necesaria!». Imaginaba que alguna enfermedad le había privado del entendimiento. En cuanto a Margie y Helen, andaban preocupadísimas por sus palabras, pero tampoco podían hacer nada para sacarlo de aquellas cavilaciones.

Al final Annette no obtuvo nada en limpio, porque el matrimonio se rompió pronto y después del divorcio sus dos hijos se quedaron en casa del hermano pequeño de Festo.

Uno de aquellos días nuestra madrastra encargó a Helen que comprase carne para el almuerzo, pero regresó con las manos vacías. Antes de que la viese nadie fue a consultar con Margie. Llorando, dijo que había perdido el dinero y que no sabía qué hacer. Poco después Margie nos llamó a Richard y a mí, y nos propuso que saliéramos a la calle y mendigáramos. Tras varias horas de pedir limosna reunimos muy pocas monedas. Margie le dijo a Helen que no tendría otro remedio que contarle a nuestra madrastra lo ocurrido. Helen así lo hizo y oímos a nuestra madrastra chillar:

–¿Y qué quieres que haga? Espera a que vuelva tu padre y se lo cuentas a él.

Helen lloró y suplicó porque no quería que padre se enterase, pero ella no le hizo caso. Cuando regresó y Helen se lo dijo, él le dio una bofetada y declaró que aquel dinero habría servido para pagar la matrícula de la escuela. Mi hermana se arrodilló en el suelo en actitud suplicante, pidiendo perdón, pero él no se avino a razones. Por la mañana le ordenó que fuese a trabajar en el platanar y, mientras los demás nos disponíamos a salir para el colegio, Helen fue a recoger el azadón.

Pasaron varios días sin que se volviese a hablar del asunto. Mi hermana siguió trabajando en el campo como si se hubieran olvidado de ella, y una tarde cuando volvimos a casa Helen había desaparecido. Pero padre no perdió su imperturbabilidad y dijo:

–¿Lo veis? Vuestra hermana es una imbécil. Se parece a vuestra madre, que anda por ahí vendiendo cebollas y nadie las quiere por muy baratas que las ofrezca.

Y siguió diciendo que no le importaba si nos largábamos todos, de lo que deduje que nos odiaba a todos con la misma intensidad que odiaba a nuestra madre. Yo trataba de intuir hacia dónde se encaminarían nuestras vidas, y me pareció que todos acabaríamos más o menos igual.

Me quedaba sólo un hermano y una hermana, y nadie que quisiera ayudarnos. Comprendimos que aquella mujer no depondría jamás su hostilidad contra nosotros y que iba a ser necesario andar con pies de plomo.

LAS ÚLTIMAS VACACIONES

La escuela cerró por vacaciones y padre nos llevó a la granja para que estuviéramos al cuidado de la abuela. Durante el camino tuvo una breve conversación con Richard. Poniéndose a sí mismo como ejemplo, le dijo que ya era un muchacho suficientemente crecido para encargarse de nosotras. Mi hermana y yo nos mirábamos sin decir nada. Cuando llegamos a la granja, los trabajadores habían sacrificado una vaca. Mientras ellos encendían el fuego nos apresuramos a deshacer el equipaje. Luego nos dijeron que buscáramos unos pinchos de madera para coger trozos de carne. Los peones estaban asando los dos riñones, pero eran tres y todos querían la misma parte. La tensión se palpaba en el ambiente. El tercero en discordia esperó a que los riñones quedaran a punto y entonces cogió uno y echó a correr, perseguido de cerca por su compañero. El otro empezó a comer mientras corría, pero de súbito cayó al suelo sin proferir ni un gemido. Los demás reíamos, pero entonces su compañero soltó una exclamación y cuando nos acercamos comprobamos que el perseguido había muerto. La mitad restante del riñón estaba en el suelo, al lado del cuerpo. Lo envolvieron en una manta y padre nos explicó que la celebración quedaba suspendida. Mientras metíamos en casa la carne sobrante me enfadé con el difunto, cuya mala cabeza había motivado la decepcionante decisión de mi padre. Por la tarde lo enterraron y padre empezó a hacer el equipaje porque regresaba a la ciudad.

Apenas se hubo marchado, mi hermano propuso que saliéramos a buscar miel. Margie nos ordenó que cogiéramos bolsas de plástico para protegernos de las abejas, y con esto y provistos de cerillas y un azadón emprendimos la marcha a la luz de la luna. Al cabo de un rato dimos con una colmena de abejas silvestres y la atacamos. Los enfurecidos insectos la emprendieron con nosotros y algunos lograron colarse bajo las bolsas transparentes con que nos cubríamos la cabeza. Desesperados, procuramos ahumar la colmena para ahuyentar a sus defensoras. Cuando acabó la lucha, fatigados y sudorosos, comprobamos que la miel no podía comerse porque los panales estaban llenos de larvas.

Regresamos a casa y encontramos a la abuela cociendo la leche, sentada junto al fuego. Volvió hacia nosotros su rostro enfurruñado, pero no dijo ni media palabra. Nos bebimos la leche y nos despedimos con las buenas noches y con la sonrisa que se nos había quedado en la cara tras la marcha de nuestro padre. Por la mañana Margie ayudó a ordeñar las vacas, mientras mi hermano y yo vigilábamos a los ternerillos. Luego salimos a cazar liebres con nuestros cinco perros. No tardamos en avistar la primera; los perros se lanzaron en su persecución y nosotros los seguimos. Pero la liebre corría como una flecha y logró meterse en la madriguera. Entonces nos pusimos a cavar, mientras uno de los perros, con los ojos bien abiertos, acechaba el agujero. Pero la liebre escapó de súbito pasando entre las patas del chucho. Reemprendimos la persecución. Al fin los perros la atraparon. Asamos la liebre y luego nos quedamos mirando cómo los animales se peleaban por las patas y otras partes, porque a mí lo que me gustaba era cazar, pero no comerme las presas. Mientras los perros comían, comentamos nuestra escasez de ropa. Nuestro hermano propuso vender una vaca, Margie dijo que la leche y a mí no se me ocurrió nada, así que me apunté a la opinión de vender la leche.

Cuando regresamos, la vieja estaba delante de la casa sosteniendo un bastón.

–¿Dónde os habéis metido todo el día? –chilló.

Margie se limitó a pasar de largo, pero yo me detuve porque la conocía mejor y por consiguiente le tenía más miedo. Ella se agarró los pechos con las manos, los sopesó agitándolos y dijo volviéndose hacia Margie:

–¡Con estas tetas he criado a tu padre y con ellas te maldigo!

A continuación le explicó que moriría arrastrada por las calles y devorada por los buitres. Yo miraba aquellos pechos marchitos y meneaba la cabeza. Por lo visto, mi hermana ignoraba el peligro que implicaban las palabras de la abuela, ya que contestó sólo con una carcajada desde el fondo de la casa.

Al día siguiente decidimos llevar a efecto nuestro plan. A primera hora de la mañana mi hermano y yo sacamos la mayor parte de lo que había ordeñado Margie y la echamos en una lechera que desde la noche anterior teníamos escondida entre la hierba crecida detrás de la casa. A las nueve arrastramos la lechera hasta la carretera principal y se la vendimos a un camionero. El dinero se lo dimos a nuestra hermana mayor, Margie, y a la mañana siguiente la acompañamos hasta la carretera para que tomase un minitaxi. Después la espera se nos hizo interminable, hasta que apareció un Peugeot azul que se detuvo junto al arcén. Corrimos hacia el coche mientras ella se apeaba con una bolsa pequeña en las manos. Cuando estuvimos más cerca nos fijamos en los zapatos de tacón de aguja y el hermoso vestido que lucía. Hasta caminaba de una manera diferente. Le preguntamos por nuestra ropa y ella sacó de la bolsa un montón de caramelos y galletas, diciendo que el dinero no le había alcanzado para más. A continuación se plantó en medio de la calzada y empezó a contonearse arriba y abajo diciendo:

–¿A que parezco una modelo?

No tuvimos más remedio que reír. A mí me parecía más bien una ternera recién nacida. Íbamos a sentarnos para comernos las golosinas y entonces ella dijo que no había comido nada en toda la mañana. Durante el camino de regreso le anunciamos que se lo contaríamos a la abuela. Vi el miedo en su mirada y nos sentimos muy satisfechos al oír cómo nos pedía perdón.

Fuimos derechos a la abuela y le dijimos que Margie había vendido la leche. Cuando se cansó de chillarle a nuestra hermana, la abuela me envió a por un peón, al que ordenó que a la mañana siguiente fuese a la ciudad para llevarle la noticia a padre. Margie nos dijo que se largaba de casa aquella misma noche, antes de que apareciera padre. Yo le dije que lo sentía, que no había previsto que las cosas llegasen tan lejos, y como me acordaba de nuestras hermanas Grace y Helen, me eché a llorar. Le suplicamos que se quedase y prometimos decirle a padre que todo lo que le habíamos contado a la abuela era mentira.

–Si te marchas, no podrás ir al colegio, hermana. ¡Quédate, por favor! –lloriqueé.

–No te preocupes. Me parece que no lo necesito para nada –replicó ella, y entonces comprendí que ya había tomado su decisión. Cuando le preguntamos si tenía dinero, ella contestó–: No, pero ya me espabilaré. Como hicieron las otras dos.

Con estas palabras olvidé mi tristeza, figurándome que se habría guardado parte del dinero de la leche.

Margie se pasó el resto del día peleándose con la abuela, y por primera vez en mi vida vi llorar a la vieja. Fue cuando Margie le dijo que sus pobres ojos estaban ya condenados por Dios y que cuando muriese nadie se tomaría la molestia de enterrarla. Al anochecer Margie se acostó sin cenar y por la mañana había desaparecido. Mi hermano y yo nos juramos mantenernos firmes y confiábamos en que padre enviaría a buscarla. Al llegar nos vio deshechos en lágrimas y entró en la casa sin preguntar nada. Una vez se hubo enterado de todo, se comportó más o menos como si acabase de perder una gallina.

Acabaron las vacaciones y regresamos a la ciudad. Cuando llegamos, nuestra madrastra parecía más sonriente de lo acostumbrado, supongo que porque se enfrentaba a una hermana menos. Según todos los indicios, ella llevaba las de ganar. Otra señal de su inminente victoria fue que nuestra niñera también se hartó de las reglas que ahora dictaba la mujer de mi padre. Cuando nos dijo que se marchaba, todos nos echamos a llorar y le suplicamos que se quedase, pues sabíamos que nos quería casi como a hijos suyos.

Conmovida, Marie prometió no dejarnos. A la mañana siguiente hallamos la mesa servida, pero cuando terminamos de desayunar y fuimos a despedirnos de Marie para ir a la escuela, ya no estaba en casa. Salimos a buscarla por las inmediaciones, pero no apareció por ninguna parte. De camino hacia la escuela recordamos cuántas cosas había hecho por nosotros y nos entristecimos. Nuestra única esperanza era hallarla en casa cuando regresáramos. Desaparecida Marie, pensé yo, si quería sobrevivir tendría que hacerme fuerte y plantar cara a las contrariedades sin miedo y como si no ocurriese nada.

Quedábamos únicamente mi hermano y yo, pero como no veíamos las cosas de la misma manera, me pareció que apenas podría contar con él.

Un martes hacia las cuatro de la tarde, sintiéndome confusa y sin saber qué hacer, me acerqué al campo de golf para contemplar cómo jugaban los ricos. Estaba sentada en la hierba, mirando con el mentón apoyado en las manos, cuando un sujeto al que llamaban Johnson se acercó y me propuso que le llevara la bolsa con los palos.

–¡De acuerdo! –contesté sin vacilar, porque sabía que daba propina.

Cuando acabó el recorrido me dio bastante más dinero del que yo esperaba, suficiente para mis gastos de varios días. El alegrón fue tan grande que olvidé mis preocupaciones y regresé a casa sintiéndome dueña del mundo. Ahora podría presumir en la escuela lo mismo que las demás. Cuando llegué a casa mi madrastra no estaba, y cuando regresó no se molestó en preguntar dónde había estado yo. Supongo que todavía saboreaba el triunfo de la desaparición de Margie.

Me levanté muy temprano y tras despachar los quehaceres obligados salí corriendo en dirección a la escuela, antes de que se levantasen los demás. Por el camino hice un alto en el quiosco de un individuo al que llamábamos Mono. Le compré unos plátanos y de inmediato empecé a comerme el primero. Antes de llegar a la escuela compré también tres bolsas de caramelos, que guardé en la mochila. Durante el recreo llamé a la mitad de la clase para invitar a caramelos, y eran tantos que no pudimos acabárnoslos y cuando terminó el recreo hubo quien entró en clase masticando todavía. La maestra preguntó quién de nosotros había comprado los caramelos y todos se volvieron hacia mí. Aprovechando una distracción de la maestra les indiqué por señas que mantuvieran el pico cerrado. Cuando ella se volvió y vio que no respondía nadie, se dirigió a uno de los pillados in fragranti, llamado Kayirangwa, y le mandó que fuese a buscar unas varas. Los niños se inquietaron mucho. La maestra les ordenó que se quedaran quietos en sus pupitres. Luego miró a la culpable, que era yo, y dijo que hablaría conmigo después de clase.

Me dio una carta que yo debía llevar a mi padre. Contemplé con nerviosismo el papel. Ella aclaró que se trataba de una convocatoria para una reunión de la escuela. Durante el camino de regreso, sentada en un bordillo, intenté descifrar palabra a palabra lo que decía, pero no pude porque la maestra tenía una letra pésima. Cuando llegué a casa, padre estaba tomando unas cervezas y charlando de leyes con otro individuo. Le entregué la carta y él se limitó a guardársela en el bolsillo. Una vez se hubo despedido el visitante, me llamó para preguntarme qué travesura había perpetrado.

–Nada –dije–. Yo no he hecho nada.

Él me advirtió que se enteraría de todos modos, lo que me encogió el corazón pensando en la posibilidad de que la maestra hubiese mencionado lo de los caramelos.

La noche transcurrió mucho más pronto de lo que yo habría deseado y por la mañana el sol se colocó rápidamente muy alto en el cielo. En la escuela, la maestra me preguntó por mi padre. Temblándome la voz, le dije que vendría pronto. Durante el primer descanso de la mañana todos dijeron las plegarias menos yo, que estaba con los ojos muy abiertos pendiente de la dirección por donde aparecería mi padre. Lo hizo justo al terminar los rezos, y me faltó poco para orinarme encima. Él pasó de largo, se encaminó hacia donde estaban reunidos los maestros y empezó a hablar con ellos. Aún no había transcurrido un minuto cuando pronunció mi nombre en voz alta y me ordenó que me acercase. Delante de todo el mundo proclamó que yo era una ladrona y que le había robado el dinero para gastármelo en caramelos. Todos me miraban, lo que me avergonzó y me obligó a bajar los ojos. Él pidió una vara a uno de los maestros y me dijo que me tumbase boca abajo. Yo permanecí de pie. Pensaba contar a viva voz el trato que recibía en casa, pero aún no lo tenía decidido cuando me agarró por la nuca y me obligó a postrarme en tierra. Intenté levantarme y dije que iba a contar la verdad. Él dejó de fustigarme y quedé unos momentos indecisa, puesto que no sabía si los maestros iban a ponerse de mi parte después de escuchar lo que yo tuviese que decir. Por último me dije que lo único seguro allí era la vara que esgrimía mi padre, y de súbito me resigné. Le miré a la cara y luego me tendí en el suelo. Cuando me fijé en los demás niños vi que muchos apartaban la mirada. Algunos incluso lloraban. Cuando él se marchó, mi maestra me preguntó si el hombre que acababa de pegarme era mi verdadero padre. La miré, adivinando que era una manera de pedir disculpas por lo ocurrido. Le di la espalda sin decir palabra y para mis adentros la envié al infierno. Durante el recreo noté que la mayoría de los niños me miraba con cara apenada. Todos quisieron hacerse amigos míos, y aquel día incluso Judith y Mutton me regalaron todas las chucherías que traían.

De vuelta en casa, padre me preguntó de dónde había sacado el dinero. Decidí decirle la verdad y mi desalmado padre se dispuso a azotarme otra vez, pero en ese preciso instante le interrumpió una visita.

Ese día me di cuenta de que todo su poder consistía en hacer daño a los demás.

Por la senda del miedo

Había llegado al punto de tener que hacer un gran esfuerzo para no perder la razón. La ruindad de mi madrastra era incorregible. En las casas de todas mis compañeras se supo la historia del padre que apaleaba a sus hijos todas las veces que a la madrastra se le antojaba. Durante un tiempo todo se concentró sobre mí. En cuanto a mi hermano, me pareció que ella se daba por satisfecha con su actitud, que era de máximo servilismo con tal de no recibir palizas.

Cierto día, recién llegada yo de la escuela y mientras estaba comiendo la merienda, la madrastra se acercó con una expresión poco usual. Sonriendo, me dijo que me enviaba a casa de su cuñado, donde vivía su madre, y me aconsejó que me aprendiera el camino para otra vez.

Por la mañana llegó el cuñado, un muchacho joven, desde su distrito de Kasese, y cuando me fijé en la bicicleta que traía no vi la hora de marcharnos. Mientras avanzábamos entre colinas recubiertas de vegetación me di cuenta de que era una distancia enorme para recorrerla a pie, pero fue más fuerte la emoción del viaje en bicicleta, agarrada a la barriga de aquel hombretón. La vieja vivía en una cabaña desvencijada con techo de hierba, de una sola habitación más semejante a un corral donde hubiesen acabado de parir un ternero. Con ella vivían una hija suya y el muchacho de la bicicleta, y me sorprendió que dijeran ser muy felices vegetando de aquella manera. Yo escuchaba y observaba aquella felicidad consistente en vivir del aire y la escasa leche que daban sus vacas. Caminaban cuatro kilómetros hasta una granja vecina donde trocaban la leche por otros alimentos, eso cuando les sobraba un poco. Durante el regreso a casa yo debía fijarme en el camino, sabiendo que iba a tener más de una ocasión de recorrerlo a solas. Lo único que me preguntó mi madrastra cuando la bicicleta se detuvo fue:

–¿Te has aprendido el camino?

Pasaron varias semanas y un día, al regreso de la escuela, donde había dejado la mochila porque pensaba volver para mis clases vespertinas, después de comer ella me ordenó que le llevase un dinero a su madre. Me asusté mucho y se me saltaron las lágrimas ante la idea de cruzar sola aquella comarca tan peligrosa. Tras largo rato de indecisión metí en una bolsa unas bragas y una botella de agua. Eran las dos de la tarde cuando emprendí la marcha bajo el ardiente sol africano que me recordaba constantemente el infierno en que ya vivía. Al pasar por delante de la escuela deseé quedarme allí, y mientras mis pies se alejaban, mi mente permaneció por algún tiempo en ese lugar. Cuando perdí de vista la ciudad renació el miedo y procuré apretar el paso mientras recorría la sabana. A veces me detenía para escuchar, pues me constaba que la comarca estaba plagada de monos y depredadores. Después de cruzar la sabana vi brotar agua de unas rocas, donde había una oquedad. Saqué la botella medio vacía, me acerqué al manantial y me lavé la cabeza y la cara antes de beber. Unos monos pequeños jugaban entre las ramas. Los miré con envidia, pensando que me gustaría ser como ellos.

Al continuar cuesta abajo vi unos simios grandes y de negro pelaje que se habían plantado en medio del camino y otros encaramados a la copa de los árboles. Al comprobar que no tenían ninguna intención de apartarse me acerqué con cautela. Una de las hembras llevaba a cuestas una cría. Masticaba hojas e iba pasándoselas a su monito. Me fijé en el amoroso comportamiento de esa madre y en la expresión satisfecha del cachorro entre sus brazos. Esperé un rato porque no me atrevía a pasar, hasta que atisbé una especie de atajo, un sendero probablemente abierto por los mismos monos. Pero antes de que pudiera enfilar por allí, otros lo ocuparon mientras los demás continuaban en medio del camino, pendientes de mis movimientos.

Empecé a sentir miedo porque era la primera vez que pasaba por semejante experiencia. Recordé que una vez mis hermanas habían contado que los gorilas se comían a las niñas pequeñas. Tan grande era mi temor que pensé desandar el camino. Pero entonces me acordé de mi madrastra y además se me ocurrió que si retrocedía, los monos se abalanzarían sobre mí y me devorarían. No sabía cómo seguir y empezaba a hacerse tarde. De pronto vi a dos hombres acercarse por el camino, por lo que escondí el dinero en mis bragas. Enseguida llegaron a mi lado.

–¿Qué haces por aquí? –me preguntaron.

Les conté que llevaba un recado de mi madrastra y entonces me ayudaron a pasar, ahuyentando a los monos.

Cuando finalmente llegué a mi destino, le dije a la anciana que estaba fatigada y que deseaba acostarme. Ella tendió una vieja manta en el suelo, que era donde dormía aquella gente. Aunque era verdad que me sentía cansada, no pude conciliar el sueño por culpa del hedor que reinaba en la choza.

Al día siguiente la selva amaneció empapada de rocío y el sol naciente pintó de rojo y amarillo el cielo matutino. Salí a la parte de atrás de la cabaña para contemplar el esplendor y entonces vi en el suelo un papel que me pareció un billete de quinientos. Miré en derredor para asegurarme de que estaba sola y me guardé el dinero en las bragas. Mientras desayunaba mi vaso de leche tenía el corazón en un puño, con la duda entre devolver el billete o quedármelo. La hermana de mi madrastra empezó a buscarlo y luego me preguntó si lo había visto. Negué con una sonrisa. Ella no cejaba en su búsqueda y empecé a pensar si no sería mejor dejar el dinero en algún lugar donde ella pudiese encontrarlo. Pero no se me presentó la ocasión de hacerlo sin ser vista. Por último, llegó la hora de la despedida y me marché caminando despacio, no fuese a caérseme el billete. Durante el camino iba cavilando lo que haría con él, y ante mis dudas dejé que decidiera mi estómago. Antes de entrar en la ciudad me tropecé con un tienda que ostentaba el emblema de Pepsi-Cola en el escaparate. Le pregunté al tendero cuánto costaba una botella de naranjada Mirinda.

–Ciento cincuenta –respondió.

–Deme una –asentí.

El hombre me miró fijamente mientras yo bebía, y cuando me acabé la botella le pedí caramelos por la diferencia. El tendero parecía tan receloso como desconcertado cuando me tendió dos bolsas de caramelos. Supongo que se preguntaría qué clase de niña era yo, descalza y con un vestido visiblemente raído, y sin embargo forrada de dinero.

Reanudé mi camino comiendo un caramelo tras otro. Llevaba recorrido casi un kilómetro cuando empezó a dolerme el estómago. No hice caso de la advertencia y a continuación tuve mucha sed. Me senté a descansar bajo las ramas de unos árboles porque me encontraba muy mal y creí que iba a morir allí mismo, lo que por fortuna no sucedió, pero noté como una piedra muy pesada en el estómago. Me metí los dedos en la garganta y vomité. Eso me alivió el dolor. Al poco sentí hambre y cansancio, y la cabeza me daba vueltas cuando intenté reanudar la marcha. Salí otra vez al camino y eché a andar. Iba regalando caramelos a todos los niños que encontraba. Por fin avisté el edificio de la escuela y entré a por mi mochila, pero no estaba en mi pupitre ni en ninguna parte. Salí ansiosa, bañada en lágrimas de desesperación, al comprobar que todas las desgracias me pasaban a mí. Sola en el patio, puesto que todos los niños se habían marchado ya a sus casas, intenté armarme de valor porque aún me faltaba el regreso a la mía.

Eché a andar poco después, aunque no logré pensar con claridad hasta que llegué al quiosco del señor Mono. Miré hacia mi casa, reflexionando febrilmente, hasta que me acordé de mi amiga Rehema.

Me encaminé a casa del tío de Rehema convencida de que ella me ayudaría. Al acercarme vi que estaba fuera y la llamé con un largo grito quejumbroso:

–¡Rehenna! ¡Tienes que ayudarme!

Ella me dijo que esperase en el platanar mientras buscaba la manera de meterme en su habitación. Anduve a oscuras, atenta al ruido de mis propios pasos. Me senté en el suelo, mirando temerosa a mi alrededor. Esperé mucho rato y empecé a temer que se hubiese olvidado de mí, pero no tenía más remedio que seguir esperando. De súbito se materializó Rehenna en medio de la oscuridad y me condujo a su pequeño cuarto, contiguo al corral de las cabras. Luego fue a la cocina y regresó con un plato de comida. Mientras cenábamos, su tío la llamó y ella salió, no sin advertirme que no siguiera comiendo hasta que ella hubiese regresado. Cuando lo hizo, me cogió de la mano y me condujo al corral. Tendría que dormir allí, dijo, porque se había presentado una visita y le habían dado la cama de Rehenna.

A primera hora de la mañana me despertó, y antes de marcharme le dije lo mucho que la quería. Me encaminé llorando al platanar y dormí un par de horas más debajo de un matorral. Hacia mediodía me sentí otra vez hambrienta y me arrepentí mil veces de haber comprado la Mirinda. «Qué voy a hacer –me pregunté–. ¿Salir a la calle a pedir limosna?» Decidí esperar, aunque ignoraba si conseguiría soportar el hambre mucho tiempo más. Cerca de la calle mayor me senté en la acera, me puse a contar los coches que pasaban y canté todas las canciones que sabía con la esperanza de quitarme la tristeza. Cuando mi estómago empezó a protestar, me tumbé de espaldas, cerré los ojos y pensé en mi familia, y luego en todas las personas que se habían portado bien conmigo alguna vez. Traté de imaginar cómo sería mi verdadera madre, pero mi mente apenas conservaba ningún recuerdo de ella. Me cansé de dejarme llevar por mis emociones y me puse a mendigar. Quiero decir que me quedé de pie con la mano tendida, pero nadie reparó en mí hasta que un coche color café con el distintivo «UCB» se detuvo y el conductor me preguntó por qué pedía limosna. Le conté lo sucedido y él, después de darme unas monedas, me dijo que le esperase allí, que más tarde pasaría a recogerme y me ayudaría.

Tan pronto como se alejó, me acerqué al quiosco del señor Mono y compré unos plátanos y galletas. Volví a sentarme en mi rincón y me lo comí todo menos las pieles. Después de limpiarme las manos en unas hierbas, regresé al bordillo para esperar al hombre. Mientras estaba allí recordé que le había dado el nombre de mi padre y la dirección de su trabajo. Corrí con toda la rapidez de mis piernas, buscando el amparo del herbazal y un lugar donde nadie nos conociese a mi padre y a mí. Me senté en la linde del campo de golf y así pasaron varias horas, hasta que me di cuenta de que iba a pillar una insolación. Se me ocurrió ir de casa en casa pidiendo trabajo, pero en todas partes ocurrió lo mismo. Preguntaban mi edad y cómo se llamaba mi padre, de modo que transcurrió toda la jornada sin que nadie me diese un empleo. Pensé regresar a casa de Rehema, pero desistí cuando me acordé del visitante. Era ya tarde cuando me hallé delante del edificio de los Tribunales. Apoyé la espalda contra una pared y canté de nuevo en voz baja, mientras las lágrimas resbalaban por mis mejillas.

Recobré la sensatez de repente, miré alrededor y bajé a la orilla del río, donde me entretuve arrojando piedras al agua. La brisa fresca calmó mi mente fatigada, pero al mismo tiempo descubrí que mi persona olía fatal por la noche pasada en el corral de las cabras. Pensé lanzarme al agua para lavarme, pero entonces recordé que no sabía nadar. Al subir otra vez a la calle vi una casa y decidí intentarlo una vez más. Me detuve delante de la puerta y permanecí un buen rato indecisa. El corazón me latía con fuerza y me pregunté si me atrevería a llamar. «¿Cuánto tiempo piensas quedarte aquí plantada? ¡Llama de una vez!» Lo hice, y una voz masculina exclamó:

–¡Ya va!

La puerta se abrió y una cara me miró con expresión inquisitiva.

–¿Puedo hacer algo por ti? –me preguntó, y me invitó a pasar y sentarme.

De nuevo las mismas preguntas de siempre, como si fuese una letanía que recitaba todo el mundo. Pero en este caso, la diferencia consistía en que me había invitado a entrar y había dicho palabras de buena voluntad, así que procuré contestar a sus preguntas.

El hombre dijo que podía quedarme hasta que volviera a casa su mujer. Le pregunté si tenía algún trabajo para mí, y dijo que él era médico.

–¿Por qué no está usted en la consulta? –le pregunté.

–Porque tengo una pierna estropeada, niña. Eso me obliga a tomarme unos días de descanso –contestó y arrugó el entrecejo.

–¡Pero cómo! Yo veo que tiene las dos piernas igual que yo –dije.

Me explicó que tenía una más corta que la otra.

–¿En qué hospital trabaja usted?

–¿Por qué lo preguntas?

–Estaba pensando que a lo mejor podría usted hacerme un favor. Si mi madrastra y mi padre acudieran a ese hospital, podría ponerles una inyección muy grande para que sufran y griten como yo.

Él se quedó mirándome y meneó la cabeza, aunque no respondiendo a mi sugerencia, me pareció, sino más bien como si se hiciera cargo de mi triste situación en general. Después de una pausa de reflexión, me preguntó:

–¿Tú no quieres a tu padre?

–Sí –contesté–. Pero él a mí no.

Me preguntó si lloraría en caso de que muriese mi padre, y contesté:

–No lloraría si muriese junto con mi madrastra, pero si él muriese y ella no, entonces sí lloraría.

Él dijo que su profesión era curar a las personas y eso no incluía el hacer daño a nadie. En este punto quedó interrumpida la conversación por la llegada de su mujer con una niña de corta edad en brazos.

«¿Y si es como mi madrastra y también me pide que le cuide la criatura?» Aquel bebé se convirtió en el centro de mis preocupaciones. Cuando me saludó contesté con cierta brusquedad, y ella me miró con asombro y me preguntó si estaba nerviosa por algo.

–No –contesté –. Estaba mirando su bebé.

–¿Te gustan los bebés? –me preguntó, y me vi obligada a respirar hondo antes de contestar:

–¿Que si me gustan? ¡Ah, sí! ¡Claro!

Entraron en la habitación de matrimonio y yo me quedé a solas. Al poco la mujer regresó, se sentó y me preguntó si quería que ella me acompañase a casa de mi padre. No supe qué contestar, porque no entendí si lo decía como una pregunta o como una orden. La miré a los ojos y le pregunté si su marido le había hablado de lo de mi padre. Ella contestó que sí.

–¿Tú no tienes miedo de mi padre? –pregunté, pero ella se limitó a sonreír como si no supiera qué contestarme.

Me ofrecieron una bonita cama en una habitación aseada y acogedora para pasar la noche. Pero no pude disfrutar de tan agradable entorno como habría sido lo normal, porque las últimas palabras de la mujer me inquietaban y no sabía qué respuestas hallaría yo para las preguntas que sin duda traería la mañana.

Cuando llegó la mañana yo estaba sentada en el sofá como un cachorrillo, resignada a lo que aconteciese. La mujer salió de su habitación en bata de dormir y se dirigió a la cocina, al tiempo que me preguntaba si quería una taza de té. Decliné el ofrecimiento y ella se sirvió un café. Dijo que no podían quedarse conmigo debido a mi edad.

–Tú tienes una familia, y los dos opinamos que deberías regresar a tu casa.

Yo no quería escuchar esas palabras y me ofrecí a trabajar gratis. Pero ella dijo que yo debía ser fuerte y soportar los castigos aunque fuesen injustos, teniendo en cuenta que mis padres al menos me daban una educación escolar, que no debía dejar que mi madrastra se saliera con la suya y que no adelantaría nada si me quedaba con ellos, sino que arruinaría mis oportunidades de futuro y, en tal caso, ciertamente mi adversaria habría ganado.

–Hazte fuerte y deja que ellos se comporten como quieran –dijo–. Es tu vida lo que está en juego, y por eso es importante que regreses a casa. Tal vez no entiendas por qué no puedo ayudarte, pero algún día lo comprenderás. No quiero que te veas sola y desamparada, sin una familia a la que acudir.

Así pues, no tenía ninguna posibilidad de quedarme, debía resignarme a la despedida. Entre lágrimas y sorbiéndome la nariz –y albergando todavía la secreta esperanza de poder quedarme– deseé tener equipaje que hacer con tal de retrasar el momento, así que prolongué todo lo que pude el aseo de cara y manos. Y luego, casi presa del pánico, me ofrecí a lavar los platos y a barrer la sala de estar. Ella dijo que no era necesario, pero que si lo deseaba de verdad, podía hacerlo. Mientras barría se me fueron aclarando las ideas y comprendí que debía irme.

–Bien, me voy –dije, y ella se puso en pie para acompañarme.

–Toma un poco de dinero. De algo te servirá –dijo antes de despedirse, y no encontré palabras para agradecérselo.

Eché a andar, no muy segura de la dirección correcta. Cuando avisté nuestra casa traté de encontrar un escondite desde donde observar lo que sucedía en el interior, pero no lo hallé. Seguí caminando y casi me di de bruces con mi hermanastra y mi hermano Ray, que por lo visto andaban buscándome. Me figuré que no sería por cariño, sino para no tener que encargarse de las tareas que desempeñaba yo habitualmente como, por ejemplo, prepararles el desayuno a ellos. Les pedí que me dijeran si padre estaba muy enfadado. Ellos me aseguraron que no tanto como para propinarme otra paliza, que no tenía motivos para temer el regreso. No les creí ni media palabra. Se notaba que estaban decididos a persuadirme y conseguir mi retorno. Ray se ofreció a adelantarse para preguntarle a su madre si yo podía regresar. Respiré hondo antes de contestar que sí, que lo hiciera. No tardó mucho en volver, apenas un par de minutos. Cedí, aunque temiéndome lo peor. O eso o andar mendigando por las calles; no tenía elección.

Mi madrastra empezó por preguntarme dónde había estado. Al parecer, mis respuestas la tranquilizaron y me aseguró que procuraría quitarle el enfado a mi padre cuando regresara. Sentí alivio y confié en ella porque me había recibido sin gritos ni insultos. Por la tarde volvió mi progenitor de su trabajo y me preparé para responder a sus preguntas. Esperaba saludar a un padre ansioso por no haberme visto en muchas horas, pero tragué saliva cuando vi aquel semblante hosco. Se limitó a agarrarme como si yo fuese un trasto y empezó a pegarme sin que mediase explicación alguna. Todo fue muy rápido, hasta que me hallé con la nariz sangrando y encerrada con llave en mi habitación, a oscuras y a solas con mis malos recuerdos.

Tenía un ojo a la funerala, lo que me dio miedo porque siempre había procurado evitar que me hiciera daño en la vista. Rasgué un trozo de mi vestido, lo empapé de sangre de la nariz y me puse a untarme la cara. Además me dolía una costilla. Empecé a sentir miedo de verdad. Seguí manchándome la cara para que se asustase y no se le ocurriese pegarme más, luego empecé a gritar y a dar puntapiés en la puerta. Mi padre me sacó a rastras de la habitación, pero reparó en mi aspecto y pareció alarmado.

–¡Dios mío! –exclamó.

Hizo que me quitara toda la ropa, me llevó al cuarto de baño y me lavó con agua caliente para quitarme la sangre. Al ver que estaba de veras preocupado le mencioné lo de la costilla. Se veían algunos hematomas bastante considerables. Dijo que me llevaría al hospital por la mañana y me hizo jurar que no contaría lo ocurrido. Debía decir que me había caído de un árbol, y añadió que después de la visita al médico me llevaría al centro de la ciudad y me compraría ropa nueva. Por la noche lloré, pero no por el dolor físico, sino por las palabras de mi padre. No recordaba ninguna otra ocasión en que me hubiese demostrado tanto afecto. Parecía algo irreal. Pensé en mis hermanas y eso me entristeció más aún, hasta que el sueño se compadeció de mis penas y finalmente logré conciliarlo.

Al despertar sentí gran alarma porque me dolía todo el cuerpo y no podía ponerme en pie. A gatas y medio muerta de miedo conseguí acercarme a donde estaba mi padre. Él alargó la mano y me palpó la cara, luego se marchó y poco después regresó con un médico. Éste ni siquiera se molestó en preguntarme nada, supongo que debido a la presencia de mi padre, que no se apartaba de él ni un metro. No obstante, hizo lo que debía, aunque dijo que sería preciso llevarme al hospital por lo de la costilla. Mi padre lo miró con expresión dubitativa y al cabo le preguntó qué debía decir en el hospital.

–No hay más que una manera de arreglarlo –contestó el médico–, y va a costarle algún dinero.

–¿Como cuánto? –preguntó mi padre.

–No estoy seguro, pero tengo un amigo que puede curar a la niña.

Llamaron al otro doctor, y quedé con la sensación de haberme salvado de una muerte inminente.

Cuando me restablecí, mi padre cumplió su palabra y por primera vez en mi vida me llevó al centro. Me sentí muy feliz paseando a su lado por las calles.

Al regreso me regaló una bolsa de golosinas y me dijo que las disfrutara. Y lo hice, pero tan pronto como se marchó él, apareció mi madrastra hecha una fiera y me echó de casa prohibiéndome volver hasta que hubiese terminado las golosinas de mi padre. Entonces recordé que Margie había dicho en cierta ocasión:

–A esa mujer la enterrarán con su odio.

RECHAZADA

Aquellas de mis hermanas que regresaron lo hicieron cada una con su propia cruz a cuestas y traían recuerdos muy semejantes a los míos. Cada vez que aparecía una de ellas, yo pensaba: «¡A ver si se le ocurre llevarme con ella!». Pero luego empezaban a contarme lo mal que lo estaban pasando. Fingían vivir felices para que su padre y su madrastra no se enterasen de los desastres, y padre era tan idiota que se lo creía, o por lo menos eso parecía. Muchos ratos pasé contemplando la calle, en espera de que se presentase una hermana mía para invitarme a acompañarla.

Volvía de sacar agua en casa de un amigo de mi padre y me había tumbado a descansar delante de casa, cuando de pronto aparcó un coche, un Suzuki azul, del que se apeó nuestra hermana mayor, Helen. Me costó reconocerla porque venía con el cabello largo y muy elegante. Fue tanto mi júbilo, que cuando corrí a darle la bienvenida tropecé y caí de bruces al suelo. Padre salió, pero se quedó en la puerta. Antes de que Helen pudiera decir nada, él le preguntó quién era el hombre que conducía el automóvil. Ella dijo que su prometido, a lo que mi padre inquirió:

–¿En qué idioma habla?

–Es del este –dijo ella.

–¿De veras? ¿Y qué hace aquí, en el oeste?

–Ha venido porque yo deseaba presentártelo.

–Pero ¿es que no lo entiendes? No voy a consentir que te cases con un individuo así.

–¿Por qué? Se ha portado muy bien conmigo, y si me caso con él, lo haré feliz. ¿Qué me respondes, padre?

–Si quieres que siga considerándote hija mía, no te casarás con ése –replicó él.

Helen se echó a llorar y giró sobre los talones lentamente, como si el menor movimiento le produjese un gran dolor. De pronto se volvió antes de subirse al coche y le preguntó a padre si se avendría por lo menos a un saludo.

–¡No! –rugió él–. Y que sepas además que si te casas con él, no hace falta que vuelvas por aquí.

Dicho lo cual se metió en casa, rastrero como una serpiente y como si no hubiese ocurrido nada.

Helen empezó a despedirse del hombre, y yo me quedé desconcertada. ¿Qué palabras le diría para separarse de él como si acabaran de conocerse, cuando momentos antes parecían dispuestos a casarse? Mientras ella lloraba vi en sus ojos algo que, sin entenderlo del todo, me puso furiosa. Así que le dije muy enfadada:

–¡Nuestro padre es un hombre malvado! Y tú acabas de decir que serías feliz con tu prometido. Así pues, ¿por qué no nos vamos con él las dos?

Ella contestó que le daba miedo vivir repudiada por su padre, pues no había manera de saber lo que sería capaz de hacer aquel hombre o cualquier otro una vez supiese que ella no tenía adónde ir. Le pregunté qué pensaba hacer entonces. No tenía ni la menor idea, me contestó, puesto que realmente no tenía adónde ir y no sabía si iba a ser capaz de soportar otra vez la crueldad de nuestra madrastra. Eso me entristeció y me dio tanta contrariedad que fui a ver a Sofía. Por la noche, en mi habitación, le conté a Helen lo de Patricia, la mujer que tal vez nos ayudaría a encontrar el paradero de nuestra madre. Al día siguiente mi hermana se despidió con la cabeza muy alta, como si no fuese a regresar jamás, y deseé fervientemente que encontrase a nuestra madre.

Padre se pasó el resto de la jornada compadeciéndose de sí mismo y recuerdo que dijo:

–Siempre se marchan, pero luego vuelven para mendigar mi ayuda.

Como no estaba mirándome, meneé la cabeza al oír estas palabras.

La tarde siguiente estábamos todos sentados en el porche con padre cuando se presentaron dos hombres y dijeron que la policía militar tenía una orden de busca y captura contra él. Cuando padre preguntó cuáles eran los cargos, le contestaron que ya se enteraría en el momento oportuno. A lo que él replicó:

–¿Por qué no han venido ustedes en coche y dónde están sus uniformes?

–Las preguntas las hacemos nosotros. Venga y acompáñenos –replicaron.

Padre parecía asustado, porque en aquellos tiempos no era inusual que te prendiesen unos hombres misteriosos en cualquier parte y no se volviera a saber de ti. Incluso yo estaba enterada de estos casos, pero en realidad no me importaba lo que le ocurriese. Me llamó la atención uno de los hombres, que guiñaba constantemente el ojo, porque daba un aire de farsa a todo el asunto. Mi padre debió de pensar algo parecido, pues de pronto les dijo que podían matarle allí mismo, pero que él no pensaba moverse ni un paso. Ellos, sorprendidos, se miraron y antes de marchase dijeron que volverían con más soldados. Tan pronto como se alejaron, mi padre cruzó corriendo el platanar y poco después regresó con un pelotón de soldados.

Aquéllos eran unos soldados muy raros, gente del norte con los ojos inyectados en sangre y la piel muy oscura. Sin duda eran diferentes de nosotros. Entre otras cosas porque nosotros vivíamos como civiles y ellos, sujetos a la disciplina militar. A menudo nos trataban de haraganes bebedores de leche. Los contemplé con curiosidad mientras ellos discutían en un idioma ininteligible para mí, y puse los ojos como platos cuando vi que arrancaban pimientos picantes de nuestro huerto y se los comían crudos.

Aquellos hombres misteriosos no regresaron jamás y tampoco los extraños soldados, aunque obviamente mi padre tuvo que pagarles por su protección. Pensé mucho en aquellos hombres, pero nunca imaginé que andando el tiempo yo llegaría a vestir aquel mismo uniforme. Después de este suceso me preguntaba cuál habría sido el motivo o causa, y cuando miraba a mi madrastra se me antojaba que a lo mejor ella habría tenido algo que ver. Es posible que me dejase llevar por mi aborrecimiento hacia ella, naturalmente.

Había pasado una semana desde que Helen se marchó en busca de nuestra madre y de un lugar donde vivir. La vi por el rabillo del ojo y creí que eran imaginaciones mías, pero enseguida comprobé que era real. No pude esperar a que se acercase, por lo que eché a correr hacia ella diciendo:

–¿Has encontrado a nuestra madre?

Pero antes de que me contestara leí la respuesta en sus ojos y me entristecí. Había fracasado. Helen contó que la mujer cuyas señas le había dado yo estaba fuera del país. La había esperado en vano varios días con Mutton y Judith. Mientras lo contaba sentí que me encendía interiormente, porque adivinaba lo que iba a decir mi padre: «Os marcháis, pero luego volvéis porque el mundo os quema».

Lo que dijo en realidad fue:

–¿Por qué has vuelto? ¿Es que te ha perseguido un búfalo cafre? Ya sabía yo que volverías antes de que amaneciese.

Helen, con los ojos bajos, sonreía con tristeza, pero a mi padre todavía le quedaban cosas por decir:

–Te vas y me dejas aquí, pero siempre volverás porque ésta es tu casa.

Parecía no desear otra cosa sino que mis hermanas sufrieran dondequiera que fuesen, para reprenderlas cuando regresaran.

Transcurrieron entonces algunos días amables, sin discusiones ni insultos. Un fotógrafo ambulante se presentó en casa. Le pregunté a mi hermana si podía retratarnos a todos. Como nunca me había hecho ninguna foto, tenía gran curiosidad por verme retratada. Tan pronto como se marchó el fotógrafo, se presentó mi padre con una noticia triste para mí, el anuncio de que deseaba casar a Helen con el hijo de un amigo suyo. Me pregunté si deseaba de veras tener a su hija en casa o si en realidad prefería librarse de ella. Cuando hube reflexionado sobre la cuestión llamé a mi hermana y le pedí que me ayudase con mis deberes, a fin de poder hablar a solas.

–¿Tú conoces a ese hombre del que habla padre?

–No lo he visto en la vida.

–¿No te da miedo casarte con un desconocido? Podría ser peligroso, ¿sabes? –Me acordé con un estremecimiento del viejo abusón al que llamaban el Jefe, y continué–: Los hombres no son buenos. No puedes fiarte de ellos. Si te casas con ése, prepárate para lo peor.

Para mi alivio, ella me miró y prometió no casarse con él. Durante la cena se lo dijo a padre, cuya expresión colérica me dio a entender que se tomaba las palabras de su hija como una provocación, y mi espanto fue grande al notar que mi hermana ni siquiera se daba cuenta. A partir de ese momento adoptó la costumbre de atormentarla con palabras crueles cuando volvía de su trabajo por la noche.

Por otra parte, puesto que no quería casarse ni tenía adónde ir, la convirtieron en un dromedario. Quedó encargada de todas las faenas domésticas de nuestra madrastra, y responsable de todo y de todos. Nuestra madrastra se dedicaba a leer novelas y convirtió el jardín en una especie de salón privado. Cuando padre llegaba a casa, le pedía la cena a mi hermana, por lo que me pregunté si habría olvidado quién era su mujer. En el país de donde procedo, es costumbre que el marido pida la comida a la esposa, y el vaso de agua o el té a las hijas o hijos. Excepto si se ha quedado viudo, claro.

Cierto día mi hermana salió de excursión con unas amigas del vecindario y se le hizo tarde. No regresó a tiempo para preparar la cena, así que a nuestra madrastra no le quedó más remedio que meterse en la cocina. Cuando Helen regresó, nuestra madrastra estaba furiosa y chilló:

–¿Dónde te has metido?

–¿Quién eres tú para pedirme explicaciones? –replicó mi hermana.

–Anduve buscándote para que hicieras la cena y no te encontré en ninguna parte –continuó la otra.

A lo que Helen repuso en tono cortante:

–Pues a ver si aprendes a cocinar para tu marido. Yo soy su hija y no tengo obligación de cocinar para él todos los días. Así que ¡deja de darme la lata!

Mi madrastra se enfadó todavía más, pero no pudo hacer nada porque mi hermana tenía razón. Entonces se echó a llorar hasta que regresó padre. Preguntó qué había ocurrido y ella le contó una historia casi incomprensible. Cuando se cansó de escucharla, se volvió hacia mí para preguntarme si había oído la discusión. La mujer me lanzó una mirada de advertencia. No hacía falta que nadie me explicara lo que sería capaz de hacerme si la desmentía, por lo que contesté que estaba distraída y no había escuchado nada. A continuación él le dijo a Helen que se tumbase para recibir su castigo. Pero ella estaba tan irritada como si la hubiese picado un enjambre de abejas y le acusó de no hacer caso más que de las mentiras de nuestra madrastra y de ser un mal padre porque atormentaba y maltrataba a sus propios hijos peor de lo que haría un extraño. Yo estaba tan asustada que no me atrevía a levantar los ojos del suelo, y cuando ella terminó de hablar se hizo un tenso silencio. Yo sabía que mi hermana no había dicho nada más que la pura verdad, así que me atreví a mirar el semblante de mi padre, pero quedé aterrorizada. Parecía hinchado de rabia. Me faltó poco para salir corriendo cuando mi hermana volvió a hablar:

–Hoy no me pegarás porque ya no soy una niña, así que si quieres, pelearemos. Pero las palizas se acabaron para siempre.

Era la primera vez que alguien le echaba en cara su lado más siniestro. Para esconder su humillación le dijo que era una hija degenerada y que la echaba de casa, pero ella replicó:

–¡No me iré y puedes matarme si quieres! –Y cuando él le repitió que se marchase–: ¿Para qué me engendraste o es que no eres mi padre? Y si no lo eres, me gustaría saber quién es. Pero sí que lo eres, ¿no es así? Por tanto, me quedo.

Él trató de sacarla a rastras de la habitación, pero Helen se resistió con éxito. Él intentó abofetearla, y entonces pelearon con tanta fiereza que rompieron una puerta, y ella demostró tener fuerzas suficientes para evitar la mayoría de los golpes.

–¡No permitiré que vuelvas a pegarme, desde hoy hasta el día de mi muerte! –le gritaba como una posesa.

Al día siguiente mi padre le repitió que debía buscarse un lugar adónde ir o aceptar la propuesta matrimonial, puesto que no debía seguir viviendo en aquella casa si no acataba las normas de él y su mujer. Ella replicó que no reconocía las normas de la madrastra y que si tan amigo suyo era aquel hombre, que le cediera a su mujer.

Salió fuera y me llamó para que la siguiese. Una vez a solas, me dio una carta para padre y se marchó. Yo me sentí confusa y desvalida, y me encaminé al platanar para recuperarme y secarme las lágrimas. Poco a poco fui descifrando la carta, y esto es lo que recuerdo.

John:

Por tu culpa he vivido una infancia muy diferente de la de otros niños. Ahora me toca andar sin rumbo por el mundo. Por tu culpa, padre. No has sabido juzgar entre mí y tu mujer. No me has demostrado el cariño que se debe a los que son de tu sangre e incluso me has hecho dudar de si eras realmente mi padre. Me voy, y aunque muera en la miseria te aseguro que no pienso recurrir jamás a ti. Pongo por testigos al cielo y la tierra. Con esa culpa morirás, y si alguna vez te preguntas el porqué, recuerda el dolor que me has causado y que te deseo llegues a experimentar en el fondo de tu alma.

L. Helen

Después de leerla dudé si sería conveniente dársela. Preferí romperla en mil pedazos imposibles de reconstruir, pues temía lo que pudiera ocurrirme a mí si le entregaba semejante carta. Ahora admiraba a la hermana a quien antes había considerado una traidora. Había memorizado las palabras de su carta y estaba segura de que Helen cumpliría lo prometido hasta el último extremo, porque siempre había sido muy firme en sus convicciones. Y aunque sufrió mucho en la vida, jamás regresó para pedir ayuda. Hasta el día que volvió a casa para morir.

MENTIRA CRIMINAL

Otra vez me veía abandonada a mis propios recursos, privada hasta de la felicidad más efímera. Era triste no saber adónde se había marchado mi hermana, y cuando trataba de rehacer sus pasos me costaba imaginar dónde comenzarían y dónde terminarían. Incapaz de distinguir entre los desenlaces favorables y los adversos, mi dolor se intensificaba cada vez más.

Una mañana que no pasó por casa el lechero me enviaron a comprar la leche. Resultó que mi padre no tenía calderilla, por lo que me dio un billete. Recorrí la calle, pasé por delante de la escuela y entonces vi delante del banco un grupo de soldados, que al acercarme yo se quedaron mirándome. Eso me dio miedo y procuré pasar cuanto antes. Al llegar a la granja descubrí que había perdido el dinero, por lo que desandé el camino confiando en la suerte. Busqué por todas partes, incluso en lugares donde no podía haber quedado de ninguna manera, hasta que no me quedó más remedio que regresar a casa. Recordaba lo que les hacía padre a mis hermanas cuando incurrían en descuidos parecidos, pero procuré tranquilizarme diciéndome que mi caso era más disculpable por mi corta edad. Cuando llegué a casa, él ya se había marchado a trabajar y mi madrastra, tras escuchar lo sucedido, lo dejó a la jurisdicción paterna. Ese día falté a la escuela, y todas las veces que miraba el reloj se me encogía el corazón y deseaba que un coche atropellase a mi padre y no regresara jamás. Por la noche volvió y lo oí hablar con mi madrastra. Al poco me llamó diciendo:

–Pedazo de estúpida, ¿cómo es que has perdido el dinero?

Le expliqué cómo había sucedido, recordando que él también les tenía miedo a los soldados. Pero no me valió de nada, y una vez más dijo que me sacaba de la escuela. No sentí la menor emoción, sólo me quedé mirándole fijamente a los ojos y luego me fui a la cama. Permanecí echada contemplando el techo, con ganas de llorar, pero las lágrimas no acudieron.

Entonces recordé cómo había estudiado mi padre, lejos de su familia y gracias a la benevolencia de un extraño. Mentalmente pasé lista a todos los parientes lejanos, pero me pareció que ninguno de ellos se avendría a darme lo que yo necesitaba. Incluso pensé decir adiós a la vida para que mi padre por fin comprendiese que me había maltratado demasiado.

Pasaron dos semanas y entonces se recibió un recado de la abuela. Puesto que yo no asistía a la escuela, solicitaba que me enviaran a la granja para ayudarla. A la mañana siguiente mi padre y yo fuimos allí en un minitaxi. Regresaba a la existencia que creía haber dejado atrás para siempre. Contemplé la carretera flanqueada de altos árboles mientras me preguntaba cuántos años de colegio iba a perder. Cuando llegamos, la abuela preparó un sustancioso guiso, pero a mí no me supo a nada. Mi padre se marchó el mismo día sin decir cuándo pensaba recogerme. Con esta preocupación transcurrieron varios días, hasta que conocí a Mike, un jornalero que trabajaba en la granja. Era un hombre muy alto dotado de una sonrisa maravillosamente blanca y de buen corazón, el cual se abrió a mí, con lo que me indujo a contarle mis cuitas. Al poco enviaron también a mi hermano. Al anochecer, después de la jornada de trabajo, los tres nos sentábamos en la hierba detrás de la casa y nos quedábamos un rato contemplando las estrellas. Una noche le pregunté a Mike por su familia y dijo que no tenía. Me pareció que le molestaba la pregunta, pero no fui capaz de callarme. Mike puso cara de contrariedad y dijo que no deseaba hablar del asunto, después de lo cual se levantó y se metió en la caseta de los braceros. Cuando me hallé a solas con mi hermano le pregunté su opinión, y él se limitó a decir:

–A lo mejor tiene una familia tan mala como la nuestra.

En ese momento la abuela nos ordenó que entrásemos a cenar, y se acabó la conversación.

Algunos días después regresó padre con un camión y con la cuadrilla que le ayudaba a vender las vacas. Luego se quedó en la granja, dejando que el conductor cerrase el trato en la ciudad. Al día siguiente, cuando mi hermano regresó de apacentar las vacas, me contó que una había escondido su ternero recién nacido en el matorral. Nos preguntamos a quién convenía contar lo sucedido, si a la abuela o a padre. Convinimos en decírselo a la abuela, con lo que tal vez tendríamos la oportunidad de ahorrarnos la paliza. Mientras él iba a hablar con la vieja, yo me quedé escondida a cierta distancia. De pronto se oyó un chillido como para romper todos los cristales y la abuela salió corriendo hacia donde estaba padre arreglando la alambrada. Él se metió en la casa y se sentó en una silla, cabizbajo, pero al cabo de unos segundos se puso en pie de un brinco y miró a mi hermano con ojos que despedían chispas. Le dijo que en ese mismo instante los leones sin duda estarían devorando el ternero y regresó a la silla. Cuando parecía que todo se había calmado, rugió de improviso:

–¡Bastardo! ¡Has dado mi ternero a los leones! –Y fue a por su machete.

Mi hermano salió como alma que lleva el diablo, perseguido por padre, que esgrimía el machete como un loco.

Yo quedé atrás, al parecer olvidada por todos y convencida de que mi hermano iba a morir. Me volví hacia la abuela creyendo que haría algo, pero ella se limitó a echarme una ojeada furiosa y dijo:

–¡Cállate! ¿O piensas que estás llorando sangre o leche?

Esta expresión me desconcertó, de modo que fui a acostarme sin decir nada más. No obstante, me quedé escuchando, temiendo el desenlace de todo aquello.

Poco después regresó mi padre y ordenó que me levantara para enseñarme el machete, que lo traía empapado de sangre. Dijo haber matado a mi hermano, pero estas palabras me reconfortaron porque comprendí que ya no tenía nada que salvar ni que perder. No lloré ni temblé. Simplemente, el mundo se volvió un poco más frío para mí. Me acosté de nuevo con los ojos secos, aunque recordaba las cosas que hacía mi hermano y los buenos ratos que habíamos pasado juntos. Deseé que se muriesen todas las vacas, ya que mi hermano había perecido por culpa de un ternero. Pero luego me arrepentí pensando en el amor de madre que había demostrado la vaca al esconder a su cría, y me dije que ese amor de los animales era diez veces más puro que cualquier sentimiento que yo hubiese visto entre humanos.

Salí temprano, antes de que hubieran despertado los demás, para buscar el cuerpo de mi hermano. Llevaba un rato caminando cuando vi el perfil de un muchacho de pie sobre un termitero. Me acerqué para preguntarle si había visto algún cadáver, pero de pronto vi que era mi hermano. Y antes de que yo pudiera articular palabra, él se dio la vuelta, se bajó los pantalones y me enseñó las nalgas. Nos echamos a reír y cuando se bajó del termitero le di un gran abrazo y le conté lo ocurrido en casa. Sabía que él no podía regresar, pero no me importó, lo principal era verlo con vida. Le dije que no se alejase mucho de allí mientras yo iba a robar un poco de comida para él. Al entrar en casa comprobé que padre se había ido a la caseta de los jornaleros, lo que me permitió hacerme con algún alimento y leche. Lo conseguí sin que la abuela se diese cuenta. Más tarde, cuando regresó padre, procuré entristecer el semblante hasta que él se marchó a la ciudad.

Un soplo

No recordaba ni una sola vez que mi madrastra hubiese sido amable conmigo, ni siquiera ahora mientras escribo puedo evocar ningún momento de felicidad común. Siempre que las cosas parecían mejorar un poco, ella atacaba otra vez. En cuanto a mi padre, sólo tenía oídos para su mujer. Por tanto, si conocí algún momento agradable, me lo debía exclusivamente a mí misma.

Un sábado por la mañana, cuando contaron las vacas, faltaron quince. Los dos jornaleros corrieron a decírselo a la abuela. Vi que los pelos se le ponían literalmente de punta. Enfurecida, preguntó por Mike y cuando iban a ir en su busca, se presentó el hombre, que parecía fatigado como si hubiese corrido mucho rato. Preguntó por qué estábamos todos reunidos y la abuela le replicó que dejase de fingir. Ante su cara de estupefacción, la abuela le acusó directamente de estar compinchado con los bandidos que habían robado las reses. Mike juró que era inocente. Si él hubiese robado las vacas, ¿por qué habría vuelto?, dijo. Pero la abuela repuso que eso no era más que una treta para librarse de sospechas. A continuación envió a uno de los hombres a por mi padre, con no poco espanto por parte de Mike. Mi hermano y yo le aconsejamos que huyera, pero él no quiso, diciendo que todos éramos tutsis y que mi padre comprendería que él nunca robaría sus vacas.

Por la tarde llegó padre con la policía, y nada de lo que dijo Mike le valió porque los agentes sólo escuchaban a padre, que se agitaba como si tuviese brasas debajo de los pies. Los policías golpearon a Mike y le dieron puntapiés antes de meterlo a rastras en el Land-Rover. Por la noche, cuando nos disponíamos a acostarnos, padre nos dijo a mi hermano y a mí que no sacáramos las vacas a apacentar, puesto que merodeaba una partida de bandidos y nos las quitarían. Apenas escuché sus palabras. Estaba distraída imaginando las palizas que estaría recibiendo Mike en aquel momento.

A primera hora de la mañana, padre y un jornalero salieron en busca de las vacas, lo que me hizo concebir alguna esperanza de que tuvieran un mal tropiezo con los ladrones. Pero regresaron varios días después, aunque con las manos vacías. No acabaron ahí las preocupaciones para padre, al enterarse de que la policía había soltado a Mike. En sus ojos leí que estaba maquinando una venganza. Emprendió la búsqueda de Mike por su cuenta y repartió sobornos entre los jornaleros de las granjas vecinas, y entonces resultó que todo el mundo había visto a Mike por todas partes. A la mañana siguiente, mientras estábamos junto a los corrales, se acercó un individuo y le dijo que el hombre buscado acababa de emplearse en la granja donde él trabajaba. Padre corrió a casa, se hizo con una soga y se alejó con uno de sus jornaleros. Por la tarde, cuando mi hermano y yo regresábamos de pescar en el río, vimos a Mike, pero estaba casi irreconocible. Tenía toda la ropa ensangrentada y se hallaba echado en el suelo delante de nuestra casa, con las manos atadas a la espalda y rodeado por padre y sus hombres. Cuando nos vio trató de levantar la cabeza y dijo que tenía sed. Mi hermano le llevó un vaso de leche, pero padre se lo arrebató de la mano y arrojó la leche a la cara de Mike.

–¡Si no me hubieras robado las vacas, nada de esto habría ocurrido! –espetó.

A continuación cogió un trozo de tubería y le dio de golpes hasta que Mike vomitó cuajarones de sangre. Los gritos de aquel desdichado me espantaron, por lo que corrí a refugiarme en la casa. Poco después se hizo el silencio y volví a asomarme. Mike no se movía y vi que mi padre apenas lograba disimular su miedo. Él me dio la espalda y ordenó a los jornaleros que cargaran a Mike en una carretilla y se deshicieran de él en el matorral.

Al otro día padre se presentó con unos policías, que no eran los mismos que habían detenido a Mike. Dijo que lo habían sorprendido robando vacas otra vez y que había opuesto resistencia a ser prendido por los jornaleros, lo que había provocado un lamentable incidente. Yo le miraba con asombro ante tan tremendas mentiras, y si las miradas matasen, estoy segura de que él habría caído fulminado en ese mismo instante. Mi padre entró un momento en la casa, lo que aproveché para decirle la verdad a uno de los policías, aunque suplicándole que no revelase que lo había denunciado yo. Tan pronto como él salió de la casa, lo esposaron diciendo que no daban crédito a su historia. La abuela lloró a gritos cuando vio que se llevaban a su hijo y yo sonreí con disimulo. Fui en busca de mi hermano y le expliqué que en adelante podríamos hacer lo que se nos antojase.

UNA LUZ EN LAS TINIEBLAS

Transcurrió la primera semana sin padre ni madrastra, pasándolo bien en la granja. La abuela, muy callada, no daba muestras de fijarse en nuestras actividades. Cierto día que regresábamos de cazar, nos tropezamos con Margie, la aficionada a las golosinas, y efectivamente traía de nuevo una bolsa llena. Esta vez no se molestó en preguntar qué nos parecía su aspecto. Los saludos fueron breves porque estábamos impacientes por contarle lo que le había ocurrido a padre y a nosotros. Ella opinó que pasaría mucho tiempo en la cárcel porque el delito era grave. Luego preguntó si habían sacado también del colegio a los hijos de nuestra madrastra. Contestamos que no y entonces vi en sus ojos una rabia incontenible.

Suspiró y nos dijo que nos preparásemos para partir. A los pocos días nuestra madrastra nos inscribió de nuevo en la escuela a mi hermano y a mí. Oí decir a Margie que pensaba visitar a padre, así que le pregunté si podía acompañarla.

–¿Para qué? –preguntó.

–Bueno..., pensé que preferirías ir acompañada –contesté, pero lo que quería en realidad era ver cómo le sentaba la cárcel a padre.

Durante el trayecto tuve la tentación de decirle el verdadero motivo a mi hermana, pero desistí porque la explicación sería enrevesada y expuesta a interpretaciones equivocadas. Al llegar vimos varios guardias en la puerta. Al acercarnos, todos nos miraron. Uno de ellos llamó a mi hermana, y cuando ella se aproximó, temí que le hicieran algo o que la encarcelaran. Me impresionó ver cómo les hablaba mi hermana, sin manifestar ningún temor. Luego ella se limitó a sonreírles con su bonito rostro y nos dejaron pasar sin pedirnos siquiera una propina. Pocos minutos más tarde otro guardia trajo a mi padre, que llevaba pantalones grises y una camiseta de manga corta. Fue una sorpresa para mí verlo con la cabeza rapada. Nos condujeron a una habitación vacía y el funcionario le dijo que se sentase, lo que hizo en el suelo de cemento. Habló con la vista baja y casi no se dirigió a mí, sino que dedicó casi todo el escaso tiempo de visita a dialogar con mi hermana. Yo le observaba con atención, tratando de descubrir algún cambio. Él esbozaba una sonrisa forzada. Al final él y mi hermana se enzarzaron en una discusión porque no habíamos ido a la escuela.

–¿Para eso habéis venido? ¿Para cargarme con una preocupación más?

Lo sentí por él y pellizqué con disimulo a mi hermana para que no discutiese más. Pero siguieron hasta que se presentó el guardia y se lo llevó sin siquiera darle tiempo para despedirse. Mientras yo lloraba, mi hermana dijo:

–¡Dan ganas de vomitar!

Cuando llegamos a casa, ella empezó a liar el petate para volverse a Kampala. Después de su marcha, mi madrastra me pasó a otra escuela más barata y Richard fue enviado de nuevo a la granja. Sin embargo, la nueva escuela me gustó más. Las maestras se mostraban más comprensivas y pronto me nombraron monitora de la clase.

Sin embargo, yo me sentía insegura en el trato con otros niños. No podía hablarles de mi origen. No me sentía inferior a ellos, pero sabía que la mayoría de la gente no tenía aprecio a los tutsis. Ellos se burlaban de mí porque les extrañaba mi aspecto, pero yo no sabía cómo explicarles la diferencia. Mentí diciendo que era del mismo origen que ellos, pero no conseguí engañar a nadie. Mi cara lo decía todo, con los labios delgados y la piel más clara que la de mis compañeros. Más tarde supe que, pese a las muchas mentiras que dije, nunca me habían aceptado como una de los suyos.

Transcurrió algún tiempo desde la marcha de Margie, y casi todas las semanas mi madrastra vendía una vaca. La excusa para hacerlo era la necesidad de sacar a su marido de la cárcel y pagar los gastos de la escuela. Me molestaba ver cómo entraban y salían sus hermanas, y me parecía que estaba dilapidando el dinero de mi padre. Incluso Jane, la madre de ella, que jamás se había presentado hallándose padre en casa, nos visitó una tarde con Christina, otra hija suya, ambas expulsadas en su día de la antigua granja por mi padre. Y la vieja la dejó en nuestra casa, lo que me indignó más todavía. Otra cosa que me desesperaba y confundía era que nuestra madrastra nunca visitaba a su marido, lo que me hizo pensar que éste no regresaría jamás y que ella se quedaría con todas sus propiedades y a mí me echarían a la calle.

Empezaba a tener dificultades en la escuela. Al principio se me conocía como la alumna que siempre tenía una respuesta para todo, pero ahora no conseguía concentrarme en nada. Una vez la maestra me retuvo después de la clase para preguntarme por qué actuaba de esa manera, pero no supe qué decir. Me parece que no se tomaba demasiado en serio mi situación. Una tarde, al regresar a casa, me encontré con la visita de Margie. Apenas la saludé, me quité la mochila y corrí a proclamar la noticia por todo el vecindario. Hasta mis mayores enemigos se enteraron. Volví de casa de Sofía justo a tiempo para ver cómo Margie amenazaba a mi madrastra con darle una paliza si no dejaba de vender el ganado. Ella obedeció, pero entonces Margie empezó a hacer lo mismo que le había prohibido a la madrastra y en pocas semanas padre quedó en libertad.

Margie se marchó y mi mayor preocupación fue si padre me sacaría de la escuela o no. Estuvo algún tiempo sin trabajar y procurando comportarse como un buen padre. Pero luego le dio por la bebida. Regresaba tarde y despertaba a todo el mundo andando a trompicones por la casa, hasta que se derrumbaba en la cama. Una noche nos despertó gritando:

–¡Todos mis hijos a la sala de estar!

Y se puso a explicarnos lo que había decidido para cada uno de nosotros. Manteniéndose erguido a duras penas, dijo:

–¡Miradme todos y escuchadme bien! Tú, Ray, serás médico. Tú, Pamela, serás enfermera. Emanuel se hará sacerdote y en cuanto a Baby... –hizo una pausa y sentenció–: serás piloto.

Otro día acusó a mi madrastra de haberse acostado con un muchacho, inquilino de una casa vecina, mientras él se hallaba en la cárcel. No recuerdo cómo empezó la pelea, pero sí que mi padre dijo:

–¡Toda la casa apesta a semen! –Y la sacó a rastras al jardín, donde empezaron a pegarse.

Una semana más tarde mi padre recuperó su empleo anterior e incluso dejó de beber. Mi madrastra recurrió enseguida a sus viejos trucos y me ordenó que preparase la cena porque ella se iba a casa de la señora Derrick.

Traté de imaginar cómo hacía ella la salsa. Sólo sabía que era de color amarillento y fuerte sabor. Decidí poner medio litro de aceite de pescado y mucho curry, pero desconfiaba de la sal. Cuando estuvo a punto sonreí satisfecha. Tenía el aspecto deseado y supuse que ella estaría conforme. Mi madrastra regresó y fue derecha a la cocina, contempló el guiso y se marchó a la sala de estar sin decir palabra. Yo me quedé en la puerta esperando una palabra de elogio, pero no hubo nada. Me preguntaba qué habría visto en mi guiso, del que yo estaba tan orgullosa, y supuse que se guardaba las gracias para la hora de cenar, para que lo oyeran todos. Mi padre regresó de trabajar y ella me dio su plato para que lo llevase a la mesa. Todos nos sentamos y cuando nos disponíamos a cenar, mi padre aulló:

–¡Mujer! ¿Es ésta la comida que has cocinado para mí?

–Pregúntaselo a tu hija... –replicó mi madrastra.

–¿Por qué he de preguntárselo a mi hija? Te lo pregunto a ti que eres mi mujer.

Entonces ella dijo que al regresar de la casa de su amiga se había encontrado con que yo había hecho la cena sin que nadie me lo hubiese pedido. Mi padre se volvió hacia mí hecho una fiera y preguntó que quién me había mandado cocinar. Yo me limité a bajar los ojos sin decir nada. Él le ordenó a Ray que saliera al huerto y trajera unos pimientos picantes. Los echó en mi guiso y me ordenó comerlo.

Yo lo miré y comprendí que aunque obedeciera me daría la paliza. De modo que no importaba. Él repitió su orden gritando cada vez más, hasta que se cansó, fue a la alcoba y volvió con una vara. Plantándose al lado de mi silla, ordenó que me tendiera en el suelo. Pero yo continué sentada. Entonces él se sentó en otra silla y me sujetó la cabeza entre las rodillas. Decidí revolverme a ver si conseguía que rompiese la lámpara que colgaba sobre nuestras cabezas para que la lluvia de añicos nos matase a todos. Él empezó a pegarme y yo intenté cubrirme la espalda con las manos, pero no pude resistir los golpes en los dedos. Oí a mis hermanos llorar y suplicarle que dejara de pegarme, que iba a matarme. Él les ordenó que se fuesen a la cama y luego ellos se retiraron también, dejándome allí tirada. Al cabo de un rato Ray y Pamela vinieron para limpiarme la sangre. A continuación me ayudaron a acostarme y me sentí agradecida cuando Pamela quiso acostarse a mi lado. Hablamos un rato acerca de nuestros padres, y ella dijo que los odiaba por las cosas que hacían.

Por la mañana, padre me advirtió que debía decir que me había caído de un árbol si alguien me preguntaba, so pena de volver a darme de palos. Me encaminé lentamente hacia la escuela y cuando llegué, todos los niños se reunieron a mi alrededor, preguntando qué me había pasado. Yo me limitaba a llorar. Al ver que no quería hablar, los niños se alejaron y regresaron con una maestra. Ella me interrogó también, de modo que repetí la mentira de mi padre. Pero ella no se la creyó y me condujo al despacho del director. Éste me aseguró que todo lo que hablásemos quedaría entre los dos, pero yo guardaba silencio, con los ojos bajos. Luego me preguntó si la mujer de mi padre era mi madre verdadera, a lo que contesté que sí. Mis respuestas no le convencieron y siguió hurgando hasta que lo confesé todo. Entonces él se puso muy serio y, tras coger una pluma, empezó a escribir rápidamente. Cuando terminó me dio el papel y dijo que era una carta para mi padre, pero que no me preocupase. Una vez en casa le di la carta y mi padre se puso a vociferar como de costumbre. Salí fuera y esperé un rato, muy preocupada, hasta que él me dio a su vez una carta para el director. Se la entregué durante el recreo de la mañana y él la leyó meneando la cabeza. Luego me llevó a su despacho y me explicó que en su carta del día anterior le había sugerido a mi padre constituirse en tutor mío y tenerme en su casa.

De regreso a casa me detuve en la plantación de boniatos del vecino y me senté en el suelo, contemplándome los dedos magullados. Desenterré un boniato y empecé a comérmelo, distraída, pensando en mis hermanas. ¿Podía fiarme de ellas? ¿Se acordarían ellas de mí, o más bien cada una miraba por sus propias tribulaciones? Seguramente esto último. Me puse en pie, volví la mirada hacia nuestra casa y me sentí llena de fuerzas. Había llegado el momento de afirmarme para evitar que mi madrastra lograse destruir mi alma.

EXTRANJERA EN TIERRA EXTRAÑA

Mientras iban curándose mis dedos, mi madrastra parecía inquieta, como si las cosas no marchasen como ella quería. Me pareció que eso presagiaba tormenta. En cuanto a mi padre, no decía nada, y supuse que había decidido esperar a la curación de mis lesiones. Iban a comenzar las vacaciones, no deseadas por mí puesto que odiaba estar en casa. A primera hora de la mañana del último día de clase, me planché el uniforme y luego corrí hasta la escuela. Todos estaban ya reunidos en el paraninfo y más tarde me di cuenta de que yo era una de las pocas que habían asistido sin sus padres. Contemplé los premios muy excitada, porque tenía esperanzas de ser la número uno. El director subió al estrado llevando un fajo de papeles y empezó su discurso agradeciendo la colaboración de todos, incluidos los monitores y los tutores de las clases. Entonces llegó el momento de dar lectura a los nombres de los galardonados. Presté atención, pero el mío no fue citado en primer lugar. Antes que el mío leyó otros dos, pero no lloré mucho porque me tocó premio de todas maneras. Era un hermoso juego de lápices de colores, reglas y una colección de doce libros escolares con bonitas ilustraciones.

El director nos invitó a romper filas y acto seguido se declaró la batalla. Corrimos a por nuestras varas. Esta ceremonia se celebraba todos los años y era la ocasión para vengarnos de los compañeros que nos habían fastidiado. Se formaban alianzas, pequeños bandos para una especie de guerra de escaramuzas, de ataques y repliegues rápidos. ¡Os aseguro que íbamos en serio! Aun así, al comienzo del curso siguiente todo quedaba olvidado. Después de la pelea, mis amigas y yo emprendimos el regreso a casa y antes de despedirnos nos entretuvimos charlando y comparando nuestras victorias. Había llegado casi a casa cuando mi mejor amiga, Sofía, apareció corriendo y me advirtió que no entrase, que mi madrastra y la madre de ella lo habían observado todo desde la ladera donde estaba nuestra casa. Y que había oído comentar a mi madrastra que le diría a mi padre que me diese otra paliza por no volver a casa enseguida.

Permanecí inmóvil tratando de contener las lágrimas. Tras decirle que pensaba ir en busca de mi madre, le di las gracias y le pedí que no contase nada en su casa. Eché a andar. Al poco me volví y vi que Sofía continuaba donde la había dejado, siguiéndome con la mirada. Llorando, me dirigí a casa de Patricia. Ella estaba en la calle con su hijo y sus dos hijas. Se mostró sorprendida al verme y preguntó:

–¿Sabe tu padre que estás aquí?

–No –contesté.

Ella meneó la cabeza cuando le mostré mis dedos lastimados y preguntó qué clase de ayuda necesitaba.

–Llévame con mi madre –pedí.

Ella bajó la mirada y dijo que no podía hacerlo porque temía a mi padre. Entonces la amenacé con tomarme un veneno si me obligaban a regresar. Mientras estábamos sentadas en el jardín de Patricia aparecieron en la esquina Pamela y Ray. Patricia me hizo pasar dentro rápidamente, pero sin duda me habían visto. Mi amiga tenía tanto miedo que le mentí asegurándole que no me habían visto.

Judith y Mutton me invitaron a entrar en su habitación. Tenían muchos juguetes que yo no había visto jamás, y así olvidé mis preocupaciones. Cenamos y luego Patricia me mostró una fotografía de mi madre diciendo que me parecía mucho a ella. Me proporcionó algunas indicaciones para el viaje y me sentí aliviada, segura de que por fin hallaría a mi progenitora.

Por la mañana temprano, era un día de 1984 y yo tenía ocho años de edad, Patricia me acompañó hasta la parada del autobús, compró un pasaje para mí y emprendí el viaje. Yo lloraba en silencio, pensando que me había metido en un lío. Hacia la mitad del recorrido el autobús se detuvo de improviso y, con gran terror por mi parte, vi que nos hallábamos delante de un puesto de control militar. Todos los pasajeros se apearon y formaron en fila junto al autobús. Los que no traían documentación eran conducidos aparte, hacia los matorrales, por dos soldados, bajo sospecha de ser rebeldes. A los demás nos dijeron que el trayecto terminaba allí, que no se podía continuar porque más allá el territorio estaba controlado por los rebeldes, que secuestrarían el vehículo.

El conductor empezó a devolver el dinero a los pasajeros, pero yo había perdido mi billete. Por más que le supliqué, no quiso escucharme. Mi vecino de asiento me preguntó por qué lloraba y le dije que deseaba reunirme con mi madre. Me preguntó si sabía dónde estaba ella y le contesté que sí, temiendo que se le ocurriese devolverme a casa de mi padre. Sentí alivio cuando aquel desconocido me propuso que le acompañase. Echamos a andar y el hombre me preguntó por el nombre y el apellido de mi madre. Se lo dije e iba a darle más detalles, pero él repuso que no hacía falta, que sabía quién era porque estaba casada con el presidente del consistorio municipal, un hombre rico e influyente. Al oír esto monté en cólera para mis adentros, puesto que si era así, ¿por qué no se había valido de la influencia de su marido para reclamar a sus hijos?

Anduvimos durante horas, hasta que por fin llegamos a un pueblo y mi acompañante entró en una fonda, pero a mí me dejó en la puerta. Me quedé allí mirando cómo comían y bebían los parroquianos, pero eso no me alimentaba, así que fui a dar una vuelta. Vi la comisaría y los edificios circundantes, lo cual me recordó una de las descripciones que me había dado Patricia. Pregunté por mi madre a unas mujeres que esperaban en la puerta de la comisaría, pero nadie la conocía, de modo que decidí regresar al restaurante para que el hombre no se marchase sin mí. Al contemplar por el cristal del escaparate cómo se atracaba aquel individuo sin acordarse de mí, dudé de sus buenas intenciones.

Algunos pasajeros del autobús se habían reunido delante de la fonda, y por fin continuamos la marcha hacia nuestro destino. Salimos del pueblo y me pareció que nos adentrábamos en unos eriales sin límite, con algunos matorrales y arboledas dispersas en medio de una anchísima sabana de hierba que se extendía hasta el horizonte. Se veían animales pletóricos de vida y me sentí la criatura más miserable del mundo. El cansancio me nublaba la mente y todo, bueno o malo, me daba lo mismo. Aunque estaba acostumbrada a caminar largas distancias, me dolían las piernas. No obstante, procuré andar al paso de los demás, consciente de que nadie iba a compadecerse de mí. Al cabo de un rato me di cuenta de que no me era posible seguir el ritmo de los adultos, así que continué a mi propio paso y fui quedándome cada vez más rezagada, hasta que, cediendo a la fatiga, me dejé caer al suelo.

–¡Levántate ahora mismo! –me ordenó el desconocido, y retrocedió para ayudarme a ponerme en pie.

Le dije que me dejase allí, que no podía más. Un fuerte bofetón me espabiló y eché a andar de nuevo. Continué, olvidado el dolor de piernas y la aspereza del terreno, hasta que nos detuvimos delante de una casa. Había oscurecido ya y el hombre, antes de alejarse, me indicó que debía pernoctar allí. Abrió la puerta un viejo que me pareció el dueño de la casa, aunque no lo supe porque era hombre de muy pocas palabras. Eso me pareció bien, porque tampoco me hizo demasiadas preguntas. Sirvió la cena y comimos en silencio. Luego me indicó dónde podía bañarme y cuál era mi habitación. Estaba tan fatigada que no recuerdo mucho de ese episodio. Por la mañana, en cambio, había recobrado las fuerzas y observé con más detenimiento al anciano. Era bajo, iba pobremente vestido y lucía una gran calva con algunas greñas canosas en las sienes. Mientras desayunábamos, llamaron a la puerta. Era el desconocido del día anterior, que venía a por mí. Antes de salir le agradecí al casero su hospitalidad y luego cruzamos un huerto para salir a la carretera.

Sentí miedo al pensar en la mujer a la que mentalmente llamaba mi madre verdadera. La única otra madre que conocía era ruin y malévola, por lo que me costaba imaginar que alguna persona fuese capaz de darme cariño. Pero no podía volverme atrás. No tenía elección. Ahora era una vagabunda y tendría que aceptar las cosas tal como vinieran. Después de caminar un rato vimos dos mujeres, y mi acompañante señaló a una de ellas y dijo que era mi madre. Y a ella le dijo que yo andaba buscándola. Cuando ella me miró no reconocí el rostro que había visto en aquella fotografía en casa de Patricia. Esta mujer parecía mucho mayor.

Ella me preguntó mi nombre y apellido, así como los de mi padre y hermanas. Ante mis respuestas abrió mucho los ojos, y de nuevo sentí miedo al ver que mi acompañante se despedía.

Mientras cavilaba si echar a correr detrás de él o no, la mujer sonrió y me tomó de la mano. Yo me daba cuenta de que todavía no estaba muy segura, y lo peor fue que no conseguía ubicarme entre la anterior y la siguiente de mis hermanas. Sin embargo parecía contenta, así que la seguí mientras ella me contaba las barbaridades que mi padre había perpetrado contra ella.

–¡Ese bastardo me ha impedido ver a mis propios hijos! ¡Ni siquiera te conocía!

Yo callé, pues desconfiaba de revelar demasiadas cosas a aquella desconocida, aunque me fuese preciso creer que era mi madre. Nos acercamos a una casa grande, rodeada de un bello jardín con muchos árboles y flores. Antes de entrar, ella ordenó a voces que sacrificaran una vaca y, dejándome delante de la casa, echó a correr por donde habíamos venido como si se hubiera olvidado de mí. Anduve alrededor de la casa por si veía al marido, pero como no fue así, entré y fui de habitación en habitación. En un dormitorio había algo de dinero sobre una mesita de noche. Lo contemplé un momento e intenté alejarme, pero mi conciencia no me lo permitió, así que fui y cogí una parte. Lo hice porque intuía que, si algo salía mal, el dinero me resultaría imprescindible.

Al poco regresó mi madre con un grupo de hombres y mujeres. En un abrir y cerrar de ojos todas las mujeres cogieron cacerolas y cuchillos. Los hombres fueron a encender el fuego, y mi madre iba y venía hablando tan deprisa que apenas entendí nada, salvo que mi nombre aparecía de vez en cuando. Se hizo de noche y nos sentamos a la mesa. Los que no cupieron cenaron en el jardín. Allá donde miraba veía la misma sonrisa tranquilizadora, pero no conseguía decidir si estaban contentos de verme o contentos de comerme. ¿Acaso no se comentaba que algunos forasteros se comían a los niños? Esos comentarios bien podían referirse a las personas que en ese momento me rodeaban. Pero luego, al ver la abundancia de comida que servían, supuse que se darían por satisfechos. El gran banquete acabó bastante tarde y los invitados se marcharon. Me quedé a solas con la mujer, para mí todavía supuesta madre. Ella me acostó, me deseó las buenas noches y se fue a su alcoba. Tumbada en la cama, no podía dejar de pensar en aquella familia y en los invitados que acababan de marcharse. Agucé el oído por si volvían para comerme. Todos los ruidos de la casa y alrededores me parecían de cuchillos que alguien afilaba en la oscuridad o de pasos en el jardín. Cuando cesaron todos estos ruidos, me levanté y vestí cautelosamente, procurando no hacer ningún ruido. Recorrí la casa a paso de gato y salí a la oscuridad de la noche.

Su afecto y sus atenciones no lograron abrirse paso hasta mi corazón, porque estaba demasiado frío y mi desconfianza era infinita...

C. K.

Tercera Parte

Niña soldado

Una marca para toda la vida

Permanecí un rato inmóvil en la carretera mirando qué dirección tomar. Mi intención era volver con el viejo y contarle lo ocurrido. Tal vez dejaría que me quedase trabajando para él. En cuanto a mi padre, había terminado con él y estaba dispuesta a pagar el precio que eso me supusiese. Tuve miedo al verme sola en aquellos parajes desconocidos, pero la luna y las estrellas me eran familiares con su luz amable, más clara que cualquier farola del alumbrado. Caminé y caminé, pero al cabo de cierto tiempo me di cuenta de que no iba en una buena dirección. «Aún no he avistado la casa del viejo. ¿Estoy en la misma carretera que ayer? –me pregunté–. De noche el aspecto de las cosas cambia.» Mi cerebro fatigado apenas me respondía. Llevaba dos días forzándolo al máximo y ahora me sentía como un zombi, sin saber adónde ir. Tenía el cuerpo entumecido, pero era preciso continuar hasta alcanzar la estación del ferrocarril.

Una vez allí me detuve a pensar, pero como no hallé ninguna solución, subí a un tren. Después de pagar el billete me quedé dormida. Cuando desperté, el tren estaba detenido. Todavía era de noche. En el vagón había algunos pasajeros, pero todos dormían. Miré en derredor, pero no se veía ningún poblado. Bajé y eché a andar hasta llegar al final de un camino. Todos mis temores habían desaparecido y me sentí más fuerte que nunca. Entonces vi un destello de luz y ya me encaminaba hacia él cuando una voz de hombre me detuvo:

–¡Alto! ¿Quién va?

–Sólo soy una niña.

–¡Acércate! –me ordenó el hombre, algo sorprendido–. ¿Qué haces por aquí sola y de noche?

–Estoy buscando a mi madre –contesté.

Me alumbró con la linterna y me preguntó por mi padre.

–Murió –mentí.

Todavía estaba contestando a sus preguntas cuando del matorral salió un pelotón de hombres con las armas al hombro. Todos se quedaron mirándome y empecé a temer sus intenciones, pero me alivió escuchar que algunos hablaban mi dialecto. Todos iban desaliñados y con las ropas en mal estado. El hombre me dijo que me acostara y durmiera. Le miré con sorpresa, porque no se veía casa ni cama por allí. Él sonrió y desplegó sobre el suelo dos mantas raídas. Las mantas apestaban, pero los mosquitos me obligaron a taparme la cabeza.

Me despertó la voz de un hombre que decía «izquierda, derecha, izquierda, derecha». Me volví y vi a varios niños de diferentes edades marcando el paso delante de un militar de uniforme. Sentí una gran excitación. Era como un juego nuevo y pensé que me gustaría marchar con ellos.

El hombre de la víspera me contemplaba con expresión amistosa, pero algo extraña. Solicité unirme a los demás niños, pero él dijo que no porque yo tenía los pies hinchados. Poco después ordenaron evacuar a todos los niños excepto a mí, y no entendí el motivo, aunque algunos chavales sí parecían saberlo. Dijeron que el NRA acababa de atacar el cuartel de Kabamba y que debíamos trasladar nuestro campamento, que el NRA tenía muchos grupos, cada uno con su zona de operaciones, y que nunca se permanecía mucho tiempo en un mismo lugar. Siempre huyendo de las tropas gubernamentales. Así pues, acampamos en otro lugar.

Al tercer día se me permitió participar y sentí gran emoción cuando marché en sus filas. Al cabo de unas dos horas de marcha se concedió un descanso de quince minutos. Los adultos se sentaban aparte y los niños, divididos en grupos. Yo me aparté un poco y les observé. Muchos de aquellos niños parecían ya veteranos. Me costó un poco el integrarme debido al idioma.

Después del descanso, algunos fueron asignados a ejercicios de armamento: doce niños con doce AK-47, que desmontaban y volvían a montar en pocos segundos. Al día siguiente nos enseñaron a cubrirnos y cómo cargar a la bayoneta, pero los AK-7 abultaban más que muchos niños, por lo que hicieron el ejercicio con palos.

El tercer día de entrenamiento el instructor se dirigió hacia mí mientras estábamos formados para pasar lista. Era un hombre alto y corpulento. Me miró y preguntó cómo me llamaba. Como era un norteño no supo pronunciarlo bien y montó en cólera. Asustada, bajé los ojos y entonces él ladró:

–¡Mírame a los ojos, china!

Tuve un subidón de adrenalina y le miré a la cara. Entonces él me mandó salir de la formación y empezó a darme voces de mando delante de los demás.

–Variación izquierda, china. Izquierda, derecha, izquierda...

Y con China me quedé desde entonces. Este extraño apodo me hizo famosa y los niños enseguida se hicieron amigos míos, aunque los dialectos seguían siendo una dificultad. Yo hablaba el kinyankole y algunos de ellos también, pero la mayoría, oriundos de la tribu buganda, hablaban el kiganda. Museveni prefería que se hablase el suajili, que no es de nadie, sino una lengua franca que según él serviría para contrarrestar la mentalidad tribal[1].

Quería que dejaran de importar las diferencias entre nosotros, porque todos luchábamos por la misma causa: la libertad.

Mi entrenamiento como China no se prolongó demasiado, no porque fuese una niña soldado que se comportaría «como una fiera» en el campo de batalla, ni por mi excepcional rapidez en aprender. La sencilla razón fue que el NRA tenía pocos hombres y por tanto no podía perder mucho tiempo en largos períodos de instrucción. Después de transmitirles algunas nociones acerca de la guerra, los niños eran repartidos en secciones. Yo era de los que no podían llevar el peso de un AK-47, por lo que me destinaron a llevar los enseres de los jefes, como los cazos, las sartenes y la munición.

Un mes después de concluir mi instrucción fui asignada a una misión especial con algunos niños más. Estaba excitada. Por fin iba a ver la acción de que tanto hablaban los de más edad. Mientras marchábamos nos impartieron las instrucciones. Luego nos ocultamos en la maleza que flanqueaba una pista de tierra. El jefe nos ordenó salir al camino, sentarnos en el suelo y fingir que estábamos jugando. Al cabo de un rato apareció un contingente de fuerzas gubernamentales en un gran convoy, y nosotros como si nada. El

---

[1] Yoweri Kaguta Museveni nació en 1945. Durante su exilio en Tanzania formó el Frente de Salvación Nacional que derribó a Idi Amin en 1979. Ministro de Defensa en 1979-1980, rompió con Obote cuando éste se proclamó presidente en 1980 con ayuda de tropas tanzanas. A la retirada de éstas sobrevino la guerra civil. Museveni accedió a la presidencia en 1986.

primer camión se detuvo delante de nosotros, obligando a hacer lo propio a los demás. Casi todos los soldados echaron pie a tierra, y entonces nosotros hicimos lo que nos habían dicho: correr hacia los matorrales mientras los nuestros abrían fuego.

Pero no todo salió como nos habían dicho. El ruido era ensordecedor. El camino se llenó de astillas y metralla cuando las granadas hicieron impacto en los camiones. Yo tenía más miedo que nunca y quise escapar, pero mis compañeros me retuvieron detrás de un tronco. Al final los nuestros vencieron. Después de la batalla, todos empezaron a desnudar los cadáveres de los soldados gubernamentales. Salvo los oficiales, todos andaban faltos de alguna prenda, y no importaba que fuesen uniformes del enemigo, con tal de taparse las partes pudendas. Yo miraba desde lejos cómo se repartían la ropa interior y las botas. Estaba algo confusa. Me habían dicho que íbamos a luchar por la libertad, pero no que eso incluyese el expolio de los muertos. Mi excitación se trocó en tristeza cuando vi a los heridos que se arrastraban pidiendo auxilio. De pronto me resultó imposible seguir viéndolos como enemigos. Los que se habían rendido estaban sentados en el suelo con las manos atadas a la espalda de la manera más dolorosa. Y cuando vi que mis camaradas reían y parecían estar pasándolo bien, me convencí de que nada en el mundo agrada tanto a los humanos como torturar a sus presas y burlarse de ellas.

Los prisioneros fueron conducidos a nuestro campamento entre patadas y escupitajos. Tan pronto como llegamos, fusilaron a los oficiales. Museveni nos dio la bienvenida con palabras calurosas, y por haber fingido jugar en aquel camino nos convertimos en los héroes de la jornada. Cenamos con el gran hombre en persona delante de su choza de estilo aborigen. A todos nos dieron un uniforme y unas botas que habían pertenecido a unos oficiales. Aquella noche pudimos descansar mientras los adultos montaban la guardia del campamento, que consistía en tres chozas.

La mañana siguiente fue preciso buscar otro emplazamiento para la acampada, porque era de prever que el gobierno enviaría los helicópteros en represalia por la emboscada del día anterior. El nuevo equipamiento requería toda nuestra habilidad. Las botas nos llegaban por encima de las rodillas y casi desaparecíamos dentro de los uniformes. Como niños que éramos, se nos hacía muy difícil andar por los bosques, aunque una mujer adulta que venia con nosotros nos ayudó un poco. Se llamaba Narongo. Hubo un momento en que todos nos echamos a llorar de hambre y sed. Así que Museveni mandó hacer un alto para hervir alubias secas y maíz. Algunos fueron a recoger leña y otros en busca de agua. Museveni se quedó sentado a la sombra de un árbol con Narongo y otros oficiales.

Entre éstos figuraba una muchacha que usaba el nombre de guerra de Mukombozi («la libertadora»). La recogió el NRA cuando los gubernamentales mataron a toda su familia y a ella la pusieron sobre un *jeep* a manera de escudo humano. Pero el NRA lanzó una granada, todos los soldados murieron y ella sobrevivió, aunque quedó conmocionada y ya no recordó su nombre verdadero. Era una chica valiente y bien dispuesta. En adelante se negó a llevar otra arma que no fuese el lanzagranadas que la había salvado, una especie de bazuca. Mukombozi y Narongo se hicieron muy amigas, y una noche, alrededor de la fogata del campamento, Narongo también nos contó la historia de cómo había ingresado en el NRA.

Cierto día los soldados habían irrumpido en su casa buscando rebeldes. Apalearon y torturaron al marido de Narongo y finalmente lo fusilaron con las manos atadas a la espalda. A continuación mataron delante de ella a sus dos hijos gemelos. Narongo era una muganda oriunda del distrito de Ruwero, como lo era también la mayoría de los huérfanos del NRA. Creo que su conducta afectuosa para con la mayoría de nosotros, los niños, será recordada por los que sobrevivan. Con lágrimas en los ojos nos juró que cuando nos hiciéramos con el poder, ella se ocuparía personalmente de los verdugos de su familia. De momento, el AK-47 de Narongo era como un esposo que la acompañaba a todas partes.

La batalla

Mi grupo y yo estábamos descansando a la sombra en un lugar próximo a Ruenzori. Eran las tres de la tarde y caía un sol de justicia cuando llegó Salem Saleh, oficial de alta graduación y hermano menor de Museveni. En su arenga dijo que empezaba a ser hora de que el NRA le arrebatase el poder al doctor Milton Obote. Sonrió con ferocidad cuando contó que el día anterior la brigada móvil se había apoderado de una *katusha*, un lanzacohetes de tubos múltiples, lo que minaba bastante la moral de los gubernamentales. Antes de dejarnos afirmó que la victoria del NRA era cuestión de semanas. Con esto nuestra moral subió mucho y nos pusimos a cantar, y poco después de la marcha de Saleh tomó la palabra nuestro comandante. Nos advirtió que debíamos estar preparados porque íbamos a atacar un campamento de los gubernamentales situado a unos cuatro kilómetros de distancia. Cuando hubimos recibido las instrucciones, mis camaradas y yo nos miramos, y luego bajamos los ojos sin hacer ningún comentario.

Poco después fui al otro lado del campamento y me prepararon una metralleta Uzi, mucho más ligera que el AK-47. Luego me arranqué los bolsillos de las faltriqueras y me acorté la guerrera, que me quedaba demasiado larga. Al ponérmela de nuevo la hallé más liviana, lo que me satisfizo, porque no ignoraba que a la hora de correr importaba mucho no llevar exceso de peso. No lo comenté con nadie, por temor a que me llamasen cobarde. Siempre nos observábamos mutuamente a ver quién demostraba el miedo que en realidad todos sentíamos, haciéndonos los fuertes. Después de quedarnos un rato sentados alrededor de la fogata, una mujer soldado nos mandó a dormir, lo que hicimos sobre la misma hierba. Pero los mosquitos y la ansiedad no me dejaron conciliar el sueño y no hice más que dar vueltas. Por último me rendí y abandoné la idea de dormir. Estuve toda la noche pensando mientras contemplaba el cielo estrellado, en espera de la hora de la batalla.

Orientándonos a la luz de la luna y las estrellas, echamos a andar entre la vegetación hasta que encontramos a nuestros compañeros, que ya habían tomado posiciones. El cabo nos mandó tumbarnos y esperar órdenes. Bien ocultos detrás de los troncos más cercanos al lindero, con las armas a punto, contemplamos el campamento enemigo, donde todos dormían, mientras soportábamos las dolorosas picaduras de los mosquitos. No podíamos defendernos de ellos, porque se nos había dicho que no hiciéramos ruido, así que no tuve más remedio que morderme el labio. Se oyeron entonces las primeras ráfagas de AK-47, lo que significaba que era hora de matar a todo bicho viviente en el campamento. Hombres y mujeres salían corriendo y caían en desordenado montón, desnudos todavía y agitando las ropas en sus manos. A nuestros oídos, ensordecidos por el tableteo de las armas, los balidos de las cabras, los cacareos de las gallinas y los gritos de los humanos, apenas sonaban como un lejano rumor. Cuando entramos en el campamento yacían bajo el sol de la mañana en confusa mezcolanza las bestias, los hombres y las mujeres que habían venido a visitarlos. Todos muertos. Recogimos las armas y las provisiones que pudiéramos acarrear, y atamos a los prisioneros codo con codo.

Cuando regresamos al campamento se ordenó a los prisioneros que cavasen sus propias tumbas. Algunos oficiales nos dijeron, a nosotros los niños, que les escupiéramos en los ojos. A los prisioneros se les anunció que no se iban a malgastar balas con ellos. Sentí un vuelco en el corazón cuando les explicaron cómo iban a matarlos.

–Cuando hayáis cavado vuestras tumbas pediremos voluntarios para que os machaquen la cabeza con el *akakumbi*, una especie de azadón corto y muy pesado.

Los prisioneros acabaron la tarea y, para recibir el golpe en la frente o la nuca, los obligaron a formar en fila al borde de las fosas, donde iban cayendo por turnos.

Terminado el asunto, levantamos otra vez el campamento porque el enemigo nos perseguía con su armamento pesado. A veces nos tocaba marchar todo el día sin hacer alto en ninguna parte, mientras los helicópteros daban pasadas sobre nuestras cabezas instándonos a la rendición con altavoces, so amenaza de ser «exterminados». Pero nosotros no íbamos a rendirnos, porque habíamos cruzado un punto de no retorno y estábamos decididos a terminar lo comenzado. Caminábamos llevando nuestros pertrechos sobre la cabeza, procurando mantener el paso de los adultos en aquellos llanos ardientes mientras nuestros labios resecos suplicaban una gota de agua.

Cuando ya habíamos perdido toda esperanza, uno de los jefes propuso que nos acercáramos a un poblado cercano para pedir agua. Nunca tomábamos precauciones cuando entrábamos en una aldea porque todas eran más o menos partidarias del NRA. Únicamente la exploración habitual: la cabeza oscilando lentamente de un lado a otro y la mirada procurando abarcar un sector lo más amplio posible. En un momento dado, mientras nos acercábamos, algunos notaron un débil olor a carne en descomposición. Al entrar en la aldea nos tropezamos con el desagradable espectáculo de unos compañeros acribillados a balazos. Los cadáveres rezumaban sangre y otros fluidos corporales por todos los orificios. Sacudí la cabeza y cerré los ojos. En ese instante comprendí que aquello no era más que el principio y que ya no podía hacer nada por remediar mi situación, salvo tratar de salvar el pellejo. La deserción era prácticamente imposible; los que la intentaban eran capturados y se les infligía una muerte horrible delante de todos. A los que robaban comida a los civiles los ataban a un tronco y los fusilaban. En cuanto a los civiles, siempre nos trataban bien y nos daban una vaca u otros alimentos, siempre escasos para el hambre atrasada de los soldados.

Todavía estábamos mirando con espanto cuando apareció de repente un helicóptero de los gubernamentales. Aterrorizados, nos arrojamos al suelo procurando cubrirnos mientras pasaba sobre nosotros la tormenta de fuego.

Una vez se alejó, nos pusimos en pie tocándonos el cuerpo para ver si teníamos alguna herida. Miré alrededor y vi que uno de los niños compañeros míos había quedado en el suelo. Me acerqué. Estaba inmóvil, como sumido en un sueño profundo. Lo sacudí, pero no reaccionó. Yo apenas lograba creer que se hubiese ido para siempre. Era el niño veterano que siempre nos reconfortaba con sus palabras y nos incitaba a ser fuertes. Al cabo de unos minutos, un sargento nos alejó de allí diciéndonos que estaba muerto. No había tiempo para llorar, era preciso reunirnos con los demás y continuar la marcha. Ahora ya no sentía el hambre ni la sed, sólo lloraba en silencio y tenía la mente llena de imágenes de los compañeros acribillados en el poblado. Estaba confusa y asustada, consciente de que a mí podía pasarme lo mismo.

Acampamos junto a una charca rodeada de vegetación, donde nos sentamos a descansar. Llevábamos allí unos minutos cuando un oficial ordenó llamar por radio al batallón.

Al cabo de un rato me despertó la presencia de Museveni, que había acudido con un grupo de soldados. Llevaba en la mano una especie de bastón decorado con abalorios negros y blancos que nunca le había visto, y vestía una guerrera sin galones. Dijo que nos sentáramos los unos cerca de los otros para no perdernos nada de lo que iba a decirnos. Yo estaba en la primera fila, sentada en el suelo con las piernas cruzadas, y le miraba fijamente a la cara. Pero él apartó los ojos como si no me hubiera visto, lo que me molestó porque me figuré que se había olvidado de mí. En su arenga nos dijo que luchábamos por la libertad y contra el *ukabira* o tribalismo, que lo más importante para el NRA era luchar con espíritu de unidad y para liberar a los que estaban en las cárceles del gobierno sin haber cometido ningún delito. Como muchos niños ignoraban lo que les había ocurrido a sus padres, anunció que muchos de éstos habían muerto a manos de los gubernamentales y que los supervivientes se hallaban en las cárceles, de donde era preciso sacarlos. A lo que todos se pusieron en pie y gritaron:

–Sí, *afande* («señor»). –Alzaron los fusiles al aire y añadieron–: ¡Ni un paso atrás!

Museveni sonrió y también agitó en el aire su bastón. A mí no me impresionó demasiado. Yo era de otra región, sabía dónde estaban mis padres y sólo aspiraba a sobrevivir, de modo que algún día pudiera regresar a casa y acabar con ellos. Tenía decidido que iban a pagar por todas las penalidades que yo estaba pasando.

Cuando se marchó Museveni pusimos a hervir las alubias secas y el maíz, que tardaban eternidades en cocerse. Los niños estábamos de pie, apoyados contra los troncos de los árboles, y los demás diseminados entre la hierba, con los ojos inyectados en sangre por no haber dormido durante días. Todo el mundo guardaba silencio, excepto algún comentario aislado. Esperábamos con la vista fija en las ollas a que las legumbres quedasen comestibles.

De pronto se oyó un grito de alarma y vimos que nuestro centinela regresaba corriendo con expresión de pánico. Gritaba tanto que todos oyeron que el enemigo estaba muy cerca. Algunos no tuvimos reparo en meter las manos en el agua hirviendo, dado que aquélla podía ser nuestra última comida en muchos días. Corrimos a toda velocidad entre los arbustos y los herbazales. Cuando llegamos a lo que parecía un lugar seguro, vimos que faltaban algunos de los nuestros. Supuse que estarían tan debilitados por el hambre que habían quedado rezagados.

A muchos de los nuestros les costaba creer que el NRA estuviera en condiciones de ganar la guerra. Muchos entregaban la vida no en combate, sino a causa de las condiciones infrahumanas que padecíamos. Otros habían dejado de confiar en la victoria final y en la esperanza de una vida mejor. Veían caer uno tras otro a sus camaradas, y cada uno sabía que él podía ser el siguiente. Para los niños era distinto. Nuestros recuerdos y experiencias de la vida anterior y nuestra conciencia de la muerte eran mucho más limitados que los de los soldados adultos. Nosotros sí peleábamos con espíritu de unidad, totalmente entregados a una causa que ni siquiera comprendíamos y conscientes, a diferencia de los adultos, de que no había vuelta atrás. Ellos siempre podían ponerse a cubierto y esquivar las balas, porque conocían el peligro, y nos dejaban a nosotros para cubrir sus retiradas.

Pocos días después cinco amigos míos y yo fuimos destinados al Quinto Batallón. Cuando nos vio nuestro nuevo comandante, Stephen Kashaka, eligió a dos para el pelotón que formaba su guardia personal. Muchos oficiales eran aficionados a tener niños como guardaespaldas, porque obedecíamos sin rechistar y guardábamos la lealtad a nuestros *afandes*. Éramos los más activos en todo y para todo. Algunos se habían habituado a matar y torturar, y creían que era la mejor manera de congraciarse con sus jefes. Así acentuábamos nuestra brutalidad para con los prisioneros a fin de conseguir grados, es decir, reconocimiento y autoridad. Éramos demasiado jóvenes para saber que los actos perpetrados contra los enemigos prisioneros nos perseguirían toda la vida en nuestros pensamientos y nuestras pesadillas, dondequiera que estuviéramos. Todo esto hacían los niños para complacer a sus jefes, y éstos se lo pagaban con la traición: sospecho que ninguno de ellos pensó nunca que nos haríamos mayores, ni en lo que iba a ser de nosotros. Creo que intuían que ninguno de nosotros sobreviviría tras pasar por el frente. Nuestras penalidades eran mucho más difíciles de soportar que las de los soldados adultos. Además, apenas cabía esperar que unos niños como nosotros nos desarrolláramos como adultos normales. Para nosotros, casi todo giraba alrededor de las necesidades más elementales, como el hambre y la sed, el frío y el calor. La mayoría actuábamos como robots atentos únicamente a la voluntad de sus creadores, y cuando alguno se «estropeaba», lo enviaban a primera línea para que muriese y cayese en el olvido para siempre. Muchos de los nuestros desaparecieron así, y heroicidades dignas de recuerdo quedaban olvidadas por los demás en cuestión de una semana. Yo volvía la mirada con frecuencia hacia los oficiales, tratando de leer en sus expresiones si nosotros les importábamos o no, y así descubrí que lo único que les importaba a la mayoría de ellos era el interés propio, o cómo y cuándo lograrían hacerse con el poder y lo que harían entonces. Fue entonces cuando empecé a pensar que los niños soldado ni siquiera existíamos en los corazones de nuestros jefes, ni siquiera los más altos, como el mismo Y. K. Museveni, aunque supongo que por aquel entonces no pretendía convertirse en un dictador parecido al mismo que estábamos combatiendo.

EL SINO DE DOS AMIGAS

Una tarde estaba yo sentada a la sombra de un árbol con mis amigos, charlando de nuestras experiencias, cuando llamaron a formar. Nos visitaba el comandante de otra unidad y llamaron a dos pelotones. Yo iba en uno de ellos. Dijeron que nos incorporarían a otra unidad que tenía la misión de atacar el batallón Simba, estacionado en la parte occidental de Uganda.

Cuando llegamos, todo mi pesar desapareció al ver las sonrisas de mis antiguas camaradas Narongo y Mukombozi. Me recibieron con los brazos abiertos, con lo que recuperé la confianza y las fuerzas. Me pregunté cómo había podido apañármelas sin tener a mi lado a esas dos mujeres, porque todo lo demás me parecía cruel y horrible.

Los camiones requisados al Ministerio de Obras Públicas estaban alineados delante de nosotros mientras escuchábamos las instrucciones. Desde la formación y arma al hombro escuché las palabras de nuestro comandante Chihanda, que versaban sobre las glorias de la guerra. A continuación nos ordenaron subir a los camiones y acto seguido empezamos a cantar, para mantener alta la moral tras haber escuchado aquella arenga. Empezó el viaje y se intuía que la cosa iba en serio, lo que me transmitió la sensación de que muchos de nosotros no sobreviviríamos. Miré alrededor tratando de descubrir un par de ojos menos asustados que los míos, pero no los hallé. Muchos se veían llenos de lágrimas y otros casi querían salirse de sus órbitas. Íbamos apretujados y el ambiente estaba casi tan espeso como nuestro estado de ánimo. Nuestros jefes eran Fred Ruigyema, un oficial de alta graduación, y el mentado Julius Chihanda. El más popular era Ruigyema, un hombre alto, bien parecido y un gran comandante que no sólo hablaba de morir heroicamente, sino también de lo importante que era tratar de conservar la vida. De camino tomamos un puesto de policía, que se rindió sin disparar un tiro. El viaje continuó durante toda la jornada, pero después de Kamuenge hallamos un lugar donde pernoctar hasta el amanecer. Muchos lugareños acudieron al campamento para saludarnos y nos dirigían palabras lisonjeras. Algunos incluso entonaron a coro «queremos a nuestros libertadores». Muchos se emocionaron al ver niños soldado, algunos de los cuales apenas habían cumplido los siete años, y nos traían regalos y comida. Lástima que no estaba permitido aceptar nada. Pero me sentí orgullosa, lo mismo que mis compañeros, y empecé a comprender que nosotros importábamos mucho más a aquellos civiles, madres y padres, que a la mayoría de nuestros mandos y jefes militares.

Hasta que llegó la hora de levantar el campamento. Para entonces, por razones desconocidas para nosotros, los planes habían cambiado. El proyecto inicial era atacar de madrugada el cuartel enemigo, mientras todos estuvieran durmiendo. Ahora, sin embargo, el sol ya lucía bastante alto. El cuartel del Simba estaba emplazado en una colina cerca de la carretera principal. Nos acercamos, cortamos las alambradas y segundos después comenzó la lluvia de balas por ambas partes. Matamos a la mayor parte de los enemigos que aún se hallaban dentro de los barracones, y ya dábamos por descontada nuestra victoria. Algunos se ensañaban con los caídos, una manera como otra de escaquearse. Estábamos recontando nuestras bajas y mientras llorábamos a los compañeros caídos, el enemigo lanzó un ataque por sorpresa desde el otro lado de la colina. Nos batimos en retirada bajo el fuego cruzado. Muchos de los nuestros recibieron un tiro en la espalda mientras corrían tratando de ponerse a cubierto. Seguimos luchando desesperadamente.

Mukombozi no pudo cubrirse porque solía disparar el lanzagranadas a la altura de la cadera, hábito que en esta ocasión le resultó fatal. Cuando Narongo vio lo ocurrido, trepó a un árbol y se puso a disparar como loca. Ruigyema le ordenó que se bajase, pero ella no lo escuchó. Nadie vio que cayese, pero después de retirarnos la echamos en falta.

Al darme cuenta de que las dos mujeres habían muerto, sentí deseos de salir corriendo y no parar hasta llegar a casa de mi padre, a muchos kilómetros de allí. Imaginé cuál sería su reacción cuando me viese de uniforme y con un arma al hombro. ¿Lloraría o se arrodillaría delante de mí para implorar perdón? Como no había manera de saberlo, decidí continuar en la guerra hasta el final. Muchos de los nuestros parecían aterrorizados mientras bajábamos por la ladera para salir al camino principal, tras haber visto cómo corría la sangre de nuestros camaradas formando riachuelos que la tierra sedienta absorbía enseguida. Pero, como siempre, lo único que podíamos hacer era parpadear y tragarnos nuestro dolor. Algunos continuaron hasta un lugar llamado Nyamitanga. Otros recibieron la orden de quedarse atrás para intentar de nuevo la conquista del cuartel Simba. Por lo visto se había formado otro frente más peligroso a partir de un acuartelamiento llamado Masaka. Requisamos algunos camiones en la aldea de Biharwe y emprendimos el recorrido hacia el nuevo peligro. Algunos reían y cantaban, y los más callados iban pensando en la cercanía de la muerte. Yo pensaba en mi lugar natal, Mbarara, que una vez más quedaba atrás, y me pregunté si alguna vez volvería a verlo. Cuando la palabra «muerte» surgió en mis pensamientos, me estremecí de miedo. Me puse en pie y traté de mantener el equilibrio en el bamboleante camión. La cabeza me daba vueltas. Para evitar el mareo empecé a cantar con desafío, y pronto los demás me hicieron coro. Vi caras sonrientes a mi alrededor. Así continuamos hasta que los vehículos se detuvieron delante de un pequeño centro comercial y nos apeamos todos.

Al cabo de unos minutos aparecieron los paisanos, lenta y cautelosamente al principio, hasta que se formó un grupo numeroso. No prestaban mucha atención a los soldados adultos, sino que trataban de darnos comida y dinero a los niños. Estaba prohibido aceptar nada, porque Museveni deseaba que sus soldados marcasen la diferencia con los del doctor Obote. Alguien me ofreció dinero, pero temí tomarlo en presencia de los demás. Le dije a la mujer que me siguiera y nos resguardamos en una bocacalle. Necesitaba el dinero porque me había convertido ya en una fumadora empedernida. Me lo guardé y corrí a reunirme con mis camaradas. Pocas horas después tuvimos un encuentro con unos gubernamentales que iban al cuartel Simba de Mbarara. Los derrotamos y ellos se batieron en retirada. Un par de días más tarde nos unimos a la Brigada Móvil comandada por Salem Saleh y comenzaron los preparativos para el asalto al cuartel Masaka.

Cuando llegamos, el enemigo se hallaba en estado de alerta máxima, dispuesto a defender sus cuarteles. Las armas hablaron, y pronto cayeron las primeras bajas de uno y otro bando. El enemigo luchaba como si sus efectivos fuesen inagotables, y como el cuartel se hallaba en lo alto de un cerro, éramos presa de su artillería y armas ligeras. El humo de los disparos empezaba a suscitar en mí la borrachera de la pólvora. No lograba distinguir si mis balas mataban enemigos o no. Sólo veía que caían por ambas partes, y entonces me prometí que nunca saldría al descubierto para combatir como si mi cuerpo fuese a prueba de balas. Me mantenía pegada al suelo, disparando siempre desde esa posición, y si caía un enemigo, me conformaba con creer que el tiro había salido de mi arma. La batalla se prolongó más de lo que imaginaba, y eso que recibimos refuerzos del muy temido Quinto Batallón. El intenso fuego enemigo nos obligó a retroceder. Mientras corríamos, todas y cada una de las cosas que llevaba a cuestas me pesaban como pedruscos. Pensé en arrojar mi metralleta Uzi, pero no lo hice sabiendo que eso era una falta muy grave. Me libré de la gorra, pero no sirvió de mucho. Por fin llegamos a un lugar fuera del alcance de las balas. Algunos compañeros se tumbaron entre los árboles. Los que tenían cigarrillos se pusieron a fumar, mientras otros limpiaban sus armas. Me acerqué a uno y le pedí un cigarrillo, pero él contestó que se lo comprase. Rebusqué el dinero en mis bolsillos, pero lo había arrojado todo durante la carrera. Me abstuve de decírselo, no fuese a pensar que yo era una cobarde. Así que sonreí y seguí hablando y diciendo bravuconadas.

China Keitetsi, 2002.

Margie, hermana de China, en una foto de 1999, un año antes de su fallecimiento en Ruanda. China no pudo asistir al entierro porque se hallaba en camino hacia Dinamarca.

El teniente coronel Moses Drago, padre del hijo de China, retratado en Kampala, 1993.

Los tenientes coronel Drago (izquierda) y Bruce (derecha), en el desfile de la fiesta nacional de la Independencia.

China en uniforme de campaña, en Kampala, a los dieciocho años.

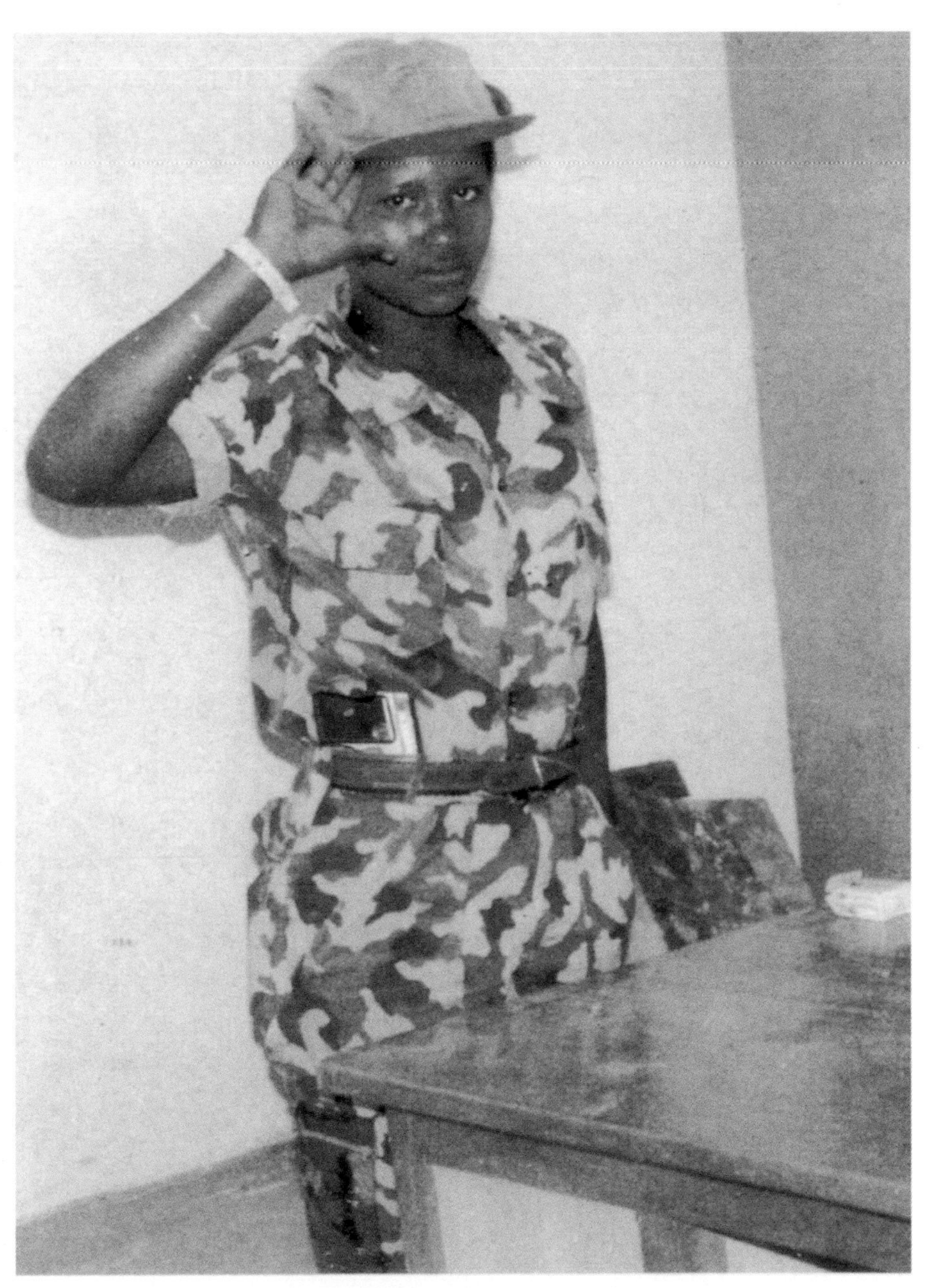

China presentándose ante un superior.

China con Ruben Hoi y Nanna. Ruben es seguidor del FC Copenhaguen y China del AB Gladsaxe.
Fotografía tomada en el apartamento de China en Dinamarca, 2001.

En mayo de 2002 China pronunció una alocución ante la Conferencia de las Naciones Unidas sobre Niños Soldado. La reunión subsiguiente con Nelson Mandela fue un momento emotivo para China. A la izquierda aparece Harrison Ford.

China con Bill Clinton y Whoopi Goldberg.

China en libertad, en la estación central de Copenhague.

Cuatro horas más tarde, ya reagrupados, Salem nos dirigió otra arenga. Dijo que no teníamos más remedio que continuar con lo empezado y tomar el cuartel. Atacaríamos de nuevo y esta vez no podríamos permitirnos otra derrota. Al cabo de pocos días el enemigo empezó a perder fuelle. A escala nacional, el NRA había capturado muchos cuarteles y posiciones clave. Durante aquellas jornadas fueron cada vez más numerosos los soldados gubernamentales que intentaban pasarse a nuestro bando, aunque únicamente lo consiguieron los más afortunados. Salem, que seguía en la Brigada Móvil, se marchó para ponerse a las órdenes del coronel Patrick Lumumba.

El NRA quería controlar el puente de Katonga, y los de mi grupo recibimos órdenes de incorporarnos a los batallones Primero y Quinto. Al oírlo me animé un poco, ya que esperaba reencontrarme con amigos míos. Cuando llegó el Quinto Batallón nos dijeron que el oficial Kashaka había salido con una patrulla para vengarse de los asesinos de su padre. Fue una decepción para mí, pues significaba que no iba a ver a ninguno de mis amigos. Tampoco estaba ninguno de los demás que habían formado parte de la unidad. Confié en que cuando regresara Kashaka lograría ver a algunos de los que ahora eran sus guardaespaldas.

En aquellos momentos el Quinto Batallón tenía un nuevo comandante, Ahmad Kashilingi, nombrado por Museveni en vista de la ausencia de Kashaka. Era de origen munyankole y ex soldado de Idi Amin. Tenía formación militar y también administrativa, y era tan alto que miraba de frente a los ojos de las jirafas. Lucía una barbita que le había valido el apodo de *Kalevu* («barba de chivo»). Se contaba de él que había sido lo bastante astuto y ágil como para escapar de la famosa cárcel de Uganda llamada Luzira, donde estuvo encerrado desde que Museveni y el doctor Obote derribaron a Idi Amin. Casi todos los oficiales respetaban y temían a Kashilingi. El Quinto Batallón tenía en sus filas a otros combatientes famosos, de los que recuerdo a Moses Drago, M. Kanabi y Julius Bruce. Aquellos muchachos eran de origen baganda y sólo la muerte los separaría. Entre ellos, el que más me llamó la atención fue Moses Drago. Era uno de los oficiales más jóvenes.

Pronto se nos ordenó reemprender la marcha. El Quinto Batallón debía disponerse a entrar en combate porque no tardaríamos en llegar al puente de Katonga, fuertemente custodiado porque distaba pocos kilómetros de la capital, Kampala. Nos llamaron a formar y nos dijeron que la Brigada Móvil estaba haciendo muy buen trabajo y que pronto entraríamos en la capital. Habiendo sobrevivido a dos grandes batallas, creía que tenía una buena probabilidad de llegar a ver aquella ciudad que para nosotros, los niños, nunca había sido otra cosa más que un sueño. Antes de salir hacia Katonga nos proporcionaron vehículos nuevos, recién salidos de fábrica. Contemplé cómo unos oficiales arrancaban con un todoterreno Mercedes, tras muchas dificultades para ponerlo en marcha, pero finalmente volcaron. Al ver esto me pregunté si la victoria del NRA iba a ser para bien o para mal. ¿Realmente combatíamos para eso? Y volví a preguntármelo cuando vi a los mismos oficiales corriéndose una juerga. Las mujeres acudían como moscas detrás de los nuevos luchadores por la libertad. Y eso que aquellos soldados hacía muchos días que no se lavaban, pero supongo que ellas no se darían cuenta o tal vez no les importaba el olor. Todos estos acontecimientos se produjeron mientras nos hallábamos estacionados en un pueblo llamado Lukaya.

Miraba todo aquello mientras mis compañeros y yo descansábamos tumbados debajo de un árbol. Tres gordas se acercaron para invitarnos a un bar cercano. Creyeron que yo también era un muchacho. A mí me gustaba que me confundieran con un chico y, cuando entramos en el bar, les dije a mis compañeros que no revelasen mi verdadera identidad, lo que ellos prometieron riendo. Entonces nos invitaron a unas copas, y fue la primera vez en la vida que probamos el alcohol. Toda la parroquia del bar andaba muy excitada con nuestra presencia, y nos reímos de ellos al ver las muecas con que nos invitaban a beber. No nos importaba emborracharnos, porque sabíamos que nuestros oficiales no tendrían tiempo para ocuparse de lo que hiciéramos los niños. Empezamos a beber y las mujeres comenzaron a meternos mano. Cada vez que una se acercaba demasiado a mi verdad, yo la apartaba. Se burlaron de mí y anunciaron a viva voz que yo era un chico tímido. Mis compañeros se desternillaban de risa, pero también tenían un poco de miedo. Yo sentía curiosidad por ver qué ocurriría, por lo que decidí quedarme un rato más. Las mujeres, cada vez más lanzadas, intentaban tocarnos entre las piernas. Hasta que perdimos la paciencia, nos pusimos en pie y encañonamos a las sorprendidas hembras, obligándolas a llevarse las manos a la nuca. En ese preciso instante entró un soldado, que se quedó boquiabierto ante el espectáculo. Enseguida giró sobre los talones y desapareció. Un minuto más tarde regresó con un oficial bastante achispado. Reímos al ver cómo se tambaleaba, y él nos ordenó que dejáramos en paz a la población civil. Al salir del bar preguntó qué pretendíamos, y le explicamos que aquellas mujeres querían violarnos. Lo admitió como explicación válida, sabiendo que la única defensa de un niño era su arma. De súbito se detuvo en medio de la calle y soltó una carcajada.

–¿También quisieron violar a China? –preguntó.

Cuando dejó de carcajearse fuimos a otro bar. Allí ocurrió lo mismo. Las mujeres se volvieron locas con nosotros, por más que el oficial les dijo que les teníamos miedo. Mi nueva pareja me alabó diciendo lo guapo que era. Sobre todo, le encantaba mi sonrisa. El oficial le dijo que yo no era exactamente quien ella imaginaba. A partir de ahí las cosas se sucedieron a gran velocidad, como cuando el enemigo asaltaba nuestro campamento. Volviéndose, me clavó la mirada y sus dientes muy blancos le daban aspecto de leona hambrienta. Sus grandes tetas se bamboleaban peligrosamente, por lo que deduje que, si no quería morir aplastada, sería mejor poner pies en polvorosa. Ya le había dado la espalda a la mujer cuando oí un grito capaz de romper los cristales y mis piernas aceleraron como una motocicleta trucada. Cuando mi perseguidora se dio cuenta de que su presa corría más que ella, cambió de dirección y siguió corriendo, pero sin regresar al bar, donde todo estaba siendo contemplado por la regocijada clientela. Cuando regresé a mi taburete, todos reían y me felicitaron, aunque a mí ya no me hacía ninguna gracia. No sé por qué, pensé en mi madre y si estaría haciendo las mismas cosas que aquella mujer. La rabia me agarrotó el estómago y me habría gustado apretar el gatillo y hacerles hincar la rodilla a todos. Salí del bar y me apoyé contra un tronco mientras observaba la vida nocturna. Al parecer todos habían encontrado pareja y la soledad quedaba toda para mí.

Permanecimos pocos días en Lukaya, pero fue un buen descanso, lejos de la guerra. Durante la revista nos dijeron que estuviéramos dispuestos para partir en cualquier momento. Después de romper filas nos reunimos a comentar la batalla pasada; creíamos que no habría otra batalla tan terrible como ésa. Habíamos sobrevivido y también sobreviviríamos a las escaramuzas que nos faltaban, como la de Katonga. Ninguna otra línea de frente volvería a darnos miedo. Ya éramos unos combatientes hechos y derechos. Entonces se recibió un mensaje, supongo que de Museveni o de Saleh. Se ordenaba a nuestro comandante Ahmad Kashilingi que tomase el puente de Katonga para atacar luego el aeropuerto internacional de Entebbe, que debía ser capturado. Recibimos instrucciones y nos preparamos para el asalto, que tendría lugar a primera hora de la mañana.

Fui de los primeros en levantarse y me eché la Uzi al hombro. Preocupada pero impaciente al mismo tiempo, contemplé la salida del sol y a los conductores que trajinaban entre los camiones. Muchos de ellos tenían los ojos enrojecidos y adiviné que habían pasado toda la noche emborrachándose. Cuando por fin quedó todo a punto para la partida, vi lo peor: nuestro comandante y el resto de los oficiales, musulmanes o no musulmanes, salían borrachos de sus tiendas. Fuimos a Katonga, pero no fue posible el ataque. Habían emplazado la artillería detrás del puente, dispuestos a hacernos trizas. Así pues, se nos ordenó que nos atrincheràsemos. Empezamos a cavar y mientras lo hacía, yo recordaba mis palabras de ingenuo optimismo. Me juré que no volvería a pronosticar una situación hasta que me viese en ella. La dificultad estaba en el río, cuyas aguas sólo un loco se habría atrevido a cruzar bajo el fuego artillero.

Más tarde hubo escaramuzas por ambas partes, pero ninguno de los bandos tomó la iniciativa de cruzar el estrecho puente, lo que cualquier soldado habría considerado un suicidio. De esta manera quedamos encallados durante unos cuatro meses, hasta que Kashilingi recibió la orden de cruzar el río a cualquier precio. Me volví a contemplar nuestra orilla y no vi que tuviéramos nada comparable al armamento pesado del enemigo. Al principio no podía creer que aquella orden fuese cierta, pero estaba segura de no haberla oído mal. Necesariamente provenía del mismo Museveni, en tanto que comandante en jefe, o de su hermano Salem Saleh. Ellos sabían muy bien las consecuencias que tendría, y volví a pensar que nuestras vidas les importaban un rábano. Me pregunté si aquél se acordaría de cumplir alguna de sus promesas de su época de rebelde idealista. Iniciamos el asalto al puente y caíamos como moscas, pero el mando seguía diciendo «¡adelante!». Continuamos avanzando bajo el fuego enemigo. Uno de mis amigos cayó, el que ostentaba el mote de *Strike Commando*. Gritaba pidiendo socorro, pero no podíamos detenernos. El enemigo fue obligado finalmente a replegarse, aunque a un precio en vidas demasiado alto. Anduve entre los cadáveres buscando a mi amigo en vano, mientras mis camaradas frenéticos se desahogaban a patadas y puñetazos con los cuerpos de los enemigos.

Aunque me figuré que estaría muerto, no pude llorar. Sencillamente, no pude hacerlo por temor a derrumbarme del todo. Había visto muchas cosas, pero al parecer aún no me había curtido. Me extrañaba contemplar a aquellos muchachos tan aficionados a matar y torturar. Sonreían incluso ufanándose de haber «cobrado una buena pieza» y rivalizaban en ponerse nombres rimbombantes como *Commando*, *Rambo* y *Suicide*. Me enfadaba conmigo misma por compadecerme tanto de los demás, incluso de los enemigos. Aunque eso también se me pasó el día que necesité los dedos de ambas manos para contar a mis amigos caídos. Había llegado la hora de decidir entre ser una criatura afectuosa y compasiva, pero destrozada, o convertirme en una combatiente a carta cabal, si era capaz de decidirlo. Poco después todos los niños llevaban al menos tres cargadores atados a los AK-47, y muchos teníamos hasta seis. Todos pensábamos que cuantos más cargadores llevásemos, más impresionados quedarían nuestros jefes. Castigábamos nuestros hombros, y pronto muchos adoptamos la costumbre de hablar como los veteranos. Es obvio que éramos unos niños necesitados de afecto. Pero si tus propios padres no te han dado afecto, ¿quién lo hará? Algunos ni siquiera tenían padres o sus padres se habían desentendido de ellos. Ahora buscábamos el aprecio de unos extraños, pero éstos también nos daban la espalda. Abandonados a nuestros propios recursos, buscábamos amor y comprensión. Pero buscábamos en lugar equivocado, y entonces aquellos extraños nos enseñaban a amar las armas. Siempre nos decían que el arma es tu madre, tu amiga y tu todo, y que perderla era perderse. Por la noche, los jefes se acercaban con sigilo y te quitaban el arma. Al otro día te interpelaban diciendo que a ver dónde la habías dejado. Entonces tú la buscabas por todas partes y luego ellos te daban una paliza y te revolcaban en el barro, diciendo que seguramente se la habías entregado al enemigo o la habías vendido. Después de los golpes te la devolvían y decían: «¿Ves ahora lo que pasa cuando pierdes a tu madre?». A la hora de acostarme, siempre lo hacía con la correa de la metralleta alrededor del cuello, y aun así me costaba conciliar el sueño porque desconfiaba. Estoy convencida de que Museveni sabía cómo nos trataban, porque él también tenía un niño en su guardia personal. Fred Kayanja había estado con nosotros en la batalla y tendría unos diez años cuando lo hicieron guardaespaldas de Museveni. Todavía lo era cuando escapé del país. Muchos jefes se comportaban como chiflados, y ésos eran los más estimados por Museveni. A los buenos, en cambio, parecía tenerles cierta inquina. Muchos de los oficiales más capaces y más dispuestos a cambiar las cosas murieron: en accidentes de coche o de sida, según se decía. Los militares locos ascendían rápidamente, sin importar las barbaridades que perpetrasen. Los buenos, como los tenientes coronel Muntu Oyera, M. Kodili, S. Mande, J. Ayine y el comandante Katabarwa estaban siempre castigados, y el poder se concentraba en manos de los más vesánicos.

De nuevo emprendimos la marcha, esta vez por un camino manchado de sangre. Los cadáveres de los enemigos se hallaban esparcidos por todas partes. A algunos los devoraban los perros, pero lo contemplé con indiferencia porque recordaba a mi amigo caído. Mientras atajábamos hacia Entebbe fuimos atacados por una cañonera. Ahora íbamos mejor equipados y replicamos con un cañón del 37 que la obligó a retirarse hacia el Nilo Victoria. Seguimos combatiendo, y cuando nos dijeron que Kampala estaba a pocos kilómetros de distancia, nuestro optimismo subió muchos enteros. El futuro prometido parecía cercano. Tomamos posiciones sobre la carretera Entebbe-Kampala para impedir que las tropas gubernamentales reforzasen la defensa de Entebbe. Al cabo de unos días nos enfrentábamos a un enemigo fuerte y bien equipado. Ahora combatían como fieras, como si no les importase morir. Kashilingi solicitó refuerzos, pero no vinieron. Menos mal que *afande* Kashilingi nos advertía:

–Nadie debe morir aquí. Combatid, pero manteneos a cubierto del fuego de artillería.

Lo sorprendente fue que algunos sobrevivimos. El NRA había perdido muchos mandos. Unas semanas más tarde rompimos las últimas líneas defensivas del enemigo. En todas las miradas brillaba un destello de gloria. La carretera estaba sembrada de pertrechos que el enemigo iba abandonando en su huida, y me extrañó ver que todos pasaban dc largo sin rccogcr ninguno dc aqucllos prcciosos objetos. Supongo que sería porque íbamos a entrar en Kampala y se auguraba la victoria final. Sonreí recordando las palabras «a casa y a una vida con educación». Era una promesa de Museveni a nosotros, los niños.

Llevábamos algún tiempo en esa carretera cuando nos detuvo una multitud de civiles. Venían muy alterados, pero no temerosos, y señalaban una casa determinada. Una muchacha se adelantó para arrojarse a los pies de nuestro oficial, Julius Bruce, y suplicarle que rescatase a sus padres. Otros la imitaron y un segundo más tarde se levantó un clamor ensordecedor. Bruce habló con uno de los civiles y poco después nos dio unas breves instrucciones para el asalto de la casa. Desarmamos al enemigo sin disparar ni un tiro. En una habitación encontramos un grupo de rehenes al límite de sus fuerzas. Pero cuando les dijimos que podían marcharse, se lanzaron a la calle como un tropel de búfalos. Cuando todo quedó tranquilo creció cn mí otro tcmor. Los soldados cncmigos nos sacaban una cabcza dc estatura y llevaban las caras tatuadas con números como «111». Yo apuntaba con mi Uzi a uno de ellos y, aunque estaba desarmado, me faltó poco para orinarme en los pantalones. Empezó el interrogatorio de los secuestradores mientras se montaba guardia alrededor de la casa. Registramos la casa pasando entre cadáveres, algunos de los cuales llevaban allí bastantes días. El hedor era tan intenso que no nos permitió contarlos. Cuando nos alejamos empezó otra matanza, pero no nos volvimos a mirar. Aquellos hombres se habían parapetado durante varios días y se habían dedicado a asesinar rehenes, hombres, mujeres y niños. Me preguntaba si esas personas tenían corazón y cómo era posible permanecer en una casa con un pestazo que habría ahuyentado hasta a los cerdos.

Todavía me pregunto qué pasó con ellos, pero supongo que los lugareños les dieron tantos palos como para matarlos tres veces antes de echar los cadáveres a los perros.

En Kampala los habitantes enfurecidos perseguían a los soldados del gobierno. La gente corría por todas partes y el caos era general. Las calles se hallaban en llamas. Los enemigos eran quemados calándoles por la cabeza neumáticos encendidos. Cuando llegamos al centro de la ciudad no me pareció tan impresionante, después de haber escuchado tantas descripciones maravillosas. Pero no tuve tiempo para lamentarlo porque salieron a nuestro encuentro miles de ciudadanos dichosos dándonos la bienvenida. Algunos lloraban y otros se arrodillaban y nos daban las gracias a nosotros, los niños. Ahora, sin embargo, compartíamos la fama con otros: por primera vez en el suelo de Uganda se habían movilizado unidades femeninas y desfilaron tan orgullosas como los hombres. Muchas y muchos parecían haber olvidado ya la guerra y andaban con un brillo de esperanza en los ojos. Pero yo no compartía ese estado de ánimo. Sabía que aún no habíamos terminado y no conseguía relajarme. La experiencia me había enseñado a mirar más allá del próximo valle o de la esquina siguiente.

(Bruce murió en 1995, cuando acababa de ser ascendido a teniente coronel, y el comandante M. Kanabi en 1992, a su regreso de Francia.)

Huyendo de la batalla

Para algunos, el desencanto cayó como un rayo inesperado. Corrió la noticia de que nosotros, es decir, el Quinto Batallón, debíamos continuar empujando al enemigo hacia el norte. No sé si sentí decepción o alivio cuando Kashilingi cedió el mando al oficial Julius Ayine. Éste era un hima, del mismo grupo tribal que Museveni. Era un buen militar que solía preocuparse por ahorrar vidas de soldados. Kashilingi era un hombre orgulloso y muchos le llamaban «león fiero». Fue uno de los fundadores del NRA. Por alguna razón los baganda lo idolatraban y toda su guardia personal era de dicha tribu. La línea del frente se hallaba ya a bastantes kilómetros al norte de Kampala. El transporte nos llevó por la carretera que conducía al poblado natal del doctor Obote. El camino estaba en tan pésimo estado que me pregunté si el ex presidente no visitaba nunca a su familia.

En el puente de Kafu tropezamos con una fuerte resistencia y me eché a temblar, temiendo que no sobreviviría a otra batalla. Me pasaban por la cabeza imágenes de los horrores presenciados en Katonga, el largo punto muerto y la pérdida de mi amigo. Unos días más tarde continuamos hasta el puente de Karuma. Estaba incólume, como si la guerra no hubiese pasado por allí, flanqueado de espesos matorrales que ocultaban una corriente de agua bastante crecida. Puesto que habíamos tomado Kampala, ¿por qué seguíamos combatiendo? A nosotros los niños se nos había prometido otra vida una vez alcanzado el poder, y éste se hallaba localizado en Kampala. Pero de momento no vi que hubiesen licenciado a nadie y me pareció que si deseaba tener otra vida, sería necesario que me la buscase por mi cuenta. De momento decidí escaquearme de aquella batalla para seguir viviendo. Era preciso declararme enferma, así que pedí un cigarrillo, me lo tragué y corrí a presencia del sargento para vomitar delante de él. Al verlo, a él le vinieron también las bascas. No pude evitar una sonrisa. Le dije que tenía un acceso de malaria. Él me tocó y dijo que no creía que tuviese fiebre, y luego agregó:

–Así que quieres que te devuelva al cuartel general, ¿verdad? ¡Olvídalo!

Fui a consultar con un amigo que sabía muchos trucos. Él dijo que para tener fiebre debía beberme mi propia orina. «Me está tomando el pelo», pensé mientras le miraba a la cara para ver si hablaba en serio. Pero decidí intentarlo. Busqué un lugar solitario y me escondí detrás de un matorral. No sin esfuerzo conseguí llenar un vaso. Faltaba todavía lo más difícil. Lo pensé una vez más y decidí apurar el vaso a la de tres. Pero apenas alcanzó mi estómago el primer trago lo devolví todo. Me incorporé temblando de rabia y me encaminé hacia donde estaba el mal consejero, dispuesta a partirle la cara. Los niños hicieron corro alrededor de nosotros y nos jalearon mientras yo le daba tantos mordiscos y arañazos como podía. Al cabo, un compañero de mayor edad intervino y nos separó. Rompí a llorar y entonces cometí la peor equivocación posible, que fue contarles lo que había ocurrido. Casi no me dejaron terminar. Todos, hasta el mismo mediador, se desternillaron de risa. Perdí las esperanzas. El consejero felón se dejó caer a mi lado, ya reconciliado conmigo. Yo lo miré dudando si perdonarlo o no, pero él dio por terminada la querella, me pidió perdón, me dio un gran abrazo y dijo que lo había hecho sin mala intención.

La mañana siguiente supe que uno de los camiones regresaba a Kampala. Hablé con el conductor y le confié mis intenciones. El hombre decidió ayudarme. Al otro día me alejé un poco del campamento para aguardar el paso del vehículo. Una vez a bordo del camión, me sentí dichosa y segura por primera vez desde mi incorporación al NRA. Pero cuando me quedé dormida comenzaron otra vez las pesadillas. Una mano me despertó y tuve la vaga impresión de haber gritado en sueños. El camión se detuvo y, echándome el petate a la espalda, salté para continuar a pie.

Vagabundeé por Kampala sintiéndome abandonada, con la cara perlada de sudor. Anduve al resguardo de las fachadas de la acera sombreada. Debido al calor, no se veía ni un alma en las calles. De nuevo anhelé tener un lugar al que pudiese llamar hogar. Oí un bocinazo y un coche se detuvo cerca de mí, pero yo seguí andando al mismo paso que antes, creyendo que la llamada de atención iba dirigida a otra persona. Pero al volante iba una gorda muganda de mediana edad que me miraba fijamente. Me llevé el dedo índice al pecho enarcando las cejas y, cuando ella asintió, subí al coche.

El vehículo arrancó y yo contemplé el desfile de calles desiertas. Luego me volví. La mujer tenía la cara sudorosa. Era barrigona y se veía que el calor le estaba dando un mal rato. Tuve un sobresalto cuando ella declaró que yo le gustaba y que sería bienvenido en su casa. «Está loca», pensé, pero como me hacía falta algún punto de partida, decidí aceptar su invitación.

Ya en la casa, me dejó un momento a solas y me quedé contemplando un mobiliario y una decoración que nunca hubiera pensado encontrar sino en la casa de algún presidente. Ella regresó y me invitó a dar un paseo. Se había cambiado de ropa. Acepté y cogí mi mochila, pues no convenía que ella supiera que llevaba un arma cargada. Mientras conducía, me contó muy orgullosa que era comerciante y que íbamos a ver su tienda. Era un negocio de ropa, atendido por dos muchachas muy bonitas. Al poco me trajeron un montón de prendas y me acompañaron al probador. Me cambié delante del espejo y todas las veces que salí para preguntar cómo me quedaban las prendas, ellas asentían con la cabeza, como admiradas de la buena presencia del mozo. Yo casi me sentía como un chico y me hizo gracia comprobar que podía pasar por tal. De nuevo en la casa, tomamos unas cervezas y escuchamos música suave, mientras las dos sirvientas de la mujer preparaban la cena. Como estaba claro lo que esperaba ella de mí, pensé que necesitaba alguna excusa. Escarmentada por la experiencia de la mujer chillona de Lukaya e ilustrada por las muchas anécdotas que me habían contado mis compañeros, se me ocurrió una solución idónea, pero aún faltaba el momento oportuno para colocarla. Así que esperé a que ella estuviese a punto de abalanzarse sobre mí para decirle:

–Estoy de permiso desde hace un par de días porque he tenido que operarme. Tuve ciertas dificultades con el miembro y el doctor dijo que era necesario circuncidarlo.

Ella se lo creyó y se detuvo. Visiblemente decepcionada, fue por un álbum de fotografías, y yo cogí de una fuente un plátano verde que me coloqué dentro de las bragas. Cuando regresó, yo continuaba allí sentado con las piernas bien abiertas como para mostrar el paquete. Al parecer a ella le gustó, porque se apresuró a sentarse a mi lado y se puso a enseñarme las fotos, que eran de ella misma en diversos países extranjeros.

Observé que apuraba una copa cada vez que pasaba una foto. Las copas vacías se alineaban sobre la mesita de centro. De nuevo quiso propasarse y yo me aparté con un respingo.

–¡Quita, mujer! ¿No ves que me duele?

Empezaba a irritarme, pero procuré controlarme bebiendo más cerveza. Por fortuna sirvieron la cena antes de que empezáramos a emborracharnos demasiado. Apenas hubo conversación, pero cuando terminó la cena, ella volvió a darme la lata. Estaba empeñada en acostarse conmigo, por más que yo le recordaba que tenía el miembro recién circuncidado. Mientras discutíamos, yo retrocedí con disimulo para apoderarme de mi mochila. Cuando saqué el arma, las chicas emitieron un grito, pero les impuse silencio y le dije a la gorda que ya podía ir sacando todo el dinero. Llena de pánico, ella se acercó a un aparador. Me tendió el dinero y yo lo cogí sin saber qué hacer. Aquello no era lo que yo buscaba, pero puesto que habían salido así las cosas, continué apuntándolas con la Uzi. Les advertí que no se les ocurriera seguirme porque iba a quedarme vigilando la casa hasta el amanecer. Salí procurando disimular mi temblor y permanecí en efecto delante de la puerta, aunque sólo unos momentos, carraspeando para demostrarles que seguía allí. Luego salté la verja y me encaminé hacia la ciudad, muy atenta y dispuesta a repeler cualquier ataque.

Por el camino me tropecé con unas personas que me indicaron la parada del autobús. Trataron de explicarme dónde se hallaba la central de minitaxis, pero con tal cacofonía de voces que no entendí nada. Les pedí que me acompañasen y, para dar más peso a mis palabras, me cambié la metralleta al otro hombro. Me acompañaron hasta la parada. El minibús era un Hi Ace desvencijado y rebosante de pasajeros. Poco antes de llegar a mi distrito natal de Mbarara el minibús se detuvo ante un puesto de control. Bruce, el comandante del puesto, era un conocido mío. Me preguntó adónde iba y fingí que andaba extraviada. Él ordenó que el minibús continuase sin mí, y me invitó a un bar que había cerca del puesto. Acepté con una sonrisa. Entré en los lavabos para contar el dinero a solas, y vi que era suficiente para continuar mi camino hasta localizar a la mujer a quien antaño no había dado la oportunidad de ser mi madre. Bruce y yo pasamos en el bar varias horas, comiendo y hablando de la guerra y de los amigos perdidos. Más tarde fuimos al cuartel y me asignó una cama para que pernoctase, pero no pude conciliar el sueño. Pensaba en la casa de mi padre, que estaba cerca de allí. Llevaba mucho tiempo meditando la venganza y me pareció que había llegado la hora de librarme de mis torturadores para siempre. Me propuse llevarla a efecto tan pronto como amaneciese.

Provista de mi arma me acerqué a la vieja escuela y miré ladera arriba, hacia la casa de mi padre. La distancia a pie era considerable. Sentí un nudo en el estómago y, mientras pensaba en los habitantes de aquella casa, se me encogía el dedo sobre el gatillo. Mentalmente estaba convencida de que subiría hasta la casa y los mataría a los dos. Pero cuando me dispuse a hacerlo, mi cuerpo no me obedeció. Furiosa conmigo misma, me quedé casi una hora de pie en el mismo lugar, llorando, hasta que por fin regresé al cuartel, donde Bruce estaba buscándome. Sin poder contener mi rabia, se lo conté todo con el corazón en un puño. Después de escucharme, él me rodeó los hombros con el brazo. Anduvimos juntos hasta un pedrusco, donde nos sentamos. Él dijo que también había tenido un mal padre, pero que eso no implicaba que quisiese matarlo.

–¿Por qué? –le pregunté.

–Porque si lo hiciera, significaría que yo soy igual que él, que los dos somos malas personas.

Escuché con atención sus palabras y me pareció perfectamente sensato. Yo no quería ser como mi padre, ni lo sería nunca. Le prometí olvidar mis intenciones de acabar con mi familia, y él asintió con una sonrisa triste. Le dije que al día siguiente iría en busca de mi madre verdadera. Él me deseó buena suerte, pero no pude adivinar lo que pensaba porque no apartó los ojos del suelo.

Yo había desertado de mi unidad mientras todavía estábamos en guerra, así que decidí ponerme ropa de paisano, guardé el arma en una bolsa de mano y me puse en camino.

Cuando llegué a la casa de mi madre la hallé desierta. Parecía deshabitada. La decepción fue grande y sentí la necesidad de recogerme unos momentos para pensar. Llevaba un buen rato sentada y entonces me di cuenta de que había olvidado la bolsa en el asiento del autobús. El arma era lo único de valor que yo tenía, de manera que fue como perderme a mí misma. Más que nunca necesitaba a mi madre, por lo que regresé sin pérdida de tiempo a la parada del autobús. Pregunté a muchas personas y todas se mostraron dispuestas a ayudarme, pero como en su mayoría eran vendedores ambulantes que merodeaban por la parada, nadie me acompañó. Me senté un rato a meditar sobre lo ocurrido desde que había huido de la casa de mi madre. No podía dejar de preguntarme cómo me habrían ido las cosas de haberme quedado con ella. Vi a una mujer que se acercaba hacia mí y le pregunté por mi madre. Su rostro esbozó una ancha sonrisa. Me tomó de la mano y dijo que me llevaría con ella. Entramos en una casa y vi sentada en un sillón a una chica que era el vivo retrato de mi hermana Margie, la aficionada a las golosinas. Ella me miró con expresión de perplejidad, pero al instante se puso de pie de un brinco y me llamó por mi nombre. Sin embargo, yo era demasiado tímida y orgullosa para echarle los brazos al cuello, como habría sido lo correcto. Ella me hizo entrar en la casa, pero de inmediato volvimos a salir. Yo me hallaba en un estado de confusión total y la seguía sin decir nada. En la calle vimos a mi madre, que venía andando a paso cansino. Cuando nos detuvimos, ella se limitó a mirarnos y dijo:

–Entremos en casa.

Las dos echaron a andar con rapidez, llevándome a remolque. Poco después, sentadas en el porche, empezaron a interrogarme. Margie estaba más impaciente por averiguar cómo me había alistado en el ejército que por conocer los motivos de mi súbita desaparición (de la que habían transcurrido poco más de dos años, aunque a mí me pareciese una eternidad). Mi madre me dijo que el único motivo de su permanencia en aquella ciudad había sido la convicción de que yo regresaría algún día y que por tanto ella debía esperarme, pero que siempre se había preguntado las razones de mi fuga. Mirándola a la cara por primera vez, le conté la verdad, que aquella noche después de la cena y de acostarme había temido que intentasen comerme. Ella se echó a reír, pero me dio la sensación de que no se lo creía del todo. Mi hermana, en cambio, me miró y sonrió diciendo que tal vez no había sido una decisión tan equivocada, porque nunca se sabía lo que tramaba mi madre. Hubo un momento de silencio, durante el cual me fijé en una gallina que andaba picoteando por allí. Iba a preguntar quién era el dueño, cuando mi madre nos dijo que la atrapáramos.

Mientras preparábamos la comida, mi madre me dijo que había reservado aquella gallina especialmente para mí. Sonreí pensando que, en tal caso, debía de tratarse de una gallina bastante vieja. En el fondo yo no conocía a mi madre, pero intuía que no iba a costarme mucho congeniar con ella. Tenía un modo peculiar de expresarse, con pequeñas historias de dudosa veracidad, pero bien elegidas para complacer. Recuerdo que mi hermana y yo nos desternillámos cuando dijo que la madre del Papa era tutsi y su padre, un italiano. Hay cosas que no se deben comer a partir de cierta edad, pero ella comía de todo, y si alguien le preguntaba por qué lo hacía, contestaba:

–¡Yo siempre acepto lo que se me sirve!

Todas las personas que la conocían, niños y mayores, le tenían aprecio.

Yo seguía sin encontrar afecto hacia ella en mi corazón, aunque ella sí me demostró mucho. Después de mi fuga había sufrido muchas tribulaciones, como la pérdida de su esposo, el ex alcalde. Su casa fue saqueada durante el cambio de gobierno, cuando fue depuesto Obote y proclamado presidente Museveni (1986). Ahora vivía en una desvencijada casucha de alquiler y vendía aguardiente de fabricación propia para ganarse la vida. Yo no conseguía sentirme a gusto allí. La gente de la aldea se me antojaba de una desidia extraordinaria: nunca sabían qué hacer y siempre hablaban antes de pensar. No obstante deseaba quedarme, pero la gente no me reconocía en los términos que yo quería, dado que me veía a mí misma muy superior a cualquier paisano y pretendía tener la última palabra en todo. Habiendo perdido el arma, no podía regresar a mi unidad y debía guardar el secreto acerca de mi pasado.

Mi hermana se empeñó en que yo regresara a la escuela y no supe si me hacía feliz esa decisión, pero no me quedó más remedio. Mi vida estaba en manos de ellas, lo que me obligaba a contemporizar. Antes de regresar a Kampala mi hermana se aseguró de que yo asistía al colegio. Todos los días, a la salida, me veía obligada a pelear y por alguna razón eran siempre los niños mayores los que me caían mal. Yo perdía la mayor parte de las veces, pero no lograba evitar las peleas. Mi madre me preguntaba:

–¿Por qué vienes lastimada?

Yo no sabía qué contestar. La veía demasiado frágil para asumir mi dolor. Todo el mundo me consideraba una loca. Estaba marcada. Para mí no era cuestión de pedir ayuda a nadie. Ella no sabía cómo ayudarme y me envió a casa de una pareja, conocidos de su difunto marido. Allí sufrí abusos de la peor especie y tampoco dije nada. Los soporté durante dos meses antes de regresar a casa de mi madre. Dejé la escuela y no hacía más que pasearme como una fiera enjaulada: necesitaba salir, hacer algo. Veía la consternación en los ojos de mi madre y finalmente decidí aliviarla de la carga que representaba yo. Me empleé en la casa de un capitán y su mujer como sirvienta, pero transcurrido algún tiempo me eché una ojeada a mí misma y no me gustó lo que vi. Me sentía humillada y como si hubiese dado un paso atrás en mi vida. Estaba rota, pero aún no pensaba rendirme. Volví otra vez a casa. Mi madre me recibió con los brazos abiertos.

Necesitaba rehacer mi vida si quería llegar a algún sitio. Perdida la infancia, comprendí que sencillamente no encajaba en aquella comunidad. Era una niña con amplia experiencia militar, algo fuera de lo común. No sabía hacer nada, excepto ser soldado, así que decidí alistarme otra vez.

Le robé un poco de dinero a mi madre y le ahorré la despedida. Por allí pasaban camiones reclutando a todo el que quisiera unirse al NRA. Cuando el mío estuvo lleno, nos dirigimos hacia Nyachishara. El período de instrucción fue incluso más breve que el que yo recordaba, y transcurrido un mes casi todos los nuevos reclutas fueron enviados al frente. Yo tenía asombrados a los instructores porque sabía ya cuanto ellos trataban de enseñarme. En el plazo de un mes el capitán me ascendió a cabo primera.

Me encuadraron en el Batallón 45, donde estuve algún tiempo sin enviar noticia de mi paradero. Pero mientras tanto, la conciencia me mortificaba al recordar que mi madre se veía obligada a comprar la leche mientras que mi padre tenía toda una granja de vacuno. Reflexioné sobre esto durante un par de días y luego decidí hacerle una visita a mi padre. Mis hermanos dieron muestras de haberme echado en falta, ya que me recibieron con mucho cariño. Me acompañaron al jardín donde estaba mi padre, descansando en un cómodo sillón.

Durante un par de segundos se quedó helado y sólo parpadeó. Ahí estaba yo por primera vez desde que era una niña pequeña. De súbito exclamó: «¡Baby!», con voz fuerte y algo destemplada. Poniéndose en pie con torpeza, se acercó a darme un fuerte abrazo, que recibí tiesa como un leño. Con un gesto de desesperación, se volvió y entró tambaleándose en la casa. Para mi sorpresa, volvió a salir con un sillón y lo colocó al lado del suyo en una especie de respetuosa ceremonia de bienvenida. Estuvimos sentados un rato sin decir palabra, ya que había decidido que mi desconcertado padre debía ser el primero en hablar y mi madrastra debía salir a saludarme. Cuando por fin lo hizo, me costó dominar la rabia que me atenazaba y la saludé con una sonrisa forzada. Sólo entonces se relajó mi padre y adoptó un tono campechano, preguntándome cuándo me había alistado en el ejército. Yo lo miré sin poder disimular mi rabia. Él bajó los ojos y sonrió cuando le contesté que un civil no tenía derecho a solicitar esa información de un soldado. Se hizo otro silencio. Decliné el ofrecimiento de un vaso de leche porque no quería recibir nada de manos de mi madrastra, y dije que ya había comido. En realidad no me fiaba mucho de ella. Me marché el mismo día y sin haber depuesto mi resentimiento. No olvidaba la crueldad de mi padre y cómo había sacrificado los cabritos que yo había criado, prefiriéndolos a otros. A lo mejor quería transmitirme algún tipo de enseñanza con eso, no lo sé. Pero yo sí pensaba darle una lección que no olvidase, de tal manera que de paso quizá le resultase útil a mi madre.

Amaneció y yo estaba sentada en el césped, delante de mi cuartel. Mi batallón llevaba una vida bastante cómoda, acuartelado en reserva. Pero yo tenía unos cuantos problemas que me amargaban la vida, y uno de ellos apareció esa mañana mientras yo descansaba con mi Uzi al costado. Era un tipo que me tenía inquina y se acercó en actitud arrogante, con el mentón en alto como si fuese el presidente en persona. Quería sentarse exactamente en el sitio que ocupaba yo y me ordenó que me largase. Le miré con ceño. De buena gana le habría soltado un puñetazo en las narices, pero era mucho más grande y fuerte que yo. Le pregunté por qué no elegía otro lugar de los muchos disponibles para sentarse. Él se limitó a tirarme del brazo, y cuando me hubo echado, se sentó en mi sitio. Hecho esto, dijo que debía respetarlo por antigüedad, aunque ambos tuviéramos el mismo grado de cabo primero. A mí me hervía la sangre y sostenía el arma cargada. Él agregó aquello de que «la veteranía es un grado». Con los dientes apretados le dije que se marchara de allí si no quería que le agujerease la barriga, pero él desoyó mi advertencia. Así pues, contemplé con desagrado cómo se esforzaba por incorporarse, entre gritos de dolor y sangrando abundantemente por la herida. Entonces se precipitaron sobre mí los de la policía militar, que me obligaron a entregarles el arma y se llevaron al herido al lazareto. Fui conducida ante el oficial de guardia. Le conté que aquel individuo había empezado a incordiarme desde el primer día que me incorporé al Batallón 45. Después de escuchar mi declaración, ordenó a dos policías militares que me arrastrasen por la fosa de barro hasta dejarme como un jabalí. Luego me condujeron al cuartel por el camino más frecuentado, para que me viese todo el mundo. El comandante me retiró la Uzi durante un mes, aunque no me impuso ningún arresto. Como no había mucho que hacer para una soldado sin arma, decidí visitar la granja de mi padre.

Antes de partir busqué un carnicero dispuesto a comprar dos o tres reses y un camionero al que le di las señas de la granja, citándolo para la mañana siguiente. Cuando me acerqué a la parada del minibús, por una de esas casualidades me tropecé con mi padre. Cosa rara, estaba muy hablador, pero yo tenía otras cosas en que pensar, de modo que intenté cortarlo mediante respuestas lacónicas y desabridas. Pero él me sorprendió preguntándome cuándo pensaba visitar a la abuela en la granja. ¿Sería capaz de leer el pensamiento? Pero me tranquilicé cuando vi su expresión inocente. Subí al autobús sin darle contestación y me quedé esperando a que el vehículo se llenase de pasajeros. Me pregunté si habría olvidado algún detalle en mi plan, y todavía seguía pasándole revista cuando llegamos a las cercanías de la granja, hacia mediodía.

Después de bajar me adentré por el camino polvoriento que llevaba a la granja. Me faltaba poco para llegar cuando salió a mi encuentro el arrendatario de la finca vecina. Nos conocíamos de hacía años, de cuando yo era una niña. Acercándose, me dio un abrazo y me tocó el uniforme.

–Vaya, estás hecha una chicarrona –se admiró, pese a que las botas de goma todavía me llegaban más arriba de las rodillas–. ¡Ahora eres toda una soldado!

Aún lucía el pelo enmarañado –seguramente no se había pasado el peine desde la última vez que lo vi– y estaba tan alto como siempre. Me pregunté si alguna vez llegaría a alcanzar su estatura. Él quiso saber si había visto a mi padre, a lo que contesté que no sin importarme mentir. Se despidió con cortesía y todavía se volvió una vez para decir que regresaría por la noche. Apenas le hice caso porque mi mente ya estaba en otras preocupaciones. Cuando entré en la propiedad estaba segura de que nada podía salir mal. Mi hermano Richard estaba delante de la casa, con los perros, y cuando nos miramos mi corazón latió más deprisa y me di cuenta de lo mucho que lo había echado en falta. Por la forma en que me contemplaba, parecía que yo regresase de un breve paseo. Pero no me importó aquella circunspección tan habitual en él y siempre tan asombrosa para mí. Corrí a darle un abrazo y no lo solté hasta que él me correspondió apoyando la cabeza en mi hombro. Al poco, mientras hablábamos, salió la abuela y, después de darme un abrazo, me invitó a entrar con su acostumbrado rostro malhumorado, pero hete aquí que su boca torcida se distendió en una sonrisa y casi me pareció que su ojo lloroso se anegaba de lágrimas genuinas. Aún no me había acabado la carne que nos sirvió, cuando mi hermano se levantó y se quedó esperándome junto a la puerta. Salimos a cazar con los perros como habíamos hecho tantas veces durante mi niñez, antes de la guerra. Fue un placer para mí caminar de nuevo al lado de mi hermano, pero no tardé en darme cuenta de que ardía en deseos de decirme algo. No veía la hora de preguntarme el motivo de mi regreso. Dije que mi madre me había pedido un par de vacas para ella.

–¿Así que has venido a robar? –repuso él con su habitual tono despreocupado.

–Sí –dije, y lo único que contestó fue:

–Habría sido más prudente traer el arma.

Más franqueza, imposible. Empezó la cacería y, como me había complacido su reacción ante mi pequeño plan de venganza, disfruté cada momento de ella. Así pasamos la mitad del día, aunque el matorral nos negó sus tesoros o, mejor dicho, se nos escaparon delante de nuestras narices. Regresamos muy fatigados. Los perros también parecían defraudados y se lanzaban mordiscos al tiempo que contemplaban a su amo con perplejidad. A pesar de ello, charlamos de las incidencias de la caza como amigos que discuten un partido de fútbol, porque sabíamos que no iba a faltarnos comida en la granja.

Tan pronto como llegamos, me encaré directamente con la abuela. Mi hermano, curioso y excitado, se sentó en un rincón. Ella estaba lavando los platos y yo le dije que mi padre me había enviado para que acompañase al camionero que debía llevarle ocho vacas y siete cabras. A mi hermano se le escapó la risa, para contrariedad por parte de la abuela y mía. Ella me preguntó por qué no se había presentado él mismo, como solía, y yo, siempre con una respuesta lista, como había aprendido en el ejército, contesté que la presencia de un soldado en el camión ahorraría tener que pagar sobornos a los guardias de tráfico. Y agregué que tenía orden de elegir los mejores ejemplares. No pude adivinar si se había tragado el embuste, aunque asintió con el semblante enfurruñado mientras miraba a mi imprudente hermano, que no dejaba de reír. Yo lo entendía, pero confié en que la abuela creyese que se burlaba de su boca torcida y su ojo lagrimeante, como tenía por costumbre.

Mientras cenábamos, el vecino se presentó como había prometido. Habló más con la abuela que conmigo, y yo escuché aquella charla insustancial con atención, como cualquier ladrón debe hacer. El corazón me dio un vuelco cuando el visitante contó que se había tropezado con mi padre en la ciudad y que le había comentado que yo estaba de visita en la granja. La abuela siguió escuchando como si no se diese cuenta de nada, mientras yo me esforzaba en aparentar normalidad mientras mi cerebro buscaba febrilmente un subterfugio. Por último, el hombre se despidió y se encaminó hacia la puerta. En el último momento se detuvo y dijo:

–Por cierto, vendrá a veros mañana.

Con lo cual se esfumó mi última esperanza. La abuela se volvió hacia mí y en su cara no quedaba ni el menor rastro del afecto que me había demostrado antes. Mi corazón casi dejó de latir mientras la vieja me aseguraba que mi padre me mataría por ladrona. Me sentí morir de miedo y supe que era el momento de huir o no tendría escapatoria. Ella siguió lanzándome improperios hasta que mi hermano, súbitamente irritado, le gritó que cerrase el pico. Luego se puso en pie y, acercándose a mi oído, me recordó en un susurro lo de mi Uzi confiscada, después de lo cual fue a tumbarse en la cama.

Después de una noche intranquila, entregada a la reflexión y con pocas horas de sueño, me levanté. Eran las cinco de la mañana cuando empecé a vestirme. Mi hermano dormía al otro lado del cuarto y le agradecí en silencio su solidaridad de la víspera. Pocos segundos después salí y eché a andar por el camino, con el sol a punto de asomar, pero enseguida me aparté del sendero y caminé a través de la maleza, porque había dos personas con quienes no tenía el menor interés en tropezarme. Mientras caminaba sentía en la espalda los helados dedos del miedo y la adrenalina que aceleraba mi corazón, y tuve que hacer un esfuerzo para conservar la calma.

Al salir a la carretera detuve un camión somalí de gasolina. Los dos camioneros creyeron que yo era somalí y que llevándome no serían molestados por la policía de carreteras. Parecían muy fatigados por el largo viaje y buscaban conversación para no quedarse dormidos. Pero no estuve muy atenta, porque no podía dejar de pensar en mi camionero, que tendría que volverse sin cobrar después de un viaje de cien kilómetros. El asfalto de la carretera ardía bajo el sol. Cuando llegamos cerca del acuartelamiento de mi batallón acudió a mi mente un nuevo problema. Estaba segura de que mi padre no aflojaría, que trataría de denunciarme por ladrona ante nuestro comandante. Decidí continuar con los somalíes hasta Kabale, donde conocía al comandante de un destacamento estacionado allí para impedir el contrabando entre Uganda y Ruanda.

NAKASONGORA

El comandante se acordaba de mí y quedé alistada inmediatamente. El trabajo consistía en dar el alto a los vehículos y registrarlos por si llevaban mercancía no declarada. Pronto vi que allí los hombres se cobraban la paga que el Estado no enviaba nunca. Empecé a ganar mucho dinero dejando que pasaran los contrabandistas, pero no sabía qué uso darle al dinero, puesto que nunca lo había tenido. No obstante, me encantaba el pollo, y me harté de comer pollo gastando mi dinero en tan fastuoso manjar sin acordarme de guardar nada para tiempos peores, porque creía que aquello iba a durar para siempre. Estaba equivocada, sin embargo, y aún no me había acostumbrado a mi nueva vida cuando todos fuimos acuartelados y nos presentaron al nuevo jefe, David Tinyefunza, enviado por el capitán general Elly Tumwine.

Tinyefunza dijo que nuestra unidad estaba demasiado cebada y corrupta, y que pensaba poner remedio a tal situación enviándonos a un lugar llamado Nakasangora, en medio del matorral, donde no había más que unas ruinas que databan de la época de los bombardeos, durante la guerra de Idi Amin con Tanzania.

Salimos poco después de escuchar el discurso de Tinyefunza y cuando llegados al nuevo destino, nos pusieron de nuevo en formación. Hablando con dureza y sin mirar a nadie, ordenó a los sargentos que nos dieran instrucción severa todos los días desde las seis de la mañana hasta las seis de la tarde. Prometió quedarse para inspeccionar dicho entrenamiento durante seis meses y dijo que luego nos asignarían un destino definitivo. Después de contemplar nuestras caras largas, explicó que ésas eran las consecuencias de comportarse de una manera indigna del ejército. Entonces comprendí que aquello no iba a ser una simple instrucción militar. Era una de esas situaciones cruciales de la vida en que una sola palabra equivocada puede ser suficiente para pasar al otro barrio.

Tinyefunza era un hombre de extraordinaria brutalidad y ni siquiera nos atrevíamos a mirarle a la cara. Los soldados adultos y los suboficiales aún le tenían más miedo que nosotros. Se rumoreaba que una vez, en una población llamada Lira, mandó prender a unos cuantos mandos inferiores y los mató a tiros por cobardía; casi todos los ejecutados eran de la tribu buganda. Teníamos muchos jefes así de bárbaros, y recuerdo a uno que se hacía llamar *Suicide*. Era un héroe de guerra, pero estaba loco y se atrevía a cualquier cosa. Se permitía violar a las muchachas, tanto de la población civil como de sus propias filas, y no recibía ningún castigo porque la superioridad apreciaba su valía en la batalla. Todo lo obtenía por la fuerza, pero yo no se lo censuro. Estaba quemado por la guerra.

Nuestras almas se hallaban en manos de los instructores y sería preciso pagar un fuerte precio para recobrarlas. Ellos disponían de muchas maneras de hacernos sufrir, y las muchachas lo pasábamos peor porque nos obligaban a pagar con nuestro propio cuerpo. Y como toda la oficialidad hacía lo mismo, no quedaba nadie que pudiese impedirlo.

A partir del grado de brigada, todos tenían derecho a gozar de nuestros favores. Casi todas las tardes se presentaba algún oficial y te ordenaba presentarte en su despacho, generalmente hacia las nueve de la noche. Habría sido más fácil si cada una hubiese sido la querida fija de uno o dos *afandes*, ¡pero todos los días de la semana y con diferentes *afandes* tanto si te gustaran como no...! Y no podíamos negarnos si no queríamos ser acusadas de insubordinación. Cuando una se resistía, el abuso cobraba un cariz violento y además llovían otros castigos. Sé lo que estoy diciendo porque lo intenté... en vano. Cuando te han tenido siete días sin dormir, te caes dormida incluso a los pies del oficial. La espera de la noche le amargaba a una todo el día, y recuerdo que alguna vez recé pidiendo que se detuviese el tiempo. Imagino que así debe ser el infierno, ¿dónde, si no, se encontraría tanta acumulación de dolor? Los *afandes* siempre andaban enfadados y tenían el corazón tan helado que tal vez ni siquiera se daban cuenta del daño que nos hacían. Cuando estaba con uno de ellos en la cama tenía la sensación de haberme acostado con la misma muerte. Los compañeros soldados conocían estos abusos y nos colgaban epítetos como *masala ya wabubwa* y *gururia*, que significaban «pesebres de todos los *afandes*» o «tazones de los que bebían todos los oficiales». Casi me odiaba a mí misma por no tener adónde ir para acabar con aquello. Incluso llegué a persuadirme de que era lo natural, el sino de todas las mujeres. Me alentaba pensar que yo no era la única. El NRA nos daba las armas, nos enviaba a hacer la guerra por ellos, nos enseñaba a odiar, a matar y a torturar, y finalmente abusaba de nuestros cuerpos. No podíamos impedirlo. Museveni sí habría podido, pero prefirió mirar para otro lado. Muchos altos mandos se comportaban como verdaderos locos de atar, y ahora me pregunto si Museveni tampoco quiso darse por enterado de eso. ¡Si lo hubiera hecho, no le habría costado adivinar lo que hacían con nosotras! Pero supongo que no le importaba, puesto que tampoco éramos hijas suyas. De lo contrario, no habría permitido que continuaran en su ejército semejantes oficiales.

Una tarde que algunos estábamos sentados alrededor de la fogata, descansando tras una dura jornada de ejercicios, el oficial instructor me ordenó que le acompañase. Al ver que me seguían sus guardaespaldas, me pregunté qué falta habría cometido. Pero cuando llegamos a su despacho me envió a por mis pertenencias. Cuando regresé, el jefe de su escolta me indicó el lugar donde debía dormir. A aquel hombre lo llamábamos *God*, abreviadura de Godfrey. Tendría unos treinta años y era un tipo fuerte, aunque cojeaba como resultado de un tiro recibido en una pierna. Al día siguiente por la tarde, estaba yo sentada en la cama, muerta de cansancio, cuando apareció él y me ordenó que le acompañara. Me puse en pie, pero estaba tan espantada que no conseguí dar ni un paso. Él se quedó esperando a que le siguiera. Por la mañana me aclaró que debía presentarme a él todas las tardes, y con una ojeada terrorífica me aclaró que era una orden. A esto sólo se podía contestar con un «sí, señor», pero estaba tan atemorizada que apenas me salió un hilo de voz.

Entonces él, vociferando como si estuviese ante todo un batallón de soldados, me preguntó si había entendido la orden. A lo que asentí con la cabeza y, muerta de angustia, fui a unirme al resto de la formación matutina.

Tres semanas más tarde llegó un nuevo jefe, el capitán Sam Waswa Balinkarege, y procuré hacerme amiga de alguno de los hombres de su escolta. Cierto día el guardaespaldas me dijo que Waswa iba a Kampala, y le rogué que me sacara de Nakasongora. Él prometió intentarlo. Al salir encontré a *God*, que iba a su habitación, y me obligó a entrar. Me detuve un instante en el umbral porque había visto una bayoneta en el suelo. Pasé detrás de él y escondí el arma debajo del colchón. En el momento más horrible dije para mis adentros: «¡Vas a morir durante el sueño, cabrón!». Toda la noche estuve buscando la bayoneta al tacto. Me sentía furiosa y sucia, pero temía demasiado a aquel hombre. Podía darle el pasaporte en una fracción de segundo, pero, eso sí, era preciso acertar a la primera. Hasta que amaneció sin que yo hubiese pegado ojo ni tampoco hecho la faena. Fui a las dependencias de Waswa y vi que su escolta estaba recogiendo los bártulos. Mi amigo abrió la puerta del coche y me lancé dentro sin pensármelo dos veces. Enseguida se puso al volante y el convoy salió de Nakasongora rumbo a Kampala.

Por fin había logrado escapar. Al día siguiente de nuestra llegada fui a casa de mi madre. Al verme se echó a llorar, y no conseguí entenderlo. Noté dentro de mí un dolor extraño y grité contra ella como un rinoceronte enfurecido. Le dije que se callase, que aborrecía ver a gente llorando, sobre todo cuando lloraban por mí. Por último callé y le di la espalda después de ver su rostro consternado y pálido. Ya no lloraba, pero yo seguía con el mismo dolor interior, además de sentirme ruin e indigna.

Pasó un mes y recobré mis fuerzas. Poco a poco dejé de acusarme a mí misma. Mi madre dijo que conocía a un oficial llamado Ronald quien, según ella creía, podía «colarme» de nuevo en el ejército. Por la tarde mi madre me presentó a un escolta de dicho oficial, que era un niño de unos nueve años de edad llamado Kusain.

A pasitos pequeños, pero tan firmes que casi me convencieron de que estaba hecho todo un hombre, Kusain nos llevó a presencia de su jefe. Ronald dijo que regresaba pronto a su unidad en «el sector de instrucción de Kabamba» y que podía alistarme. Prometió pasar a recogerme por casa de mi madre. Creo que fue el jueves siguiente, hacia las dos, cuando se presentó con su esposa Justine y con Kusain.

Llegamos a Kabamba la mañana siguiente después de recorrer media Uganda en autobús y en tren. La primera semana todo marchó bien para mí, aunque vi algunos detalles inquietantes. Todas las mañanas Justine le daba de palos a Kusain por mojar la cama, y Ronald participó en esto al menos en una ocasión. A mí me indignaba y enfurecía que una civil tuviese el atrevimiento de pegarle a un soldado como era Kusain. Además, aquellas escenas evocaban en mí muchos recuerdos poco gratos. Lo sentía por él y me enfurecía no poder ayudarle. Pasaron otros quince días y empecé a preguntarme cuándo se ocuparía Ronald de alistarme. Se lo dije y él contestó que mejor me quedara en su casa, como miembro de su escolta. Lo cual me contrarió, porque durante las cuatro semanas transcurridas Justine nos había encargado a Kusain y a mí muchas faenas domésticas que a mi modo de ver no entraban en las obligaciones de un soldado. Lo que más le gustaba a Justine era quedarse acostada en la cama. Y cuando se cansaba de eso, sacaba un sillón delante de la casa y se tumbaba otra vez. Pasaba horas delante del espejo contemplando su bonito rostro y ensayando toda clase de muecas y mohínes. Llegué a odiarla tanto que algunas veces la imaginaba muerta de un tiro. Normalmente yo habría podido fugarme y alistarme en cualquier otro batallón, porque por entonces el ejército del nuevo gobierno aún no había instituido ningún tipo de identificación. Pero, por otra parte, en aquella unidad tan pequeña no se necesitaban números para descubrir si faltaba alguno. Estuve dando vueltas a estos pensamientos durante un tiempo, mientras hacía de criada particular de Justine. Aún me faltaba mucho que aprender acerca del infierno que era pertenecer a la escolta de Ronald.

Justine se marchó para una visita a sus padres y, al principio, me sentí bastante aliviada por no tener que seguir contemplando sus carantoñas. Nunca se me ocurrió que llegaría a echarla en falta. Ronald, que estaba en casa de permiso, se quedó mirándome y luego le ordenó a Kusain que fuese a pedirle un poco de azúcar a la vecina. El chico se alejó y mi corazón empezó a latir con alarma mientras él me preguntaba si me había acostado ya con alguien. Sin darme tiempo a considerar mi respuesta, me agarró y me tumbó sobre la cama. Grité con desesperación, pero él me tapó la boca con una mano. Al terminar miré el reloj y vi que lo que me había parecido una eternidad, de hecho no había durado más que un par de minutos. Cuando regresó Kusain yo estaba sentada en una esquina de la cama llorando en silencio.

El chico apoyó la mano en mi hombro para consolarme y entonces estallé en sollozos. Al principio no fui capaz de contrarle lo ocurrido, pero luego, como el cuerpo y la mente seguían doliéndome, se lo dije todo. Su semblante adoptó una expresión severa y me di cuenta de que entendía mucho más de lo que me había figurado. El pequeño muganda me aconsejó ser fuerte, puesto que nadie nos ayudaría si lo denunciábamos. Él tenía la convicción de que todos los oficiales hacían lo mismo. Pero yo no estaba dispuesta a seguir soportándolo y le dije que pensaba largarme al día siguiente, por más que me dolía dejar a Kusain. Le aconsejé que se buscase otro oficial que lo quisiera de escolta, pero que fuese de graduación superior, para que Ronald no pudiera reclamarle.

A la mañana siguiente, apenas hubo salido Ronald, fui a ver a uno de los instructores, un sargento cuarentón al que tenía por buena persona. Su rostro fue poniéndose cada vez más sombrío conforme iba contándole el caso. Comprendí que él también tenía miedo de Ronald. Sin embargo, tras pensarlo un par de minutos, me llevó a su casa, le repitió mi historia a su mujer y ambos decidieron esconderme. Estuve tres días encerrada bajo llave en un cuarto que no tenía más ventilación que un ventanuco. El segundo día la mujer me dijo que no debía abrir siquiera el ventanuco porque Ronald andaba buscándome. El mismo día se presentó en la casa preguntando por mí, y sentí terror al intuir que no le convencía mucho la respuesta que le dieron. Incluso entró en la habitación y desde debajo de la cama donde estaba escondida pude ver sus botas.

El tercer día el sargento y su mujer me dieron un poco de dinero para que regresase a casa de mi madre. Incluso ordenó a un recluta que me acompañase hasta la estación del tren. Echamos a andar cruzando la selva para evitar un tropiezo con Ronald. Después de un rato de marcha, la conversación del recluta empezó a tomar un giro extraño. Tuve miedo y apreté el paso. Él me retuvo por el brazo y dijo que tenía que hacer el amor con él... de buena gana o a la fuerza. Para colmo, intentó justificarse aduciendo que yo debía pagarle de alguna manera ya que él estaba arriesgando la vida. Miré en derredor, pero no vi ningún signo de esperanza. Aquella selva espesa era lo mismo que un desierto. Un grito mío no se habría escuchado más allá del primer árbol. Por su manera de hablar mientras caminábamos yo había llegado a dudar de que aquel hombre estuviera en sus cabales y temí por mi vida, pero luego decidí pelear por ella y por mi dignidad con todas mis fuerzas. Mientras permanecíamos allí mirándonos fijamente, en el último segundo se me ocurrió una idea salvadora. Yo sabía que los reclutas tenían prohibidas las relaciones sexuales antes de que terminase el período de instrucción, así que para obligarle a reconsiderar sus intenciones le dije que estaba dispuesta a pagar lo que me pidiera, pero que se preparase para recibir el castigo correspondiente porque yo tenía la sífilis y, por tanto, con el tiempo se descubriría todo. Él me agradeció la sinceridad y yo respiré con alivio, pero todavía estaba temblando cuando me dejó en la estación. Durante todo el viaje reía y lloraba al mismo tiempo, pensando en la buena suerte que había tenido.

De niña a mujer

Cuando llegué, mi madre estaba a punto de sentarse a cenar con un hombre desconocido. Contrariada, la llamé fuera para preguntarle quién era aquel tipo. Ella sonrió y me di cuenta de lo que significaba para ella. Sentí repugnancia y le dije que si realmente necesitaba a un hombre, no me sería difícil obligar a mi padre a casarse de nuevo con ella. A lo que ella rió y dijo que esas palabras eran ofensivas. Frunció el entrecejo cuando le exigí que despidiera al hombre, y de súbito empezó a chillar que yo no tenía ningún derecho a presentarme por las buenas y tratar de echar a las visitas. Me enfureció aún más que se empeñase tanto en defenderlo, de modo que entré en la casa y se lo dije al hombre yo misma. Él soltó una carcajada y dijo:

–¡Estas criaturas! Cuando ingresan en el ejército le pierden el respeto a los mayores.

Aún no había acabado de hablar y ya mi madre había ido a sentarse junto a él. Me cansé de oírlos y, enfurecida porque me desafiaban con sus miradas, eché mano del *sigirri* (una especie de brasero pequeño) y les arrojé los carbones encendidos. Ellos gritaron llenos de pánico y salieron al jardín dando brincos. Con una sonrisa de satisfacción, fui a cerrar la puerta y eché el cerrojo. Al cabo de un rato llamaron. Fui hasta la puerta muy despacio. Mi madre me suplicaba que los dejase entrar, pero yo le dije que fuese a acostarse por ahí con su fulano. Pasaron veinte minutos y entonces llamó un hombre que dijo ser el casero. Empezó por decir que todo el mundo puede cometer errores, y me pidió que dejase entrar a mi madre. Lo hice. Ella apareció ya mucho más calmada y dijo que en realidad no quería para nada a aquel hombre. Esa noche dormí como un bebé en brazos de mi madre. Fue bueno poder apoyar la mejilla en su pecho avejentado.

No le conté por qué había regresado, ya que me pareció que nunca podría haber una verdadera confianza entre las dos. Bastante agobio pasaba ya la mujer como para tener que escuchar además los míos.

Hacia comienzos de 1988 me llevó a Kampala, a casa de uno de sus hermanos. Tendría veintitantos años y estaba al mando del Batallón 21, encargado de la vigilancia del aeropuerto internacional de Entebbe. Se llamaba Caravel y me recibió muy bien, tanto que no tardé en sentirme como en casa. Mi tío era un jefe muy eficaz, rápido de mente y de lengua, y además era un hombre muy bien parecido que volvía locas a las muchachas. Como decía él, lo tenía todo y ahora tenía además una sobrina con quien compartir sus cosas. Me hizo muy feliz con su manera de tratarme.

Cierto día, mi tío y yo estábamos sentados delante de su casa charlando de esto y lo otro. Yo jugueteaba con su cabello, cuando se presentó una muchacha que parecía muy agitada. Con voz histérica le preguntó a Caravel si esa zorra –o sea, yo– era otra de sus novias. Él no lo pensó dos veces y le disparó en un costado con la pistola, diciendo que estaba equivocada y que yo era hija suya. La ambulancia se la llevó toda ensangrentada. La chica sobrevivió y no se atrevió a denunciarlo. Con el tiempo noté que la actitud de Caravel conmigo empezaba a cambiar. Me ponía mala cara diciendo que no le gustaba vestida de uniforme. Eso me dio miedo, porque yo no imaginaba qué otra clase de vida podía llevar. Me limité a confiar en que se le pasara la manía, y para que viese que no pensaba dar el brazo a torcer, en adelante renuncié por completo a llevar ropa de civil. Después de eso transcurrió una temporada y cierto día, al regresar del cuartel, me ordenó que me pusiera ropa femenina, que ya era hora de que asistiera a la escuela como hacían todos los niños, y que mi hermana Margie, la aficionada a las golosinas, pasaría a buscarme porque yo iba a vivir en casa de ella. Esta decisión de mi tío no me hizo feliz; mejor dicho, me dejó destrozada porque no creía que mi hermana estuviera en condiciones de encargarse de mí después de tantos apuros como había pasado.

Esa misma noche se presentó en casa de Caravel y me mandaron liar el petate. Recuerdo que me obstiné en ponerme el uniforme. No tardé en comprobar que no andaba equivocada con mi prevención. La casa de mi hermana no tenía ducha y el váter se hallaba en el patio. Ella dormía en su cama y a mí me tocaba hacerlo en el sofá. Sólo faltaba la casera para colmar la medida de la miseria. Era de lo más parecido a mi abuela, vieja y malvada. Exigía un respeto en mi opinión inmerecido. Siempre hablaba a voces y todas las veces que se tropezaba conmigo gritaba:

–¿No te han enseñado a saludar?

Por eso me caía mal, entre otras cosas. Mi hermana buscó en todas las escuelas públicas de Kampala, pero en todas le daban largas y yo estaba cansada de vegetar en su casa.

Me puse a averiguar las señas de todos los cuarteles próximos a Kampala. Aunque había decidido concederle una segunda oportunidad a mi hermana, necesitaba tomar mis disposiciones para largarme de allí. Pasó un año que a mí me pareció un siglo de miseria, y una mañana, cuando mi hermana se había ido ya a trabajar, al bañarme noté una cosa extraña. Al mirar con más atención me pareció que era sangre, lo que me sorprendió porque no había sentido ningún dolor ni recordaba haberme sentado sobre ningún objeto afilado el día anterior. No lograba resolver el misterio. Por momentos se apoderó de mí el pánico y pensé en ir al hospital, pero no sentía ningún dolor. En vista de que no se me ocurría el motivo, y no poco avergonzada, me lavé y fui a acostarme otra vez. Al despertar, nuevo susto: el sofá estaba manchado de sangre. Mi hermana sabía ser muy severa a veces, por lo que decidí fugarme una vez más. Saqué de la bolsa el uniforme que había guardado allí, me vestí y me encaminé a la Casa de la República. Allí fui recibida por un comandante de unidad llamado Warakira. Era muganda y me entendió enseguida. Noté un temblor en sus labios, que se convirtió al poco en una ancha sonrisa, y me acompañó sin demora a la calle para ir a comprar los pertrechos necesarios para el caso. No pude entender lo que le decía a la dependienta, pero su tono era el de un hombre muy apurado, hasta que ella lo comprendió todo. Entonces me explicó lo que debía hacer para remediar mi «dolencia».

En la Casa de la República se habían instalado los oficiales de la administración militar, y me pusieron de centinela. En el mismo pelotón había un muchacho de mi edad, un muganda. Era de los que no pasan inadvertidos, y no porque fuese muy hablador, sino por cierta habilidad especial que tenía para convertirse siempre en el centro de atención. Como solía ocurrir en el ejército, nunca supe su verdadero nombre. Él se hacía llamar *Manager*. Por lo visto conocía a todo el mundo, siempre tenía dinero y montones de novias, y vestía de civil cuando no estaba de servicio. Conocía la ciudad como su propia mano y fue para mí un guía excelente durante los primeros días. Las guardias eran lucrativas, porque por alguna razón abundaban los civiles deseosos de entrar en la Casa de la República sin tener cita previa. Pronto supe que nuestro jefe era el militar más indulgente. Él también vestía traje de civil muchas veces, incluso hallándose de servicio, y solía ausentarse varios días con bastante frecuencia. Nunca daba las órdenes ladrando como hacían los demás comandantes; parecía un maestro de escuela impartiendo benévolos consejos. A nosotros nos tocaba ladrar repitiendo las órdenes, y me acostumbré a negar el paso a los ricachones que pretendían entrar. De esta manera no tardé en poder imitar a *Manager* y me compré un traje como el suyo. Muchos de nosotros salíamos de servicio hacia las cuatro de la tarde, y entonces *Manager* y yo contábamos el dinero ganado durante la jornada. Algunas tardes íbamos a algún bar, donde lo pasábamos en grande con nuestros trajes idénticos y con dinero de sobra en los bolsillos para llamar la atención.

Mi nuevo empleo me agradaba cada vez más. Un día oí una conversación entre dos funcionarios. Nuestro *afande* y presidente Museveni había decidido introducir una nueva moneda nacional y regalarnos entre 35.000 y 50.000 chelines a cada uno como demostración de agradecimiento por nuestra contribución a la victoria. Se rumoreaba que el líder libio Gadafi, gran amigo de Museveni, le había facilitado el dinero a tal efecto. Sin tardar, *Manager* y yo estábamos en la cantina contigua a la Casa de la República rellenando nuestros formularios y observando al hombre que contaba nuestro dinero.

Jamás había visto yo tanto dinero junto. Nos daba mareo tan sólo contemplarlo. Yo corrí a mi dormitorio, donde cavé un agujero en el suelo para esconder mi fortuna. Me guardé 400 chelines en el bolsillo, y al poco nos lanzábamos al frenesí de la ciudad echando por la borda la imagen de impasibilidad que habíamos cultivado hasta entonces. Cuando llegamos al barrio comercial me asaltó la confusión: ¡no se me ocurría nada que comprar! Pero *Manager* no tenía ningún problema con eso, de modo que me limité a seguirle. Él compró una bicicleta, una docena de sujetadores y bragas para su novia del momento y otras cosas que ni siquiera sabía para qué servían. Yo regresé llevando sólo un buen par de zapatos de hombre.

Al anochecer salimos rumbo al bar más caro, que estaba a pocas manzanas de la Casa de la República. Pero nos sentimos bastante fuera de lugar entre la selecta concurrencia, al parecer formada por lo mejorcito de la sociedad ugandesa. Así que fuimos de farol y dijimos a todo el que quiso escucharnos que *Manager* era hijo del vicepresidente Kiseka, y yo un hijo de Salem Saleh, el hermano de Museveni. Después invitamos a cerveza, copas y pollo asado a todo el mundo, y comenzó la fiesta. Todo iba bien hasta que entraron tres tipos medio borrachos que empezaron a suplantarnos en la atención general. Considerándonos ofendidos, les exigimos que nos presentaran sus disculpas, pero ellos se rieron en nuestras narices. Ante esta ofensa, nos retiramos prometiendo regresar. Lo que hicimos, pero armas en ristre. De nuevo éramos los amos de la situación. Apuntándoles a la cabeza, los obligamos a arrodillarse. La fiesta terminaba con un subidón de adrenalina, pero como sabíamos que alguien podía llamar a la policía, nos volvimos al cuartel riendo como locos. Era casi la hora de acostarnos si queríamos estar frescos para el servicio de la mañana. Pero la mera idea me daba grima, por lo que decidimos continuar la juerga.

Llegamos a una discoteca y convencimos al portero de que teníamos la edad exigida mediante una propina igual a tres veces la paga mensual de aquel individuo. Estaba abarrotada y la música era ensordecedora. Empezamos a emborracharnos y pronto *Manager* se enfadó conmigo porque yo, sin darme cuenta, le había quitado hasta cuatro chicas. Entonces dijo que no entendía por qué le hacía eso.

–¡Si a ti no te sirven para nada! –gimoteó.

Entonces se me ocurrió una idea. Le dije que eligiera a una chica. Él señaló a una que estaba en la barra, vuelta de espaldas a nosotros. Me acerqué contoneándome como un chulo.

Cuando llegamos a casa, los tres íbamos bastante borrachos. *Manager* se despidió dándonos las buenas noches mientras la mujer y yo entrábamos en mi habitación. Le dije que se metiera en la cama y que apagase la luz, y salí pretextando que iba a orinar. *Manager* estaba al otro lado de la puerta, babeando como una hiena. Esperamos unos diez minutos y luego canjeamos las llaves de nuestras respectivas habitaciones. A la mañana siguiente desperté en la cama de *Manager* al oír los gritos de éste en el pasillo. Cuando abrí, me dijo que la mujer era una vieja desdentada y se echó a llorar. Yo me mondaba de risa.

UNA CASA

Transcurrió poco más de una semana mientras yo cavilaba qué hacer con el dinero, que alcanzaba para comprar casas y coches. Entonces recordé que mi madre no tenía vivienda propia y convencí a mi sargento de que me diera un permiso de varios días.

De camino me detuve en una tienda y compré diez hogazas de pan, pensando que no debía presentarme con las manos vacías. Tomé el autobús y luego anduve los últimos quinientos metros, hasta que vi a mi madre charlando en la calle con una vecina. Sin apenas un saludo, la agarré del brazo y la metí en casa. De nuevo me di cuenta de lo ruin que era su habitación. Cuando le di las bolsas de pan sonrió agradecida, pero luego me sorprendió echándose a llorar. Temiendo lo que haría cuando le diese el dinero, se lo di y salí fuera para no tener que presenciar su reacción. Entré de nuevo y vi que lo tenía apretado contra el pecho como si temiera que fuese a escapársele volando. Sonreía y tenía la mirada vuelta hacia el techo, como en una ensoñación. La hice volver en sí para preguntarle si sabía de alguien que tuviese en venta una casa o una finca. Conmovida, ella me agarró una mano y me la cubrió de besos. Y luego dijo que yo era su hija preferida. La muy embustera.

A la mañana siguiente ella fue la primera en levantarse, y mientras desayunábamos, me tomó la mano y escupió en ella. Al preguntarle la razón dijo que era un hechizo para ponerme a salvo de todo mal, lo que me pareció difícil de creer. No obstante, dije:

–Gracias, madre.

Luego me llevó a presencia de un individuo joven que vendía una finca heredada de su padre. El precio incluía una casita, el platanar y un par de aguacates. Me pareció un trato justo y aceptamos. Durante los días siguientes mi madre estuvo inaguantable, todo el rato pendiente de mí, lo que yo no deseaba en absoluto. Me llevó a rastras por todo el barrio, presentándome a todo el mundo y contando lo que yo acababa de hacer. Tanta alabanza era demasiado para mí, de manera que decidí acabar de una vez organizando una gran fiesta. Todo el vecindario acudió mientras yo, apoyada contra la tapia de la finca, observaba a la buena de mi madre desviviéndose por atender a los invitados. Entonces me di cuenta de que Dios concede un buen corazón a los que no tienen otra cosa que ofrecer. Antes de marcharme le dejé dicho que si la pillaba viviendo en la casa con un hombre, la echaría.

Pocos días más tarde, mientras *Manager* y yo estábamos de guardia, apareció un camión repleto de niños soldado. De repente el lugar se llenó de policía militar y, sin decir palabra, nos arrojaron con los demás. Aquellos pasajeros tenían un aspecto terrible, con unos ojos grandes que parecían no haber visto nunca la luz del día. A la mayoría los habían sacado del frente norte y supimos que nos llevaban a los cuarteles de Simba para recibir entrenamiento. Miré a *Manager* y le dije:

–Nuestro lugar no está aquí.

Saltamos del camión, pero nadie siguió nuestro ejemplo. Aquellos niños soldado parecían muertos vivientes, inmóviles, con la barbilla apoyada en las manos, mirándonos con aquellos ojos que no parpadeaban, y me pareció adivinar un gran interrogante en sus corazones. Hoy día, en mis pesadillas, aún se me aparecen a veces, y da miedo pensar lo que habrá sido de ellos. Es un dolor muy grande y me faltan palabras para expresarlo, pero sé que los echo en falta a todos. Dudo que vuelva a verlos, puesto que no puedo regresar a mi país, pero no he perdido del todo la esperanza. A aquellos niños los tenían durante seis meses antes de devolverlos a sus unidades, ya que no podían quedarse en los cuarteles de Simba. Los llevaban allí para cultivar maíz, no para la instrucción. Algunos se hartaban antes del plazo y desertaban.

Todo volvió a la normalidad. Cierto día, un viernes, mi superior Warakira tenía que asistir a una boda para hacer de padrino de un hermano suyo. Me dio su *walkie-talkie* y su pistola, y me ordenó que le acompañase. Me quedé en el coche con el chófer, que era un civil, pero entonces me dio un pronto –supongo que sería por el *walkie-talkie* y la pistola– y, sintiéndome un personaje importante, apunté con la pistola al conductor y le di la dirección de mi hermana. Pensaba meterle el miedo en el cuerpo a la vieja casera. Lástima que no andaba por allí. Margie había perdido su empleo y en toda la casa no quedaba ni una miga, excepto de algunos bizcochos, de los que según ella se había alimentado toda la semana. Así que fui a comprar carbón y un poco de comida. Era la una cuando recordé que debíamos regresar a casa de Warakira cuando acabase la ceremonia de la boda. De pronto volví a sentirme muy pequeña y le dije al chófer que pisara el acelerador, mientras iba recordando los castigos más espantosos de que había sido testigo. Todas mis esperanzas de librarme con una simple reprimenda se esfumaron cuando llegamos y comprobamos que Warakira ya se había marchado. Por la mañana me sacaron a rastras de la cama dos policías militares, que me condujeron a paso ligero hasta el despacho de Warakira.

Éste mandó que me sacaran al patio, donde los guardias me administraron veinte varazos. Después del castigo fui a sentarme delante de los oficiales mientras se me pasaba el dolor. Pero no estuve allí mucho rato, porque se presentó Ahmad Kashilingi en un Mercedes-Benz. Incorporándome de un salto, me cuadré e hice el saludo, pero él me mandó subir al coche. Fuimos a su casa, que estaba en Kololo, el barrio de los ricos de la ciudad. Era una mansión con jardín vallado. Cuando llegamos al portal el conductor tocó el claxon y un centinela saludó militarmente y nos abrió. Almorzamos juntos y él dijo que deseaba alistarme para su escolta personal. Poco me faltó para que se me atragantase la comida. La mera mención de la palabra escolta me recordó los abusos sufridos, y me di cuenta de que no se me habían borrado las sevicias infligidas por *God*. No obstante, pensé que no todos serían iguales y que tal vez Kashilingi no se comportaría como *God*, por lo que me puse en pie y me cuadré diciendo:

–¡Sí, señor!

El paraíso

Aquel día de 1988, Kashilingi me envió de regreso a la Casa de la República con uno de sus chóferes para que recogiera mis pertenencias. Mi corazón latía muy deprisa y tenía la frente perlada de sudor, pero las expectativas eran halagüeñas. Kashilingi me asignó una habitación y de momento me vi libre de preocupaciones. Hacía poco rato que había ordenado mis cosas cuando vino Kashilingi para invitarme a su casa. Mientras me la enseñaba vi muchos mocosos y mocosas que corrían por todas partes dando chillidos, y supe que casi todos eran hijos suyos de diferentes esposas. Mientras tomábamos un refresco me puso al corriente de mis nuevas obligaciones. Aquella noche cené con la familia de Kashilingi, y poco después me anunció que comería en su casa. No me atreví a preguntarle la razón, me limité a cuadrarme y di gracias a mi buena suerte porque en aquella casa se comía muy bien. Antes de regresar a mi habitación me detuve junto a la verja y contemplé las vallas que separaban la residencia de Kashilingi de las ocupadas por el coronel Julius Chihanda y el brigadier David Tinyefunza. Detrás de la casa estaban los dormitorios de la escolta, consistentes en cuatro habitaciones, y más allá una cochera con capacidad para cinco vehículos. Después de mi vuelta de reconocimiento fui a mi habitación y me acosté, muy satisfecha con mi nuevo destino.

Desperté con el toque de diana y cuando me presenté a formar vi que era la única chica. El teniente Patrick Kiberu se acercó a dar las órdenes del día y me entregó un AK-47 al tiempo que me presentaba a mis camaradas. Empezó la jornada. El cabo Katumba y yo quedamos encargados de acompañar a Kashilingi, que iba a la Casa de la República. Fui a colocarme muy orgullosa al lado del Mercedes con el arma al pie, y Kashilingi no tardó en salir. Se detuvo un momento en el porche, contemplándome con aprobación. Enseguida partimos en el coche. Llegamos a la Casa de la República sin más intercambio de palabras e hicimos nuestra entrada. Mi excitación creció al observar las reacciones de los soldados en los pasillos ante la presencia del director general de archivos Ahmad Kashilingi. Por supuesto yo no ignoraba que el blanco de toda la atención era él, pero no pude evitar sentirme también como un personaje importante. Sabía que podría valerme de su poder para hacerme temida y respetada. Cuando llegamos las oficinas de Kashilingi, el oficial administrativo del departamento, Chris, estaba sentado en el antedespacho. Yo venía tan exaltada que olvidé el saludo, y vi la reacción en la mirada del hombre, que fue cualquier cosa menos amistosa. Katumba, que conocía mejor sus obligaciones, me indicó que me buscara una silla para montar con él la guardia delante de la puerta, en el pasillo. Allí debíamos quedarnos mientras nuestro jefe permaneciese en su oficina.

Kashilingi salió a la una y le escoltamos hasta el coche. Yo no sabía adónde íbamos y no me atrevía a preguntarlo, de manera que me limité a abrir bien los ojos. Pero el misterio se disipó cuando estacionamos delante de un restaurante, donde entramos detrás de Kashilingi. Se me ordenó que no fuese tímida y que pidiera todo lo que me apeteciese. Ningún guardaespaldas de los que conocía, que no eran pocos, se había ufanado nunca de semejante trato, por lo que me sentí la escolta más importante del mundo. A las cuatro de la tarde el jefe dio por finalizada la jornada administrativa y regresamos a casa. Durante el camino me puse a recordar el día que acababa de vivir y me pareció que el único acontecimiento memorable había sido el almuerzo. En cambio, lo demás había sido cuestión de mucha paciencia, sentada sin hacer nada más que ir al lavabo de vez en cuando. Aunque pocas veces me concedía a mí misma la debilidad de echar en falta a nadie, me acordaba de *Manager* y de los estupendos ratos que habíamos pasado juntos. Al tiempo que me entregaba a estos recuerdos agradables, me devanaba los sesos tratando de sacar alguna conclusión. Mi jefe ordenó que recogiera mi arma y le acompañase. Fuimos a Kabaragara, donde iba a tomar copas con unos amigos. A mí me tocó quedarme en el coche, con orden de no quitarle ojo a mi jefe. Él fue a sentarse en la terraza de un bar con sus amigos de paisano. Desde mi lugar se oía toda la conversación. Kashilingi no tardó en hablarles acerca de mí, mencionando lo peligrosa que yo podía llegar a ser. Por ejemplo, que si alguno de los reunidos le insultaba a él, yo sería capaz de ametrallarlos a todos. Cuando dijo esto hice acto de conciencia, a ver si era verdad, y decidí que en una situación así sólo dispararía al ofensor. Pero me cansé pronto de escuchar aquella charla, y además empezaba a notar hormigueo en las piernas. Muchas veces nuestros jefes nos dejaban esperando en los coches durante horas. Si nos dormíamos, nos despertaban a golpes. Pocos oficiales tenían ninguna atención con sus guardaespaldas y otros nos trataban como a perros. Estaba aburrida y hambrienta, y me volví hacia una bolsa que Kashilingi llevaba siempre al lado del cambio de marchas. Mientras ellos se hartaban de hablar de mí, yo me puse la bolsa sobre las rodillas con disimulo y la abrí con la mirada al frente como quien no quiere la cosa. Mis dedos palparon la dureza fría de una pistola y luego un fajo de billetes. Hurgué hasta extraer uno de éstos, y luego dejé la bolsa y salí del coche como si tuviera necesidad de ir al lavabo. Escudándome detrás del vehículo, contemplé mi botín y tuve la alegría de comprobar que el valor del billete era suficiente para comprar un buen trozo de pollo. Hice una seña al dueño de un asador cercano, separando las manos para indicarle que quería una porción bien grande. El hombre me entendió, y con amabilidad se acercó enseguida e hicimos con rapidez nuestro disimulado intercambio. Procuré devorar la comida con la mayor rapidez posible. Después de lo cual me metí de nuevo en el coche, ya saciada y chupándome los dedos.

Al día siguiente, otra vez de guardia, Katumba decidió que me había enseñado ya todo lo necesario y fue a visitar a los muchos amigos que tenía en todo el edificio. Me sentí un poco triste. Mi problema era que estaba tremendamente aburrida, y recordé que *Manager* se lo pasaba mucho mejor de centinela en la entrada. Al cabo de unos minutos decidí hacerle una visita y bajé a saludarlo, pero mientras charlábamos eché en falta el arma, que había dejado junto a la puerta. Subí corriendo, pero ya no estaba. Tuve un ataque de pánico creyendo que iban a fusilarme. El miedo me obnubiló hasta el punto de hacerme olvidar la diferencia entre un soldado del frente y un escolta, como era yo en ese momento. Rápidamente consulté con Katumba, quien me aconsejó que hablase con Chris. Al interpelarlo, éste sonrió mefistofélico. Descolgó el teléfono para llamar a la policía militar y entonces recordé nuestro incidente del día anterior. Llegaron en menos de un minuto y me llevaron al patio trasero. Allí fui obligada a revolcarme en el fango hasta dejar empapado el uniforme. Fui a cambiarme y, cuando regresé, Chris me devolvió el arma con una mueca triunfal. No le pasaron inadvertidas mis miradas de odio. Salí del despacho arrastrando el AK-47 con afectada despreocupación, y regresé a mi silla de pésimo humor e incubando proyectos de venganza.

Cuando salimos para almorzar, una mujer esperaba a mi jefe en la puerta. Kashilingi me mandó pasar al asiento de atrás, lo que para mí fue como si me degradaran. Con la mujer en el asiento del acompañante, fuimos a uno de los muchos restaurantes de Kampala. Una vez hubimos tomado asiento, Kashilingi pidió la carta y se la pasó a la mujer diciéndole que pidiera lo que le apeteciese. Ella abrió mucho los ojos y su mirada pasó alternativamente de la carta a Kashilingi.

–El menú –dijo al fin. Kashilingi se quedó mirándola con asombro, y ella repitió–: Creo que tomaré el menú.

Me pareció que no sería oportuno burlarme en público de la amiguita de Kashilingi, lo que además implicaba la certeza de recibir diez varazos o tal vez más. Katumba y yo nos quedamos muy quietos, con la boca apretada para evitar que se nos escapase la risa. Los de las mesas vecinas empezaron a carcajearse sin disimulo. Todos cuchicheaban sobre lo ocurrido y pronto el local se vio recorrido por una oleada de hilaridad tan incontenible como las cataratas Victoria. La chica, algo confusa y sin entender todavía qué ocurría, pidió otra cosa. Mientras esperábamos a que nos sirvieran, Kashilingi nos dio a entender con un guiño que podíamos reírnos, pero sin que se notase de quién. Lo más divertido fue que ella también se unió al regocijo general. Después de almorzar dejamos a la muchacha en la parada de los taxis y regresamos al despacho. Al cabo de una hora se presentó Taban, uno de los chóferes de Kashilingi, que iba al hospital militar porque uno de los críos del jefe se había puesto enfermo. Durante la espera, Taban me contó que estaba más que seguro de mi inminente ascenso a cabo primera. Me costaba creerlo, y consideré que aquel individuo, a quien yo respetaba como gran figura heroica, lo decía sólo para halagarme. Era un kawka, oriundo de un lugar cercano a la aldea natal de Idi Amin, y su manera de andar siempre me impresionaba. Iba armado hasta los dientes, con sendas bayonetas colgadas del cinturón a izquierda y derecha, una pistola remetida en el cinturón y, por alguna razón misteriosa para mí, una soga colgando al costado derecho. Era bajo, pero ancho y corpulento como un toro. Lo primero que hice después del servicio fue visitar a Taban en su dormitorio y preguntarle cómo había logrado el grado de sargento. Entonces me contó que cuando estaba en el ejército de Idi Amin se había presentado voluntario para recibir entrenamiento especial de comando. Lo cual creí, y me prometí llegar a ser un militar tan magnífico como él.

Empezó entonces el mes del Ramadán, y Kashilingi y su familia tuvieron que ayunar porque eran musulmanes, lo cual significaba que no podía fumar, ni comer, ni beber mientras luciera el sol. El primer día, cercano ya el crepúsculo, entré con disimulo en el comedor y vi una mesa puesta estupendamente, con gran variedad de manjares y bebidas. El inconveniente era que yo no podía probarlos; de momento yo no ayunaba, y los que no ayunaban sólo recibían el rancho normal. Esperé a que Kashilingi hubiese acabado de comer y entonces le dije que yo también quería ayunar. Él sonrió y dijo:

–¡Claro! ¿Por qué no? –Y así fue como empecé a observar el Ramadán junto con su familia.

Durante el Ramadán, todas las madrugadas a las cuatro me despertaba Kobusingye, una hija de Kashilingi, para el *daku* (desayuno antes del amanecer). A mediodía los labios se me resecaban, los ojos se me empequeñecían aún más, y supongo que por la misma razón Kashilingi iba a casa para descansar. Antes de marcharse me miró sonriendo y dijo que no hacía falta que ayunase, que podía comer lo que quisiese. Pero dije que iba a continuar para que sus hijos no se rieran de mi falta de perseverancia. Él asintió con aire aprobador, por lo que pensé que mi pequeña mentira había colado. Apenas se hubo ido a descansar en su habitación, bajé corriendo a la tienda más cercana y compré un litro de leche y una hogaza de pan, que oculté en la bolsa hasta que regresé a mi habitación. Una vez allí, calenté la leche con mi hornillo de campaña y tomé el pan con azúcar como si fuese lo más exquisito del mundo. Una vez aliviado mi estómago, miré alrededor y comprobé horrorizada que mi jefe estaba de pie en el umbral, mirándome muy divertido. Llena de pánico, escondí la leche y el pan restantes y me eché a llorar como una niña, suplicándole que no lo contara a nadie. Él giró sobre los talones y me quedé a solas con mi comida.

Al día siguiente madrugué, me cepillé las botas y me planché el uniforme antes de bajar. Taban estaba lavando el coche. Llevaba una pierna vendada y cuando le pregunté qué había ocurrido dijo que se le había metido una serpiente en la bota. Me pareció tan emocionante que casi deseé que me hubiese ocurrido a mí. Luego me tropecé con Katumba, que iba a pasar revista, y él comentó que probablemente Taban se había torcido un tobillo mientras andaba borracho por ahí. A mí me pareció imposible, porque era musulmán y un gran soldado. En la primera oportunidad entré furtivamente en su habitación y encontré una caja con varias botellas de whisky vacías. Más tarde, cuando se lo comenté, dijo que lo bebía por prescripción médica.

Como Katumba y yo éramos grandes amigos, me pidió que hiciese de mensajera para llevarle cartas a Kobusingye. Todavía estaba yo cavilando qué consecuencias podía acarrear para mí esta intriga, cuando Kiberu y la otra hija, Aisha, iniciaron un carteo parecido. Empecé a sentirme como un cartero porque los dos muchachos escribían día sí, día no. En esa tarea de mensajera estuve casi un mes, hasta que cierto día, mientras fumaba unos cigarrillos con Regina, la sobrina de Kashilingi, éste me llamó. Se me cortó el resuello cuando lo vi de pie, muy serio, llevando de la mano a su hija Kobusingye. A continuación tomó también la mía y nos condujo al dormitorio de la muchacha. Allí apartó a un lado la almohada, con lo que aparecieron las cartas, y juntó bruscamente nuestras cabezas dándonos un coscorrón, bastante doloroso por cierto. Para evitar que la cosa fuese a más dije no saber nada de aquella correspondencia. Él me pidió disculpas por haberme castigado antes de escuchar ninguna explicación.

–¡Pero no quiero ver más cartas en esta casa! –añadió.

Transmití en secreto el mensaje a Katumba y Kiberu, pero éstos parecieron decididos a continuar.

Finalmente llegó el día en que se celebra el fin del Ramadán. Dos días antes Kashilingi envió a la familia en minibús a Rukungiri, la aldea donde vivían sus padres. Katumba y yo nos quedamos con el jefe, retenido por los asuntos de su despacho, hasta que llegado el día emprendimos el viaje en uno de sus Mercedes. Como llevaba matrícula civil, nos dieron el alto en un control militar de carretera. Admiré el uniforme rojo y blanco del policía militar y especialmente la boina que lucía mientras le exigía a Kashilingi su identificación.

–Soy el comandante Ahmad Kashilingi, director general de archivos –dijo.

El rostro del sargento reflejó sorpresa y se vio que le costaba asimilar lo que acababa de oír. Le faltó poco para tropezar cuando corrió a levantar la barrera. Durante el viaje hicimos un alto en un parador. El encargado salió a recibirnos y las camareras dejaron abandonados a los demás clientes para darle la bienvenida a Kashilingi, que palmeó los traseros a las chicas, como siempre hacía cuando estaba de buen humor. Yo iba a reírme, pero entonces me distrajo una sustancial ración de pollo que acababan de servirme. Cuando llegamos a casa de la familia, Katumba y Kiberu se apresuraron a poner música y a encender la televisión, mientras yo jugaba con los niños.

Pasaron las breves vacaciones y emprendimos el regreso a Kampala. Llegados a casa, el jefe me invitó a quedarme en el salón porque iba a poner una película para los críos. Estaba de buen humor, sentado en su gran sofá y con un vaso de cerveza en la mesita del centro. Le dijo a Kobusingye que me sirviera una cerveza a mí también. Yo nunca bebía en presencia de los jefes, por lo que decliné el ofrecimiento, pero él insistió.

CORAZÓN SALVAJE

A la mañana siguiente, antes de salir hacia el despacho, Kashilingi y yo desayunamos juntos y charlamos de esto y lo otro. Pero cuando me preguntó acerca de mis padres, casi me atraganté. Titubeando, empecé a contarle lo de mi padre, pero no pude terminar porque no quería echarme a llorar. Kashilingi dijo entonces que él se había alistado en el ejército de Idi Amin porque su padre también lo maltrataba. Entonces me atreví a mirarle a la cara y le pregunté por su madre. Él dijo que había muerto muy joven y que no se acordaba de ella. Nos levantamos sin acabar el desayuno y fuimos al coche con la sensación de que el destino acababa de aproximarnos. Llevaba yo cerca de una hora haciendo guardia a la puerta del despacho cuando salió Kashilingi remetiéndose la pistola en el cinto. Katumba y yo le seguimos y fuimos al cuartel de Rubiri para inspeccionar a unos nuevos reclutas. Los hallamos ya formados en el patio para revista. Kashilingi y el oficial al mando, Peter Karim, iniciaron el paseíllo, y yo detrás de ellos con la mano sobre la culata de la pistola. Eran casi un centenar de muchachos de aspecto bastante lamentable con sus uniformes viejos y raídos. Todos tenían las miradas fijas en mí. Para mi sorpresa, Kashilingi me ordenó que escogiera a tres reclutas. Me planté delante de aquellos chicos famélicos sin saber a quién escoger puesto que no se me había indicado ningún criterio. Cerré los ojos, abrumada por el triste espectáculo, y cuando los abrí me fijé en el que tenía más cerca.

–¡Me llamo Benoni, señor! –respondió a mi pregunta.

Le mandé dar un paso al frente, halagada por su actitud respetuosa. El chico que estaba al lado me devolvió a la mísera realidad cuando susurró:

–Llévame a mí también, *afande*, ¡por favor!

Al oír que me daba el tratamiento de respeto, lo elegí a él también. Más tarde se atribuyó el mote de *Sharp*, que significa «agudo». Cuando me disponía a elegir al tercero, Katumba me llamó y me indicó a un muchacho llamado Jamiru. Dijo que era musulmán y que nos sería muy útil para matar las gallinas de Kashilingi. Contuve la risa, pero vi que era un muchacho muy joven y no dudé.

De nuevo en la Casa de la República, Kashilingi ordenó que me sustituyera Taban mientras yo conducía a los tres chicos al almacén militar de Mbuya para que les dieran uniformes nuevos. De los tres, el que me cayó mejor fue *Sharp*, porque era muy risueño y bromista. Aunque tenía un año más que yo, nunca olvidaba llamarme *afande*. Bien distinto fue el caso de Benoni. Tenía más de veinte años y era de los que creen que el lugar de las mujeres está en la cocina. Era agresivo y me negaba el respeto debido. Me contrarió mucho tener que obligarle a que me diese el tratamiento que me correspondía. Yo sólo tenía trece o catorce años, pero era muy superior a aquellos reclutas en cuanto a experiencia militar. De Jamiru poco hay que contar, excepto que una vez me confió que se consideraba muy afortunado por haber ido a parar allí. Él y Katumba se hicieron grandes amigos. Jamiru aprendía pronto y, aunque no tenía más de doce años, pronto se convirtió en un excelente soldado que destacaba en todas las disciplinas.

Al cabo de pocos días me vi ascendida al grado de sargento. Apenas di crédito a mis oídos cuando Kashilingi me nombró jefe de su escolta. Apenas conseguía disimular mi excitación y mi temor ante aquellos hombres hechos y derechos que en adelante estarían a mis órdenes. Enseguida aprendí a caminar con más aplomo. Una noche, durante la cena, Kashilingi me anunció que asistiría a la revista de la mañana para ver cómo me desenvolvía. Lo hizo de uniforme y advirtió a todos los presentes que me respetaran porque yo era la nueva jefa de la escolta. En cualquier situación debían dirigirse a mí. Temblé al escuchar estas palabras que al mismo tiempo me llenaban de júbilo. A Katumba le mandó recoger sus cosas porque salía destinado al frente del norte, lo mismo que todos los escoltas anteriores.

Todos los guardaespaldas de Kashilingi que habían tenido aventuras con sus hijas o habían intimado demasiado con la esposa del jefe fueron enviados al frente. Muchos de ellos eran críos, como yo.

Más tarde tuve algún trato con uno de ellos, llamado Silas. En aquellos momentos vivía en la residencia de oficiales de Kololo, cerca de la casa de Kashilingi, pero había estado en el frente. Herido cuatro veces en acción, adelgazaba a ojos vista. Era alto y de piel más clara, como yo. En realidad nos parecíamos bastante; quizá por eso nos hicimos amigos. Ahora le tocaba a Katumba, y tal vez otro día me tocaría a mí. La última vez que vi a Katumba estaba ciego, aunque no pude averiguar cómo había ocurrido.

Ya convertida en jefa de la escolta, era preciso que me hiciese obedecer como tal. Nada en el mundo temía tanto como pasar por cobarde, y sin embargo andaba preocupada porque no sabía cómo proceder en caso de que a alguno se le ocurriese desacatar una orden mía. No se me ocurrió mejor solución que hacerme temer. Una tarde regresamos del despacho y Kashilingi entró con mucha prisa en la casa. Le seguí y me quedé a esperar cerca del salón. Al poco salió de la habitación y ordenó que Jamiru estuviese dispuesto. Despedí a los demás y me encaminé a la cocina, donde la sirvienta, Namaganda, estaba lavando los platos. Me quedé allí con los brazos en jarras, las manos apoyadas entre la pistola y la bayoneta, en espera de que me sirviese algo de comer. Pero ella había decidido ignorarme, así que disimulé mi enfado y cogí un plato de comida que había sobre los fogones.

Me disponía a comer cuando Namaganda me quitó el plato de las manos, como el águila que se abalanza sobre un polluelo. Me volví y le pedí una explicación. Ella dijo que eran los últimos restos de la comida y que los guardaba para Julius, el sobrino de Kashilingi.

–¿O sea que no has guardado nada para mí? –estallé, y la habría abofeteado, pero era una mujerona mucho más corpulenta que yo.

Como nunca me ha gustado darme por vencida, traté de arrebatarle el plato. En el forcejeo, éste cayó al suelo y yo le solté a la mujer una patada en la barriga. Mientras ella se doblaba sobre sí misma, giré sobre los talones y me marché. Estaba ya cerca de la puerta cuando oí pasos detrás de mí. Era Namaganda, que se abalanzaba empuñando un cuchillo de cocina.

–¿Vienes a matarme? –dije.

Iba a sacar la pistola, pero opté por la bayoneta. Le lancé una patada a la mano y le hice soltar el cuchillo, al tiempo que le sajaba el brazo. La dejé dando gritos y me fui a mi habitación.

Más tarde llamaron a la puerta. Era Jamiru, todavía de uniforme. Dijo que Kashilingi me llamaba a su presencia, de manera que me vestí y le seguí. Todo el personal de la casa excepto los niños estaba reunido en la sala. Namaganda se hallaba sentada al lado de Kashilingi, con el brazo vendado. Me senté bien lejos de ellos.

–¿Tú crees que te he traído aquí para que atemorices a mi familia? –rugió él.

–No, *afande* –contesté, y expliqué lo sucedido.

–Ya os dije que esta cosa es peligrosa –dijo él a todos–, pero aquí nadie hace caso. Supongo que algún día os encontraré a todos muertos.

La «cosa» era yo, y con esta leve reprimenda me despidió dando por zanjado el asunto. Me fui a dormir muy complacida.

Al día siguiente me levanté tarde porque era sábado. Al salir me encontré con Aisha delante de la casa. Estaba triste y cuando le pregunté el motivo, dijo que su novio Kiberu iba a ser trasladado a otra unidad. Eso me pareció bien, pues él me había tendido muchas celadas para desmerecerme ante los superiores. No obstante, fingí apenarme y luego le comenté que me daba envidia ver cómo se bamboleaban sus pechos cuando caminaba deprisa. No veía la hora de poder lucir unos pechos así. Ella me aconsejó que tirase de ellos todas las mañanas durante un par de minutos, que de esa manera me crecerían y en pocas semanas los tendría como los suyos. Me despedí de ella y entré a desayunar.

Julius y su primo Emanuel estaban allí y al verme me invitaron a una fiesta que celebraban en su instituto. No se nos permitía salir de noche; en cuanto a mí, en aquella casa el toque de queda era a las seis de la tarde. Pero decidimos ir a escondidas porque sabíamos que Kashilingi tardaría en regresar a casa esa noche. Después de cenar, Julius y Emanuel subieron a cambiarse. Yo llevaba el uniforme y pensaba asistir con él a la fiesta, para que los chicos me temieran. Antes de salir hablé con *Sharp*, que estaba de guardia, para advertirle que no dijera nada a Kashilingi si por casualidad volvía más temprano. Los porteros nos dejaron pasar sin pagar entrada. Muchos chicos querían hablar conmigo y me invitaban, de modo que no tuve que pagar nada. Julius y su primo me presentaban a todo el mundo, hasta que me cansé. Regresamos a casa a las cinco de la madrugada. Iba a tumbarme en la cama cuando Taban llamó a la puerta y anunció que Kashilingi me llamaba. Al entrar en el salón, Kashilingi, en pijama, estaba echándoles una bronca tremenda a Julius y Emanuel.

–Sí, *afande* –me cuadré.

–¿No te tengo dicho que no salgáis de noche? –preguntó.

Realmente no tenía nada que contestar. Bajé los ojos y él ordenó a Taban que nos llevase a los tres a la cárcel militar del cuartel de Mbuya.

En la cárcel caí mal a la mayoría de los guardianes por mi actitud orgullosa. Me dijeron que a la mañana siguiente me tocaría barrer toda la cárcel y el patio. A mí no me importó, porque disponía de dinero suficiente para que se reconciliasen conmigo.

A las ocho se presentó Kashilingi y le dijo al oficial de guardia que debían darme un trabajo duro, después de lo cual se llevó a Julius y Emanuel. Esto me dolió, pareciéndome injusto que perdonase a los chicos tan pronto y a mí me dejase en el encierro. Empecé a pensar que yo no le importaba mucho a Kashilingi, que me dejaba en la cárcel con sólo un uniforme sabiendo que yo era una chica y tenía necesidad de cambiarme. El sargento de guardia se acercó y me dijo:

–Ya lo has oído. El jefe quiere que seas castigada, así que vas a trabajar hasta deslomarte.

Escuché con paciencia su discurso y luego metí la mano en el bolsillo y le enseñé unos billetes. Él abrió unos ojos como platos y yo le dije que serían suyos a cambio de que me dejase en paz. Ya de noche, el sargento envió a por unas cervezas y, como eran de mi dinero, me invitó a beber. Sentados en la hierba, bebimos y contemplamos las estrellas. Cuando regresé a la celda, el sargento me dijo:

–Confío en que *afande* Kashilingi pase a recogerte mañana. Yo estaré de permiso todo el día.

Eso me dio que pensar, pero al cabo de un rato me venció el sueño y me tumbé a dormir sobre el suelo de cemento. Estaba segura de que me soltarían al día siguiente, pero no ocurrió así. En la tarde del tercer día Kashilingi apareció con Jennifer y Jamiru, y cuando el sargento de guardia me sacó de la celda, mi jefe montó en cólera viendo que traía el uniforme limpio. Ordenó que me dieran unos varazos, pero cuando iba a tumbarme ya en el suelo, Jennifer le dijo que ya había tenido suficiente castigo con el encierro. Entonces Kashilingi rectificó y me dijo que subiera al coche. A nuestra llegada, corrí a mi habitación y me quedé allí hasta la mañana siguiente. Después de desayunar fuimos a la oficina, y antes del almuerzo Kashilingi me envió con un recado para su querida, que era una secretaria de Ruigyema, por entonces general de división y ministro de Defensa. Al entrar vi a algunos de los escoltas de Ruigyema. Uno de ellos, apodado *Happy*, era amigo mío, de modo que nos pusimos a parlotear y reír y me olvidé del mensaje que traía.

Al poco salió Ruigyema de su despacho y rugió:

–¡No puedo trabajar si hacéis tanto ruido!

Me condujo hasta su escritorio y acto seguido me ordenó que ocupara su sillón:

–Tú eres el ministro ahora, así que siéntate.

Yo miré con nerviosismo a la secretaria, que se limitó a sonreír. Al cabo de un rato él dijo que podía irme, pero que se vería obligado a comunicar el incidente a mi jefe. Salí sin volverme y agobiada por la expectativa. Al poco estaba de nuevo en mi puesto de guardia y esperé todo el día la llegada del general, pero por suerte no se presentó y así me ahorré otro castigo. Ruigyema y yo acabamos haciéndonos amigos. Todas las veces que me pillaba armando alboroto con su escolta, salía a tirarme de la oreja hasta que yo prometía no volver a hacerlo. Si antes lo admiraba por haber sido testigo de su comportamiento en campaña, luego aprendí a apreciarlo por su indulgencia. Él nunca olvidó quién le había aupado al poder, ni dejó de mostrarse amable y campechano con nosotros. Deseo que lo recuerden todos quienes le conocieron y recibieron su cordialidad.

La casa de la desgracia

Kashilingi era muy aficionado al teatro, y sobre todo gran seguidor de la compañía de Jimmy Katumba. Casi todos los fines de semana iba a verlos acompañado de Jennifer, porque tenía a su esposa en la aldea. En uno de esos fines de semana me dejó al cuidado de la casa, diciendo:

–Y no mates a nadie, ¿entendido? Cuídamelos a todos.

Los despedí desde el porche con Regina y Alex, un escolta que llevaba sólo un par de meses con nosotros.

Mientras estábamos allí se presentó un civil llamado Tumwine, que era el chófer encargado de llevar los niños de Kashilingi a la escuela. Los dos muchachos se lanzaron mutuas miradas de desafío, porque ambos estaban enamorados de Regina. Al cabo de un momento empezaron a discutir sobre el Batallón 35 y en qué sector estaba destinado.

Tumwine le preguntó a Alex que cómo podía estar seguro, ya que ni siquiera sabía pronunciar su propio nombre. Alex replicó llamándole «buey». Tumwine le dió un bofetón y Alex se encaminó medio lloroso a los dormitorios de atrás.

–¡Encima tengo que aguantar que me pegue un civil! –se quejó.

Entré en la casa dejando en el porche a Tumwine y Regina. Tras hablar unos momentos con Jennifer, me tropecé con Alex, que volvía a entrar, esta vez por la puerta posterior y llevando una AK-47 con tres cargadores pegados con cinta adhesiva. Venía muy alterado. No me quedó más elección que decirle que abandonase la casa. Apenas se le veían los ojos cuando me encañonó, con la boca del arma casi tocándome la barriga, y me preguntó:

–¿Acaso quieres morir?

Yo estaba al mando de la escolta y era mi responsabilidad solucionar aquel problema, aunque me fuese la vida en ello. Sudando y sin apartar los ojos del cañón que me apuntaba, le hablé para que entrase en razón. Pero cuanto más le suplicaba yo, más frenético se ponía él. Entonces vi que Tumwine se acercaba con sigilo por detrás, y de súbito le aprisionó los brazos. El primer tiro dio en la pared, cerca del dormitorio de los niños. Jennifer se asomó, pero al ver lo que ocurría se escondió de nuevo. Aturdida, decidí intervenir. Me empeñé en desmontar los cargadores y lo conseguí. Quedaba la bala de la recámara. En medio del forcejeo apareció Regina, no sé cómo. Fue como si se hubiese materializado de repente, y le dio por agarrar el cañón del arma, sin hacer caso de mis gritos diciéndole que se largase de allí. ¡Demasiado tarde! El tiro salió y Regina cayó al suelo.

Cuando me incliné hacia ella se formaba ya una gran mancha de sangre sobre las baldosas. Entonces me volví hacia Alex, que también estaba herido.

Regina había recibido el balazo en la pierna y sangraba mucho más que Alex, alcanzado por la misma bala, que había atravesado el muslo de Regina. En la casa reinaba el caos más absoluto. Los niños lloraban y todo dependía de mí. Después de ponerle un torniquete a Regina decidí llevármela al hospital y dejar a Alex. Estaba tan enfadada con él que no me importaba que muriese.

Tumwine y yo sacamos a Regina, y cuando estábamos a punto de meterla en el coche, salió de su casa el coronel Chihanda y se quedó curioseando desde su lado de la verja, con los brazos cruzados.

–¿Así que ahora os dedicáis a mataros los unos a los otros? –fue lo único que dijo antes de regresar a su casa.

No me sorprendió demasiado su actitud, era la reacción típica de muchos oficiales superiores. Además Chihanda era célebre por su brutalidad. Se decía que durante la guerra había quemado vivos a algunos de nuestros camaradas.

Una vez Regina estuvo en el coche, me acordé de Alex y pensé que podía haber hecho lo mismo por él, lo que me hizo deponer la intención de abandonarlo a su suerte. Le ordené a Tumwine que condujese a la mayor velocidad posible y no tardamos en llegar al hospital de Nsambya. Cuando la dejé en manos de los médicos, Regina había entrado ya en coma. Alex había recibido el tiro cerca de las vergüenzas, pero su vida no corría peligro. Tumwine y yo esperamos en el coche. Me daba terror pensar en la reacción de Kashilingi. Supuse que me enviaría al norte o, en el mejor de los casos, a la cárcel. Un médico nos dijo que Regina había perdido mucha sangre y que se necesitaba con urgencia un donante de su mismo grupo sanguíneo o de lo contrario moriría.

Yo me quedé mirándole a los ojos, porque no entendía nada de grupos sanguíneos. El médico me lo explicó. Salimos de nuevo a toda velocidad, esta vez con las luces de emergencia encendidas. Una vez en casa reuní rápidamente a todos los adultos y los metí a empellones en el coche, para regresar acto seguido al hospital. Los médicos hicieron los análisis y resultó que la única que podía donar sangre a Regina era yo. La enfermera me indicó hasta dónde sería preciso llenar la botella de la transfusión. Desoyendo mis protestas, me sacaron la sangre y me indicaron que no me moviese de la camilla. Pero no obedecí y, cuando me subí de nuevo al coche, me desmayé.

Llegábamos a casa cuando me rehice justo a tiempo de ver el Mercedes-Benz de Kashilingi acercándose a toda velocidad. Tan pronto como se apeó, empezó a gritarme, pero yo todavía estaba demasiado débil para replicar.

–¿Qué le pasa a ésta? –le preguntó a Tumwine–. ¿Es que la han herido también?

Dicho lo cual se marchó al hospital. Tuve la intuición de que no había acabado ahí el pleito entre Kashilingi y yo.

Mi jefe regresó transcurrido un par de horas. Desde la cama pedí un médico, aunque en realidad me encontraba un poco mejor. Hablé con el doctor explicándole lo ocurrido, y como era un hombre bondadoso, engañó a Kashilingi diciéndole que yo necesitaba varios días de reposo absoluto. Así fue como me quedé en casa, comiendo bien y descansando, y me salvé del castigo. Días después visité a Regina y ella me dijo que la pierna se le estaba poniendo violácea. La destapó y vi que era verdad. Me suplicó que me quedase, y la velé toda la noche mientras ella se quejaba de la pierna. Al día siguiente, poco después de dejar el hospital, se presentó un médico en casa de Kashilingi. Dijo que la pierna de Regina no podía salvarse. Avisamos al jefe, que estaba en el despacho, para que fuese al hospital. Por la noche reunió a todos en la sala y anunció que iban a amputarle la pierna a Regina. Pese a la tristeza de la ocasión, todos reímos cuando la sobrina de Kashilingi, una niña de corta edad, pidió quedarse con la pierna cortada. Cuando le preguntaron por qué, dijo sencillamente:

–Porque tiene las uñas pintadas de rojo.

Regina volvió meses más tarde y se ocultaba de la vista de todos. En el hospital se había acostumbrado a encender un cigarrillo con la colilla del anterior y no lo disimulaba aunque estuviera presente su padre. Alex, como era soldado, fue a la cárcel, y se habló de que Regina sería enviada a Alemania para recibir un tratamiento. Cada vez que yo libraba, ella me llamaba y nuestras conversaciones trataban a menudo del porvenir que le esperaba a la muchacha. Por algún motivo sus palabras y sus lágrimas me afectaron mucho. Conforme transcurrían las monótonas jornadas, yo estaba cada vez más inquieta y temí llegar a perder la razón.

Llegué al punto de odiar la Casa de la República, y lo peor era que no veía ninguna salida. En casa todos estaban contra mí, y todo empeoró cuando Kashilingi me ordenó que dejase entreabierta la puerta de mi habitación. Hasta que un día, en el despacho, pedí a Kashilingi un cambio de destino. Él se puso a vociferar como un poseso y me amenazó con enviarme al frente del norte, ya que deseaba tanto un cambio.

El hombre de quien había esperado que se convirtiera en un segundo padre para mí se convertía en mi enemigo y yo no entendía nada. La situación estaba fuera de control y me era preciso encontrar una salida. Había empezado a abusar de mí desde el primer día que me hizo escolta suyo, pero era un hombre demasiado poderoso, tanto que ni siquiera así me atrevía a pensar mal de él. Prefería ver el lado positivo y acordarme de los favores que me concedía. Pero la realidad era demasiado fuerte y no me vi capaz de continuar soportándola. Todo empeoró cuando me llevó a una clínica cercana que se llamaba Kicement. Allí me hicieron cosas inenarrables, ni siquiera la parte que pude ver estando despierta. Yo era como una oveja que sólo sirve para balar «sí, señor» o «sí, *afande*». Ni siquiera hoy he aprendido a decir «no» todavía. Cada vez que se da el caso de tener que decir no, me invade el miedo, el temor a ser castigada o aborrecida. El estómago me daba calambres, pero él seguía abusando de mí, y cuando yo lloraba y decía que me hacía daño, contestaba:

–Lo haré despacio.

Todas las noches llamaba a la puerta. Una vez me fingí dormida y no abrí, pero a la mañana siguiente me preguntó:

–¿Por qué no abriste ayer? –Fue entonces cuando mandó que dejase la puerta entreabierta.

Yo no podía hacer nada. Estaba en sus manos, puesto que no tenía adónde ir ni nadie en quien confiar. Tendría que solucionarlo yo misma, puesto que no podía confiar en la compasión de nadie. No entendía a Kashilingi. Durante la noche abusaba de mí y al día siguiente me enviaba con recados para sus queridas. Y otros días me arrojaba a la cárcel. Le tenía miedo, y se lo tendré siempre porque nunca llegué a entender qué clase de hombre era. Es como si tuviese poder sobre mí. Yo me quedaba en la cama llorando y oyendo música hasta conciliar el sueño. La música era lo único que calmaba mi dolor. Kashilingi conocía mis sentimientos, puesto que yo lloraba todas las veces, pero él no hacía caso. Por una parte, confiaba en mí para que yo le guardase las espaldas; por la otra, me trataba como si yo fuese una esclava.

Una mañana me fingí enferma y me quedé en la cama. Estaba irritada sin saber por qué. Necesitaba hacer algo. Fui a la casa. Regina estaba sola, viendo la televisión. Saqué una lata de cerveza del frigorífico y me la bebí mientras ella me contemplaba en silencio. Regresé a mi habitación y no recuerdo nada más, sólo que estaba en el patio, delante del retrete, y lo ametrallaba como una loca con mi AK-47. Al poco se me pasó el pronto y oí a Regina gritar pidiendo auxilio. Dejé caer el arma y acudí corriendo. Estaba en el suelo, sujetándose el muñón de la pierna. Dijo que se había caído del sofá al verse sobresaltada por un ruido espantoso. Lloré para mis adentros, pero no le dije que había sido por mi culpa, sino que le mentí y le dije que se había derrumbado un muro en construcción en una finca vecina. A Regina se la llevaron al hospital para otra operación, y me quedé con ella hasta que el dieron el alta.

Nunca fue a Alemania; sólo la llevaron a un médico de la capital que hizo una prótesis para ella. Pero no le gustó, y prefería andar por ahí con las muletas. Regina empezó a ponerse gorda, lo que suscitó muchas dudas entre amigos y vecinos. Cierto día, estando en el despacho, me llamó el coronel Julius Kihanda y me preguntó si Regina estaba embarazada. Le contesté que no lo creía, porque desde el día en que salió del hospital no había vuelto a verla con ningún chico. El coronel puso cara de preocupación y, antes de despedirme, me ordenó que permaneciese atenta. Después del servicio fui a la habitación de Regina y le pregunté si las sospechas de Kihanda eran ciertas. Ella se echó a llorar y dijo:

–Todo es por culpa de Kashilingi.

No supe si esas palabras, que no acabé de entender, contestaban a mi pregunta o no. La dejé llorando y salí a hacer unas compras. En el camino de regreso oí que me llamaba el teniente coronel Moses Drago, que vivía en una casa vecina. Todo mi cuerpo tembló como presa de un ataque de malaria y las escasas compras me pesaron como si fuesen de plomo. Me quedé clavada, jadeando como una vaca fatigada, hasta que por fin me rehíce y conseguí acercarme. Él estaba tomando unas cervezas en su porche con un amigo suyo, el teniente coronel Peter Karamagi. Me hizo algunas preguntas a las que apenas pude responder, porque la excitación me embargaba. Antes de despedirme dijo que él no era tan peligroso como creían muchas personas y que sólo deseaba mi amistad. Me alejé muy orgullosa, pues acababa de dirigirme la palabra uno de los héroes más populares de la guerra. Lo que más me emocionaba de él eran los coches que conducía, siempre de colores vivos y con un claxon que mugía como un toro. Mi gran ilusión era dar una vuelta en uno de ellos.

Llegué a casa aún excitada y me dirigí a la habitación de Regina. Ella estaba triste todavía y no tenía ganas de hablar, de modo que me limité a ofrecerle un cigarrillo. Mientras fumábamos me dijo que era verdad que estaba embarazada. Le pregunté quién era el padre, pero no quiso decírmelo. Poco después dio a luz una niña. Jennifer comentó que la criatura se parecía a Kashilingi. Como Regina había guardado el secreto de su embarazo y no había dicho a nadie quién era el padre, las dos hijas de Kashilingi se morían de curiosidad. Una tarde, mientras estábamos todos sentados en la sala, Kashilingi la instó a decirnos la verdad. Regina puso cara de desesperación mientras la mirábamos a ella y al bebé que tenía en brazos. Ella se derrumbó, lloró y dijo que un guardaespaldas de Drago la había violado hallándose ella sola en la casa. Comprendí que estaba mintiendo, porque ningún guardaespaldas podía entrar en la casa de otro oficial y menos hallándose fuertemente custodiada. Además, de haber sido así, me lo habría dicho cuando me reveló su embarazo. Molesta, me puse en pie y me alejé de allí.

El día siguiente era sábado y todos se levantaron tarde excepto yo. Llamé a la ventana de la habitación de Regina y le exigí que me dijera la verdad o nunca más me sentaría a fumar con ella. Regina dijo que Kashilingi la había obligado a mentir, pero siguió negándose a confesar quién era el padre.

Más tarde, aquel mismo día, recibí la visita de mi hermana Margie y su novio. Antes de marcharse dijeron que se mudaban a Kabale, lo que me entristeció un poco. Pero me alegré cuando ella me confió que estaba esperando un hijo.

Empezaba a disfrutar de la vida gracias a mi amistad con Drago. A su lado me sentía tranquila y segura, al contrario de lo que me había ocurrido siempre con los hombres, y cuando no estaba con él, lo echaba en falta. Él me concedía todos mis caprichos y daba muestras de entender tanto mis grandes temores como mis grandes satisfacciones. Era un hombre de veinticuatro años que apenas sabía escribir su nombre, pero también uno de los menos egoístas que yo hubiese conocido. Cuando íbamos por ahí, hasta los soldados rasos se atrevían a hablarle como amigos y sin darle el tratamiento de teniente coronel Drago. Una tarde, mientras tomábamos un helado en una cafetería, sugirió que le solicitase a Kashilingi el traslado a su batallón. Sonreí con tristeza, sin responder.

Estaba de pie en la entrada hablando con *Sharp* cuando se presentó Drago. Éste le dio algo de dinero a *Sharp* para que no hablase, y nos marchamos en su Land-Rover. Me llevó a casa de un amigo y nos pusimos a ver películas. *Delta Force* me hizo perder la noción del tiempo y regresé a medianoche. Cuando llegamos, *Sharp* me dijo que Kashilingi había preguntado por mí varias veces, y para mi disgusto supe que se había ido de la lengua. Al día siguiente Kashilingi me llamó y me acusó de traicionarle. En esta ocasión me envío a los calabozos que había en la Casa de la República.

A las ocho de la noche oí la voz de Drago que ordenaba a los policías militares que me sacaran de la celda. Se quedó un rato con nosotros y antes de marcharse repartió algo de dinero. Eso fue suficiente para que los policías militares se hicieran amigos míos y pasamos la noche bebiendo. Cuando al otro día Kashilingi se presentó para liberarme del todo, yo no quería marcharme. Como apestaba a alcohol, contuve el aliento para no comprometer a mis nuevos amigos hasta que llegamos a casa.

Mi desesperación por la conducta de Kashilingi aumentaba día a día. Empecé a notar un aspecto de mi carácter que no lograba controlar. Maquinaba la fuga, pero sabía que aquel hombre con su autoridad podía convertir mi vida en un infierno. Necesitaba meditar a solas, pero apenas lo conseguía cuando él andaba cerca, de modo que apenas tuve ocasión.

Por la mañana, en el despacho, le solicité permiso para visitar a mi madre.

Él lo negó y yo me eché a llorar, gracias a lo cual cambió de opinión y le ordenó a Chris que me extendiera un pase para tres días. Corrí a casa de Drago, pero Kabawo, uno de sus escoltas, me dijo que había ido al norte para reunirse con su unidad. Regresé a casa después de hacerle prometer que a la mañana siguiente me llevaría con su jefe. Estaba tan excitada que aquella noche me acosté sin cenar. Además necesitaba poner a punto mis armas porque sabía que me encaminaba a un lugar peligroso. Me hice con cinco cargadores y me puse en marcha. Kabawo me esperaba en la puerta, y él también portaba su AK-47. Fuimos a la parada y tomamos el autobús hacia Lira. Cuando llegamos al puente de Karuma contemplé aquellas aguas espumosas tratando de no recordar lo que había ocurrido allí. Kabawo me sacó de mis cavilaciones enseñándome un elefante que caminaba tranquilamente por el arcén.

Pronto llegamos a Lira, la ciudad natal del doctor Obote. Se veían muchos edificios bombardeados. Los transeúntes presentaban un aspecto desvalido y pobretón. Cuando les hablabas, te contestaban de mala gana y algunos volvían la cara sin responder. Después de comer dimos con un transporte militar que iba a Kitugum. Eran muchos los soldados que pretendían subirse al camión y se disputaban los sitios. Había entre ellos dos tenientes que pretendían ir delante. Kabawo se puso a discutir con ellos para que yo pudiera ir delante, ya que el camión pertenecía a la brigada de Drago, y se salió con la suya.

Drago se alegró cuando nos vio y felicitó a Kabawo diciendo que era un hombre de confianza. Después de cambiarnos salimos a comer en un restaurante. Allí se nos unió al poco el administrador del distrito, que nos invitó a ir al club. Una vez allí, el encargado se apresuró a darnos unas mesas en el fondo de la sala, donde pasamos largo rato charlando y bebiendo.

A la mañana siguiente Drago ordenó al intendente de la brigada que matase un par de vacas y repartiese la carne con el rancho de la tropa. Todos los oficiales de sargento para arriba fueron invitados a sus aposentos y mientras los soldados preparaban los asadores, nosotros fuimos a dar una vuelta. El pueblo era mísero y no había gran cosa que ver. Las calles apenas estaban más transitables que las pistas del matorral. Muchos niños iban desnudos y con aspecto de no haberse lavado en varios días. Sin embargo, sonreían mientras pasaban por nuestro lado acarreando bidones con agua. El lamentable aspecto de todo aquello me disuadió de acercarme más al frente.

Regresamos al cuartel y entonces me tropecé con mi tío Caravel, quien me contó que estaba sancionado con arresto domiciliario. Drago se quedó aparte mientras hablábamos y eso le dio ocasión a Caravel para interrogarme. Le dije que Drago era amigo mío y nada más, pero no me creyó, y cuando le pregunté el motivo de su arresto, no respondió. Más tarde Drago me preguntó quién era aquel hombre y yo le aclaré que se trataba de mi tío. Entonces lo mandó llamar, pero el teniente que envió a por él volvió solo.

Mientras estábamos sentados alrededor de una fogata, Drago dijo a todos que dejaran de llamarle *afande*. Observé que estaba empezando a emborracharse. Uno de los sargentos quedó al cuidado de todo y comentó que le gustaría que todos los jefes fuesen como Drago. Luego fuimos dentro y nos quedamos escuchando cómo cantaban los hombres hasta el amanecer.

Por la mañana, durante el desayuno, sugirió que me quedara un día más. A mí me habría gustado, pero sólo tenía pase para tres días. Después fui a despedirme de Caravel y mientras hablábamos tuve el presentimiento de que no volvería a verlo. Eso me entristeció y abrevié la despedida.

Al cabo de un rato Drago dijo que regresábamos en un helicóptero militar. El aparato iba a aterrizar de un momento a otro. Nos despedimos de todos con buenos deseos de volver a vernos. Antes de llegar a Gulu aterrizamos en un descampado. Había muchos soldados muertos, tantos que apenas daba crédito a mis ojos. Separaron a los oficiales de los demás y cargaron los cuerpos en el aparato. Lloré para mis adentros pensando que a los soldados rasos les enterrarían en una fosa común. Los vivos caminaban con aire de fatiga. Parecían figuras espectrales, con los uniformes convertidos en harapos, y olían mal. Las bajas eran tantas que fue preciso llamar a otro helicóptero. Después de descargar a los heridos en el cuartel de Gulu continuamos hasta Kampala.

A las ocho estaba tumbada en mi cama. El macabro espectáculo que había presenciado no se me borraba de la mente, ni creo que lo olvide mientras viva. Me pareció que todas esas muertes eran inútiles. Al día siguiente, en el despacho, me fijé por primera vez en aquellas mujeres que hacían cola. Antes siempre pasaba de largo sin reparar en ellas: mujeres de distintas edades que venían a preguntar por sus hijos e hijas. Me acerqué a una de ellas. Llorosa, me dijo que hacía años que no tenía noticias de su hijo y más de un año que acudía a preguntar por él. Me figuré que el hijo de aquella mujer estaría muerto y enterrado como tantos otros, pero no entendía por qué las autoridades no informaban a los familiares. Mientras regresábamos a casa me pregunté si vería el día en que el NRA se tomase la molestia de indicar la localización de las fosas. ¿Acaso no se trataba de camaradas caídos peleando con valor?

DESPEDIDA INCENDIARIA

Transcurrió una semana desde mi regreso del norte. Corría el año 1989. Una mañana estaba yo de pie junto al Mercedes-Benz de Kashilingi, cuando un coche se detuvo al otro lado de la verja. Era Chris, que se apeó y me ordenó llamar a Kashilingi. Yo aduje que, como jefa de la escolta, antes necesitaba conocer el motivo de la visita. Él se enfadó creyendo que mi negativa era por venganza, sin admitir que yo sólo cumplía con mi deber. Estuvimos un rato discutiendo, hasta que por fin se avino a contar lo que ocurría. Corrí a darle la novedad a Kashilingi. El pánico se apoderó de todos y nos dirigimos en el coche a la Casa de la República. Estaba en llamas, y los mandos militares andaban por todas partes como patos mareados. Había una gran tensión en el ambiente y todos se miraban como queriendo formular la pregunta que, sin embargo, nadie se atrevía a expresar.

El incendio hacía estragos en la Dirección de Archivos, situada en el último piso, y muchos opinaban que el fuego había comenzado en ese lugar. También daban a entender que, por ser Kashilingi el director, debía asumir la responsabilidad de lo ocurrido. Él admitió haber perdido muchos documentos particulares, así como el dinero de la caja fuerte.

Fue suspendido de sus funciones, lo cual consideró una ofensa y una traición. Yo me preguntaba si habría sido el autor del incendio, como decían algunos, y en tal caso, por qué.

Entonces recordé que durante una conversación telefónica escuchada involuntariamente por mí, Kashilingi se había quejado, me pareció que al mismo Museveni, por no haber obtenido un ascenso al que creía tener derecho. Yo misma había contestado la llamada y la persona que llamaba preguntó por Kashilingi, no por el *afande* Kashilingi. Eso descartaba a todos los altos mandos, ya que sólo el presidente y el jefe supremo del ejército se atreverían a escatimarle el tratamiento. Por otra parte, la única persona que podía suspenderle de sus funciones era el presidente. Se me ocurrió que el instigador del incendio podía haber sido éste, porque sabía que era un hombre que siempre trataba de salirse con la suya costara lo que costase. Conclusión tal vez aventurada, pero, por otra parte, también es cierto que Kashilingi empezaba a ser demasiado poderoso.

A partir de entonces dejó de regresar tarde a casa y se empeñó en que la verja estuviera cerrada día y noche, a todas horas. A veces, durante el día, se quedaba horas sentado en su coche, casi como escondiéndose de algo y sin darse cuenta él mismo. Llegó un momento en que empecé a temer por mi vida, pues cualquiera sabía en qué acabaría todo aquello. Pasaban por mi mente las ideas más alocadas, como que alguna noche se presentaría un destacamento de soldados para fusilarnos a todos. Por este motivo hice a hurtadillas un agujero en la valla, para poder escapar en caso necesario.

Una mañana se presentaron dos oficiales de la Primera División de Rubiri con un pelotón. Eran el general de brigada Bamwesigye con su segundo, James Kazini. Éste impartía órdenes a todo el mundo en tono agresivo y parecía disfrutar de ello. Kashilingi fue obligado a entregar sus uniformes y su AK-47, aunque no le pidieron la pistola. Por primera vez vi lágrimas en los ojos de mi jefe; estaba segura de que aquello era su caída. La escolta y yo estábamos formados delante de ellos, y le dijeron que sólo podía quedarse con dos guardaespaldas y un conductor, que los eligiera. Los seleccionados fuimos Jamiru, Bogere y yo, cada uno provisto de su AK-47 y un cargador. Aquel hombre tan poderoso y tan temido parecía desvalido en aquellos momentos y su carrera, acabada. Era un golpe bastante grande para mí, y comprendí la necesidad de hacer algo antes de que fuese demasiado tarde. Sabía que pronto iban a hacerme muchas preguntas a las que yo no podría contestar. Por la tarde le pedí a Kashilingi que me dejara llevar mis pertenencias a casa de mi madre, lo que él autorizó sin titubeo. A primera hora de la mañana siguiente Jamiru y Bogere me ayudaron a liar el petate y me llevaron en coche a la parada del autobús. Llegué a casa de mi madre incólume, pero con lo que había sido mi mundo hasta entonces hecho pedazos.

Al tercer día regresé, pero las cosas nunca volvieron a ser como antes. Mi jefe desconfiaba de todo el mundo y se pasaba buena parte de la noche paseándose fuera de la casa. A mí me aburría el permanecer encerrada todo el día, hasta que me ausenté sin permiso y fui a la ciudad. Allí encontré a un mecánico, un amigo de Drago que solía arreglarle los coches a Kashilingi. Estuve viendo películas en su garaje hasta mediada la tarde, en que me devolvió a casa. Jamiru estaba de guardia detrás de la verja, con el arma terciada. Le ordené que me abriese, pero dijo que tenía instrucciones de no dejarme entrar. Quedé muy ofendida y decepcionada con aquel individuo, al que yo había protegido en varias ocasiones. Me pareció un traidor y no vi más solución que vengarme. Giré sobre los talones para que Jamiru creyera que me daba por vencida, rodeé la valla y entré por el agujero practicado. Fui a por mi arma, pero resultó que me la habían quitado. Frustrada, me senté en el suelo y dejé correr las lágrimas.

Por la mañana temprano fui a la entrada y le dije a Jamiru que llamase a Kashilingi. Éste andaba por allí, y al oírme se acercó a ver qué pasaba. Le pregunté por qué había ordenado no dejarme entrar, y él dijo que le constaba que yo había sido utilizada como espía contra él. Así las cosas, no repliqué nada más. Antes de marcharme grité:

–¡*Afande* Kashilingi! ¡Gracias por todo!

Fui a los cuarteles de Rubiri y me llevaron al despacho del capitán James Kazini. Éste me dijo que me presentara por la mañana, al toque de diana. Me pregunté a qué unidad me destinarían, pero de repente me imaginé a los oficiales esperándome babeantes allí dentro. Estaba arrepentida, confusa y sin saber adónde dirigirme. Decidí recurrir a Drago, que siempre sería mejor que mil leones.

Pocos días después supe que la casa de Kashilingi estaba rodeada por la policía militar. Al saberse arrestado llamó al presidente, pero Museveni se hallaba fuera del país. Sin desanimarse, llamó al nuevo jefe del ejército, Mugisha Muntu, quien negó tener conocimiento del arresto. Entonces Kashilingi tuvo miedo. Les preguntó por qué lo llevaban al cuartel de Rubiri y no al de Luzira o al cuartel general. Los soldados no supieron qué decirle y él adivinó que, si se confiaba a ellos, lo asesinarían en cualquier recodo. Kashilingi se plantó delante de ellos con el portafolios en mano y pidió que le dejaran ir en su coche al cuartel general. Ellos dijeron que tenían otras órdenes. En ese momento pasaba por allí el coronel Julius Kihanda, que los persuadió de conceder la petición de Kashilingi. Éste arrancó al volante de su Mercedes, seguido de cerca por la policía militar. Cuando llegó al cuartel, entró mientras la policía militar esperaba fuera. Pasaron dos horas, y entonces salió el jefe del ejército, que iba a almorzar. Al ver a la policía militar preguntó:

–¿Qué hacéis aquí? ¿Estoy arrestado?

–¡No, señor! Estamos esperando a que salga del despacho de usted el *afande* Kashilingi.

Entonces todos cayeron en la cuenta de que Kashilingi se había evadido. Se cursaron llamadas por radio a todas las unidades del país, y se dispuso la busca y captura de Kashilingi.

Pocos días después me encontré con una de sus hijas y dijo que habían tomado su casa. Los policías militares enviados a vigilar los movimientos de los niños se habían apoderado del edificio. A los críos se les prohibió la asistencia al colegio y la casa quedó convertida en un cuartel. Los pequeños, arrestados, no veían la calle más que a través de las ventanas. Suplicaron que se les perdonara la vida, pero como la casa estaba confiscada por el Ministerio de Defensa, a los hijos de Kashilingi los echaron a la calle, donde al poco se les vio vagando sin saber adónde ir.

Cuando lo supe me entristecí. No entendía por qué trataban a los niños como si fuesen enemigos. Pero no me quedaba mucho tiempo para compadecerme de los hijos de Kashilingi, porque las cosas empezaban a ponerse feas también para mí. Los del servicio de inteligencia me agobiaban a preguntas: «¿Por qué te has quedado? ¿Para espiar para él?». Me presionaban y decían que yo era sobrina de

Kashilingi. Me pregunté si eso significaría que era culpable de algo. En el fondo ellos sabían que yo no era pariente de Kashilingi, pero lo decían para intimidarme, a ver si me sacaban algo. Me incordiaban todos los días, y algunos insinuaron que me dejarían tranquila si les concedía mis favores. Mi amor propio, sin embargo, me ayudaba a resistir.

Uno de aquellos días me tropecé con el coronel Julius Chihanda, que iba a pie y en traje de paisano. Sorprendida, me acerqué y me contó que estaba suspendido por haber ayudado a Kashilingi. Empecé a hablarle de mi situación, pero él me dijo que me marchase, no fuese a comprometerle todavía más. Algunas de las personas en quienes más había confiado empezaron a eludir mi presencia. Poco después supe que un amigo de la infancia de Kashilingi, un capitán del que se sospechaba que le había ayudado a escapar, había sido torturado y apaleado hasta morir.

La noticia más terrible fue que el hermano menor de Kashilingi había muerto descuartizado en su casa de Rukungiri. En ese momento me convencí de la necesidad de hacer algo drástico para no correr la misma suerte. De improviso apareció por allí Drago, y al día siguiente fuimos a visitar la nueva brigada de éste en Anaka, cerca de Gulu. Cuando llegamos ordenó a los hombres de su escolta que encendieran una fogata. Nos sentamos a comer y le hablé de Kashilingi. Él no creía que fuese culpable, pero no comprendía por qué había decidido fugarse.

Al día siguiente la brigada fue trasladada a Koboko, un lugar próximo al pueblo natal de Idi Amin. Era una pequeña aldea cerca de la frontera con Sudán. Por la noche fuimos reforzados por el comandante Bunyenyezi y su brigada. Los de Sudán también estaban enviando refuerzos al otro lado del valle, por cuya vaguada discurría la frontera. Pocos días después fueron llegando más refuerzos por ambos bandos y se empezaba a intuir un enfrentamiento formidable. Lo único bueno de la situación era el aumento de la paga. Fue extraordinario ver cómo los reclutas desayunaban pollo. Las fuerzas presentes eran impresionantes, con un formidable despliegue artillero, a cuyas líneas no se les veía el final. Cuando resultó que la inminente guerra no iba a tener lugar, muchos soldados se mostraron más decepcionados que aliviados por la pérdida de los complementos. La brigada de Drago fue enviada a otro teatro de hostilidades, en el matorral de Gulu, y yo me fui a su casa en el cuartel de Gulu.

Tras algunos días de aburrimiento fui requerida por el jefe de la división, el coronel Peter Karim, quien me preguntó si sabía dónde estaba Kashilingi y me aseguró que, dondequiera que yo fuese, siempre me preguntarían lo mismo. Me cuadré y asentí. Salí inquieta y harta de preguntas. Empezaba a preguntarme si quedaría algún lugar tranquilo para mí. Varias semanas después Karim fue destinado a Kampala y le reemplazó el coronel Stanley Muhangi. Yo estaba planchándome el uniforme cuando entró un soldado y anunció que me llamaba el *afande* Muhangi. Con un estremecimiento y presintiendo con exactitud lo que quería, le dije al chico que comunicase a Muhangi que iría cuando terminara de planchar. Pocos minutos más tarde se presentó un teniente y me ordenó que le acompañase. Sorprendida, le dije que necesitaba ducharme. Él me esperó, empeñado en ser él mismo quien me condujera. Muhangi estaba aguardando detrás de su verja, pero cuando yo iba a entrar se oyó un helicóptero. Me volví, y cuando miré otra vez hacia la verja, Muhangi había desaparecido. El aparato aterrizó muy cerca de allí y bajó Drago, que pasó frente a mí sin verme y entró en casa de Muhangi. Aliviada, regresé a mi casa. Drago hizo acto de presencia al cabo de unos minutos. Pensé en contarle lo ocurrido, pero desistí temiendo que interpretase mal la situación. Meses más tarde me convencí de que había tenido mucha suerte cuando me enteré de que Muhangi había muerto de sida. No pude dejar de preguntarme a cuántas mujeres soldado habría transmitido la muerte antes de fallecer.

Pocos días después regresé con Drago al frente. Desde la toma del poder en 1986, Drago no había dejado de combatir, siempre trasladado de una unidad a otra y siempre en primera línea. En Gulu nos movíamos continuamente en largas marchas y cacerías de insurrectos. La guerra no había terminado para Drago ni para otros. Muchos niños soldado ex compañeros míos seguían combatiendo y ahora estaban tan fogueados como el mismo Drago, con la diferencia de que eran soldados rasos y nadie se acordaba de ellos. Muchos de mis ex camaradas eran huérfanos, habiendo perdido a sus padres en la guerra. Como no quedaba nadie que los echase en falta ni los reclamase, continuarían en el frente hasta el final. Si uno recibía un tiro o le cortaban un brazo o una pierna, lo enviaban al lazareto de Mubende. Y cuando había demasiados y no cabían más, las autoridades los echaban a la calle. Muchos, condenados a robar para subsistir, encontraban una muerte miserable.

Los habitantes de las aldeas acholi estaban considerados rebeldes. Muchos de nosotros sabíamos que no lo eran, pero daba igual. La inquina contra el ex presidente Obote continuaba invariable, y a los acholi les tocaba pagar el pato. El segundo de Drago hablaba kinyankole y se lo tomaba todo a ofensa. Para él, todo acholi era un rebelde y no merecía nada más que la muerte. No hacíamos prisioneros. Drago aborrecía este comportamiento. Aunque era un soldado aguerrido, en lo tocante a la población civil prefería no ensuciarse las manos. Muchos mandos le tomaron a mal esta actitud. Los oficiales de enlace eran todos más parecidos al segundo de Drago y hablaban su mismo lenguaje. Cierto día que Drago regresó de una reunión del Estado mayor con el presidente Museveni, se encontró con que habían atado a varios acholi de una manera muy dolorosa, con los codos a la espalda (lo que llamaban el «estilo Kandoya»). Muchos estaban moribundos o malheridos porque estaban dándoles de palos. Como no llevaban camisa, se veían las cajas torácicas a punto de estallar. Arrodillados e incapaces de articular palabra, sólo podían pedir clemencia con los ojos. Yo rogué que Dios me hiciera general en ese mismo instante, para poder prohibir semejante trato. Lo malo era que no se podía mostrar compasión con el enemigo, porque enseguida te acusaban de estar de su parte. Era mejor odiarlos, aunque en el fondo una supiera que aquél era un sentimiento impostado.

Drago montó en cólera y le soltó una filípica a su segundo. Después el comandante se fue a Kampala, y varios meses más tarde Drago fue trasladado del norte a Karamoja, en el frente oriental.

Cuando contemplo el pasado veo que pocos de mis camaradas han sobrevivido. Muchos murieron en los campos de batalla, otros de sida o fusilados, y los otros se suicidaron. Los buenos oficiales, como Benoni Tumukunde, Julius Ayine, Muntu Oyera, Silver Odyeyo, Kanabi o Katabarwa, por nombrar sólo a unos pocos, perecieron en accidentes de coche, en emboscadas, de sida o de enfermedades del pecho. Trato de olvidarlos, y a tal efecto saco un cigarrillo y me lo fumo, pero ¿cómo va a ser eso suficiente? Todos pelearon con denuedo por su país, y los supervivientes murieron después en territorio amigo. Espero verlos en un mundo mejor. Todos estos acontecimientos significaban que nunca se contaba con nadie a quien una pudiera confesar sus temores; los más próximos pasaban las mismas vicisitudes y, por otra parte, nadie tenía tiempo para escuchar. El que tuviese temores, mejor se los guardaba o moría con ellos. Todas las tardes teníamos que escuchar durante horas a los comisarios políticos que nos explicaban cómo debíamos dedicar alma y corazón a nuestros líderes. También se nos decía que los paisanos no sabían nada de nada y que no confiáramos en ellos. Se trataba de que cualquier cosa que ocurriera en el ejército quedase de puertas adentro. El soldado que hablase con un periodista o contase cualquier cosa a un civil cometía un delito. Los periodistas del periódico gubernamental *New Vision*, en cambio, tenían libre acceso a los cuarteles, pero contaban lo que les daba la gana.

Pasó algún tiempo y entonces ocurrió una cosa extraña: me harté de Drago. No sólo me molestaba todo lo que decía, sino también su manera de vestir y de comer. Él procuraba mostrarse atento conmigo, pero eso no significaba nada para mí. Hice el equipaje y me marché sin despedirme.

VIDA BAJO LA INJUSTICIA

Fui a la policía militar de Kampala y sentí alivio cuando supe que el jefe era el comandante Kaka, muy amigo mío y buena persona, a quien conocía desde los tiempos de la insurrección. Uno de los centinelas me condujo al despacho de Kaka y éste no permitió que me cuadrase, sino que me tendió la mano. Charlamos y le comenté mi deseo de ingresar en la policía militar. Él no se lo pensó dos veces y telefoneó a la Dirección de Archivos para disponer mi traslado. Todo marchó mucho más rápido de lo que me figuraba. Enseguida un oficial administrativo me indicó mi nuevo alojamiento. Tras deshacer mi equipaje volví al despacho de Kaka, que nos invitó a comer en un restaurante. Mientras comíamos me preguntó si yo era de Ruanda, con no poco espanto por mi parte. Di la callada por respuesta porque sabía que la contestación podía ser fatal. No entendí por qué lo preguntaba y tampoco quiso aclarármelo, por lo que al final dije que era mestiza. Él sonrió y después de almorzar fuimos a un bar. Estaba repleto de soldados tutsis de todas las graduaciones. El espectáculo era poco frecuente, pero tampoco logré entender su sentido. A la mañana siguiente, Kaka no compareció a la revista y el segundo oficial nos informó que había desaparecido con la mayor parte de su escolta. Quedé anonadada con esta noticia, que me pareció de mal presagio. Justamente cuando creía haber encontrado al protector idóneo, éste se esfumaba.

Semanas más tarde y en vista de que no había ocurrido nada funesto, empecé a disfrutar con mi nuevo destino. Nada me agradaba tanto como mi nuevo aspecto, con la boina roja y el cinturón a franjas rojas y blancas. El uniforme era realmente favorecedor. A otros, en cambio, no les gustaba tanto. Los policías civiles, los soldados rasos y el paisanaje nos odiaban y nos ponían motes como *kanywa omusayi* («chupasangre»). El encierro en los calabozos de la policía militar era muy temido, porque muchas veces no se salía de allí con vida. A mí me agradaba ser de la policía militar porque eso significaba que los oficiales del ejército no se atreverían a abusar de mí. Si lo hacían, tenían el tratamiento garantizado el día en que cayesen en manos de los PM. Yo me tomaba mi trabajo y mi grado muy en serio, y pronto me hice respetar por la mayoría. Pronto supe que corrían historias acerca de mí y de Sarah en los lugares más insospechados. Sarah era mestiza de no sé qué raza y de negra. Era mayor que yo y conducía un Mercedes Benz verde militar, propiedad del doctor Ronald Baata, ministro de Sanidad que tenía su despacho en la Casa de la República. Ella también lucía muy hermosa en su uniforme militar. Más tarde el doctor Baata prefirió a otro chófer y Sarah pasó bastantes apuros, hasta que se empleó con el capitán Jafali. Algún tiempo después murió de un aborto, hecho bastante frecuente.

Una mañana, durante la revista, el *afande* Biraro, comandante en funciones de la policía militar, nos dijo que el general Fred Ruigyema había caído en la batalla de Ruanda. Un estremecimiento de consternación, sorpresa y tristeza recorrió la formación. Aquella misma mañana me enteré del motivo de la desaparición de Kaka. Nos dijeron que estaba haciendo una gran labor en Ruanda con la mitad de los soldados tutsis del ejército ugandés que habían elegido luchar y comenzar una nueva vida en su país de origen, Ruanda. La repentina desaparición de Ruigyema me recordó a mis dos tíos, Caravel y su hermano menor M. M. Al mismo tiempo iba mascullando maldiciones contra Kaka por no haberme aclarado por qué preguntaba mi origen cuando estuvimos en el restaurante. Por eso me había perdido la oportunidad de ir con ellos. Pensé que debía buscar la manera de establecer contacto y hablar con ellos aunque fuese por última vez, así que les escribí una carta.

Cierto día, dando vueltas por la ciudad me tropecé con mi amigo *Happy* y con un ex guardaespaldas de Ruigyema. Me condujeron a una tienda cuya propietaria aceptó enviar mi carta y me dijo que volviese una semana más tarde. Así supe que Caravel había caído en el campo de batalla. Sólo podía esperar que hubiese sobrevivido M. M., pero mi temor era tan grande que no conseguí escribir otra vez.

Este conflicto íntimo me sumió en una depresión. Me sentía desvalida, sin nadie a quien confiarme, como si no fuese más que una pieza de un engranaje susceptible de ser reemplazada en cualquier momento. Me disgustaba contemplarme en el espejo porque me veía fea. Había echado una extraña barriga y en ocasiones deseaba no haber nacido. No obstante, cumplía con mis obligaciones, patrullando por la ciudad y revisando los pases de los soldados. Pronto empecé a oír comentarios sobre mi aspecto. Yo procuraba no darme por aludida, hasta que uno de los oficiales me preguntó si estaba embarazada. Eso me dio risa. Aunque tenía más apetito que nunca, sólo comía pollo asado porque el rancho me daba repugnancia. Cierto día, tumbada en la cama, noté un homirgueo en la barriga y supuse que había atrapado algún parásito intestinal, porque ni se me ocurría la posibilidad de que estuviese embarazada.

A la mañana siguiente fui al médico y éste me sugirió que solicitara una excedencia de seis meses porque, en efecto, estaba embarazada. Yo me pregunté: «¿Cómo puede un soldado en activo andar por ahí con un bebé en la barriga?». Costaba creerlo, pero la barriga crecía, así que finalmente no tuve más remedio que creerlo y empecé a asentir cuando la gente me preguntaba.

La excedencia me obligaba a buscar otro alojamiento, y Drago me lo procuró en casa de un amigo llamado Musa. Él estaba muy feliz, y dijo que si nacía una niña podría quedármela, pero que si era un chico él le daría todos sus apellidos, excepto el grado.

Pocas semanas después Margie me llevó una carta de mi hermana Helen, que estaba muriéndose de sida en casa de padre. En la carta decía que su temor más grande no era morir, sino hacerlo sin que yo estuviera presente como había prometido, aunque fuese en el funeral. Doblé el papel sin articular palabra. Ella me recomendaba ser fuerte y que no dejase que su desaparición me afectara en exceso. Era demasiada desgracia para asumirla y decidí olvidar. Margie y yo discutimos cuando dije que no podía ir. Me dijo palabras ofensivas, pero reconozco que yo también la insulté. El segundo día, antes de marcharse, dijo que no quería volver a verme nunca más, pero yo sabía que me perdonaría tarde o temprano.

Pasaron varios días deprimentes y luego fui al hospital para una revisión. Había muchos pacientes en la sala de espera y Musa me dejó allí diciendo que pasaría a recogerme más tarde. El médico puso cara de sorpresa cuando me examinó, y caminó de espaldas en dirección a la puerta, diciendo que no me moviese. Pronto regresó con dos enfermeras que me llevaron a la sección de maternidad. Me senté en la cama, contemplando divertida el ajetreo de aquellas personas, todas mayores que yo, por cierto. No notaba nada, aunque me habían dicho que estaba a punto de parir. Me preguntaba si sólo sería cuestión de tumbarme en la cama y esperar a que saliera la criatura, como cuando se descorcha una botella. «Y todas esas mujeres que gritan –pensé–, ¿será por nerviosismo o para que se entere todo el mundo de que están dando a luz?» Entonces se presentó un doctor blanco que me examinó y les dijo a los otros médicos que me observaban que las contracciones no venían y que sería preciso ayudarme. ¡Y vaya si vinieron entonces los dolores! Me tocó gritar también y daba saltos por la estancia completamente desnuda. Hasta que me dio vergüenza al ver que las demás permanecían en sus camas, y me mordí los dedos tratando de no gritar. Creo que decidí que no iba a parir, pero cuando me hallaba ya en la escalera tratando de huir, varios médicos y enfermeras me atraparon.

Hacia las once de la noche del 3 de marzo de 1991 nació mi hijo. La diferencia con otras muchas mujeres soldado fue que la criatura iba a tener un padre que asumía su responsabilidad en vez de renegar de ella. Había conocido a muchas mujeres que tenían tres hijos o más, y sin apenas nada que ponerse, cosa que no me reconciliaba precisamente con el ejército. Ahora que tenía un niño que era para mí la cosa más preciosa del mundo empezaba a entender a esas mujeres. Muchas éramos demasiado jóvenes para ser madres. Pero, en fin, en el NRA no había edades. Una niña soldado no estaba autorizada a decir «esto no puedo hacerlo porque soy una niña». Demasiadas niñas tuvieron que arreglárselas para ser madres y padres todo en uno.

La mañana siguiente recibí la visita de Drago con toda su familia. Los ojos se le iluminaron cuando tomó al bebé en brazos. Por la tarde nos llevaron a casa de Musa, y dieron una fiesta que estuvo enormemente concurrida. Yo no hice caso de nada, porque me hallaba con el pensamiento en casa de mi padre. Los dejé que se divirtieran y fui a acostarme. Mi amor era tan grande que lloraba cada vez que el bebé lloraba. Al mismo tiempo encontraba en él esperanza y energía. Cuando estuviese triste, no tendría más que mirar su semblante para sonreír.

A los seis meses acabó el período de excedencia y cuando regresé a mi unidad empecé a contemplar de otra manera a aquellas mujeres. Una de ellas, no mucho mayor que yo, era cabo primera y había tenido dos criaturas casi seguidas. Ella contempló un momento a mi hijo y luego al que llevaba en brazos, y dijo:

–Apenas sé quién puede ser el padre.

Nadie les preguntó si deseaban ser madres, ni aquellos oficiales demostraban la menor intención de asumir su parte de responsabilidad. Durante la revista de la mañana, mientras pasaban el comandante y el resto de los oficiales, se oían dentro del cuartel los llantos de las criaturas que echaban en falta a sus madres, alineadas en la formación. Pero ninguno de aquellos jefes daba muestras de escuchar la voz de la sangre. A continuación empezábamos a cantar, sofocando los llantos, y nuestras caras felices tal vez engañarían a muchos. Nuestras caras serían infantiles, pero nuestros huesos eran de hierro. Con todo, un observador atento habría captado el dolor escondido. Los espectadores, al oir los himnos y al vernos con las armas al hombro, pensarían tal vez que era una gran vida aquella y nos envidiarían. Pero la realidad oculta no la veía nadie.

La unidad de artillería del cuartel de Bombo tuvo que ceder espacio para una «sección de mujeres» del ejército ugandés. Como si alguien, tratando de olvidar, quisiera barrer debajo de la alfombra a todas aquellas madres solteras, como hacemos cuando nos falta tiempo para llevarnos la porquería. No digo que la intención no fuese buena, pero una se preguntaba por qué, para empezar, no habían tomado medidas a fin de evitar que todo aquello ocurriese. Y además, aunque la intención fuese buena, no me parece acertada la idea de juntar en un mismo lugar a tantos espíritus quebrados. Por propia experiencia sabía que se acusaban a sí mismas incluso más que al verdadero autor de los abusos. Nada cambió, y ahora estoy segura de que las mujeres soldado del NRA no eran más que el cebo que Museveni les echaba a sus militares, como quien da de comer a leones hambrientos. La «sección de mujeres» no tardó en quedar abarrotada, por lo que licenciaron a muchas dándoles una ridícula paga de 500 dólares y una barraca de chapa ondulada. Los del NRA parecían creer que 500 dólares eran muchos para unas simples mujeres, pues los abonaban en dos plazos. Y como se olvidaron de darles tierras de labor, supongo que lo primero que harían ellas sería revender la barraca. Con la cantidad mencionada, una madre con dos hijos que mantener podría sobrevivir unos dos meses. Además, dicho sea de paso, no fue ése el único método empleado para deshacerse de ellas. A partir del momento en que la guerra dejó de ser el problema principal del país, muchas fueron declaradas no aptas para el servicio por las más peregrinas razones. Es verdad que algunas estaban empezando a enloquecer, y era frecuente que ametrallasen a sus compañeros antes de volver el arma contra sí mismas. Muchas murieron de esa manera, pero ningún dirigente tomó nota, ni siquiera cuando sucedía ante sus propias narices.

De manera que debo considerarme una de las más afortunadas madres del NRA, puesto que contaba con un padre solícito y tenía un puesto en la policía militar.

Nunca disfrutaremos de este mundo ni lo contemplaremos como lo ven los demás, aunque caminemos por las mismas calles.

Fue una contrariedad para mí que nombrasen nuevo jefe de la policía militar al teniente coronel James Kazini. No se necesitaba más que mirarle a los ojos para ver que era un hombre sediento de sangre. Supongo que ambicionaba el cargo, hasta que lo consiguió. Antes de Kaka el oficial al mando había sido Silver Odweyo, al que sacaron de su despacho para arrojarlo al corredor de la muerte en la cárcel de Luzira, donde pereció tras haber sido acusado de traición por el mismo Kazini, por entonces el segundo en el cuartel de Rubiri. La acusación consistió en que Odweyo había intentado hacerse con claves secretas sobornando al operador de radio. Odweyo era uno de los muchos oficiales que habían servido a las órdenes de Obote, con lo que era víctima fácil de cualquier trama. Él negó la acusación, pero Museveni prefirió escuchar a Kazini, como solía. Por mi parte, todavía tengo mis dudas sobre si Kazini recurrió a la calumnia para aumentar su poder o si Odweyo, oriundo de una de las regiones del norte donde era más fuerte la resistencia contra el régimen de Museveni, realmente había cometido la imprudencia de exponerse a ser atrapado en pleno acto de traición.

Inmediatamente Kazini se dedicó a cambiar el reglamento de la policía militar, y los derechos de los presos fueron reducidos a la insignificancia. Había muchos enfermos, pero él prohibió que fuesen hospitalizados. Hacía frío en las celdas y los presos dormían en el suelo de cemento, sin mantas y la mayoría de ellos en ropa interior, excepto los oficiales, y el rancho era de pésima calidad. Empecé a sospechar que Kazini era el responsable de que muchos perdieran la vista y empezaran a orinar sangre. Los procedimientos de Kazini me abrieron los ojos y fue entonces cuando presté atención a los horrores de aquellas cárceles. Supe que muchos presos ni siquiera sabían por qué estaban encerrados y que muchos llevaban años en espera de juicio. A algunos los conocía de las campañas en que yo había participado, y me constaba que muchos de los que ahora mendigaban un cigarrillo eran héroes que habían luchado por la libertad.

Muchos murieron allí, y la tortura era uno de los pasatiempos favoritos de James Kazini. Contaba con la ayuda de su segundo, el cabo Kinyata, un muchacho palurdo y en extremo brutal con quienes le desagradaban. Se había hecho el amo de toda la unidad respaldado por la autoridad de su jefe, e incluso pegaba y torturaba a los suboficiales del mismo Kazini.

Este sujeto no fue mucho problema para mí, pero el nuevo brigada se empeñó en acostarse conmigo y, como me negué, me obligó a compartir la habitación con otra mujer soldado que tenía el grado de cabo. Como yo necesitaba una niñera, cuatro personas eran demasiadas para aquel cuartucho y de noche apenas se podía respirar. Me preocupaba la salud de mi hijo y empecé a darle la lata a mi compañera de habitación para ver si la obligaba a mudarse. Por otra parte, el brigada no desistía de sus intenciones y andaba buscando un fallo mío, que finalmente cometí. Estaba comiendo y una vez más había olvidado ponerme la boina. Entonces él me llamó la atención y me preguntó dónde la tenía. Me toqué la cabeza y exclamé:

–¡Maldita sea!

Él llamó a un sargento y me ordenaron que me revolcase en el barro, después de lo cual me puso siete días de arresto. Él mismo se encargó de vigilar que cumpliese el castigo. El uniforme se me manchaba de leche y sentí deseos de ametrallar al brigada y a toda su familia, pero por amor a mi hijo me abstuve de hacerlo.

Una tarde, recién finalizado el arresto, estaba en la habitación dando el pecho a mi hijo cuando se presentó Drago inesperadamente. Cuando vio aquel cuarto atestado de camas y con las armas apoyadas contra la pared, montó en cólera y me reprendió por no haberle dicho nada. Esto me sorprendió, porque estaba acostumbrada a no quejarme en vista de que nadie hacía caso de mis problemas. Drago se empeñó en trasladarme a casa de un amigo suyo, el oficial Peter Karamagi, que tenía una espaciosa residencia a las afueras de la ciudad. Antes de marcharse me dejó algún dinero para que comprase los muebles.

Al día siguiente cargué todas mis pertenencias en una camioneta y partí con mi hijo y la niñera. La casa consistía en cinco habitaciones grandes, con cocina, baño y ducha. Detrás de la casa estaban las dependencias de los guardaespaldas, que me acostumbré a visitar siempre que me aburría. Karamagi tenía un pupilo, un muchacho muganda llamado Tim, que ocupaba una de aquellas habitaciones. Pronto nos hicimos amigos. Tim vivía en aquella casa desde antes que el propio Karamagi y conocía muy bien la comarca, especialmente dónde tenían su consulta los brujos. Yo deseaba con desesperación el ascenso a oficial, de modo que Tim se ofreció a acompañarme y fuimos allá. Lo primero que vi fue una vaca increíblemente lozana y un jardín lleno de críos. Me sorprendió que el brujo sólo tuviese dos mujeres. Con grandes aspavientos y mucha ceremonia se presentó a sí mismo como Muwanga.

Entré en un barracón oscuro y bastante desvencijado, y lo primero que dijo fue que dejase el dinero sobre un pellejo de vaca. Antes de preguntarme qué me llevaba allí, escupió sobre el dinero. Quedé sorprendida por su extraordinaria puntería y sobresaltada por unos extraños ruidos y movimientos que se advertían al otro lado de una cortina. Él dijo que detrás de aquella cortina se hallaban los espíritus y que éstos recomendaban para mi caso tres clases diferentes de medicina.

–De la primera, debes inhalar el humo. La segunda es para echarla en el agua en que te bañas. Y la tercera debes colgarla de un árbol delante de tu casa a las seis en punto de la tarde sin que nadie te vea.

Iba a mencionar la dificultad de esta última condición, pero él me advirtió que no me quejase o echaría a perder la eficacia del conjuro.

Antes de las seis me planté delante de la casa y me puse a vigilar los movimientos de la gente. Un poco antes de la hora empecé a trepar con la bolsita de la medicina entre los dientes. De pronto se quebró una rama debajo de mi pie y el susto me obligó a abrir la boca. La medicina cayó al suelo, así que tuve que bajar a recogerla. Dándome cuenta de que había sido vista, fingí que había perdido el reloj. Poco después de las seis, la medicina quedó colgada a buena altura. Lo del baño fue más fácil, pero a la hora de quemar la primera medicina temí que alguien me viese y cerré la ventana de la habitación, ahogándome casi con el humo.

A la mañana siguiente la bolsita había desaparecido del árbol. Ahora estaba casi segura de conseguir el ascenso en cuestión de semanas. Lo necesitaba con desesperación para no tener que seguir soportando las insinuaciones del jefe y de otros oficiales. ¿Cuántas cosas me atreveré a contar? El recuerdo sólo sirve para hacer revivir el dolor. Pasaron tres semanas y ni rastro del ascenso. De nuevo fui a ver a Muwanga. Después de hablar él me dejó a solas un instante.

Sentí curiosidad por ver los espíritus, descorrí la cortina y me topé con unos ojos que me miraban fijamente. Eran de un perrazo grande, que estaba allí tumbado, al parecer, desde hacía siglos. Él se limitó a mirarme un momento y luego apoyó la cabeza sobre una pata y se olvidó de mí. Enfurecida, reclamé al instante mi dinero y un poco más por las molestias, a lo que Muwanga accedió sin titubeos en vista de mi uniforme.

Cierto día Kazini me llamó a su despacho y me enseñó una carta para preguntarme si identificaba la firma como perteneciente a Kashilingi. Como sabía que aquel hombre era capaz de todo, le contesté que no lo sabía con seguridad. Él me miró a los ojos y dijo que le parecía que estaba mintiendo para proteger a mi tío. Kazini sabía perfectamente que Kashilingi no era mi tío, pero era su manera de tratar de intimidarme. Muchos de los que le conocían aseguraban que fumaba toda clase de estupefacientes, de ahí su humor tornadizo y que muchas veces dijera cosas incomprensibles. Se trataba en efecto de la firma de mi ex jefe, pero no me atreví a decirlo. Tal vez supondría que, puesto que conocía su firma, también sabría dónde se ocultaba. Antes de despedirme dijo que Kashilingi acababa de ser capturado. No lo creí, ni me importó. Lo único que me preocupaba era pensar que me había convertido en blanco de las intrigas de Kazini. Salí muerta de miedo y deseando que se olvidara de mí cuanto antes.

Al día siguiente, después del almuerzo en el comedor de la policía militar, a pocos metros de mí estaba un sargento leyendo el periódico gubernamental *New Vision*. Él me miró y adiviné que pasaba algo raro. Me acerqué y él intentó apartar el periódico, pero luego cedió y me enseñó el titular: «Kashilingi arrestado».

Poco después llegó un convoy militar lleno de soldados armados hasta los dientes. Conducían a toda velocidad, de modo que no pude ver si llevaban realmente a Kashilingi. Me limité a desear que fuese otro. Si Kashilingi estaba arrestado, era de temer que me tocase pronto a mí. Los soldados acordonaron el lugar mientras otros corrían arriba y abajo. Parecía que el detenido fuese el mismísimo Idi Amin. Yo no podía hacer otra cosa que quedarme y mirar.

Al poco llegaron más coches con oficiales de alta graduación, y mi miedo aumentó porque aquello empezaba a cobrar muchos visos de ejecución inminente. Muchos compañeros me miraban, curiosos por saber qué impresión me causaba el arresto. Para evitar preguntas pensé retirarme, pero habría sido como ocultarse en las fauces del león. Además deseaba ver a Kashilingi. Al fin apareció entre los oficiales, pero encadenado de pies y manos, descalzo y vistiendo lo que parecía un pijama, como si lo hubieran sacado de la cama. Kashilingi se había portado mal conmigo, pero cuando vemos que una persona va a morir dan ganas de llorar aunque no sepamos bien por qué. Quise esconderme en el retrete, pero Kazini envió a por mí. Me armé de valor para no flaquear en presencia de los oficiales y los contemplé mientras se mofaban de Kashilingi. Uno de ellos me preguntó por qué no lo había dejado nunca, y como no supe qué contestar, se volvió hacia Kazini y le aconsejó que no me quitara ojo, no fuese yo a facilitarle la fuga a Kashilingi. El drama continuó y me obligaron a mirarle a los ojos mientras le decía que su intento de escapar había sido una estupidez. Y cuando me eché a llorar, uno de ellos me dijo que no llorase por un traidor al NRA.

Después de la humillación lo metieron en una celda de castigo de un metro por dos sin ventanas. Era imposible escapar de allí, pero lo dejaron esposado de todos modos. Ya no volví a verlo, salvo cuando me tocaba el servicio de guardia.

Un par de semanas más tarde vino a mi encuentro un preso y sacó una carta que traía escondida en los pantalones. Dijo que era de Kashilingi. De momento no pude hacer más que guardármela y buscar un lugar seguro. La carta iba dirigida al general de división Salem Saleh e incluía instrucciones para mí sobre cómo entregarla. Yo ignoraba si podía confiar en aquel preso, porque era bien posible que le hubiese enseñado la carta a Kazini para sacar algún provecho personal. Aquella noche estaba de servicio, pero apenas había nada que hacer, de modo que me dispuse a llevarle la carta a Saleh. Era íntimo amigo de Kashilingi y yo lo consideraba un héroe de guerra. Al amanecer regresé a casa, le di el pecho a mi hijo y me dirigí a la sala, donde estaba desayunando la novia de Karamagi. Me senté a su lado y mientras ella terminaba el desayuno, le enseñé la carta diciendo que era preciso entregarla ese mismo día. Ella me aconsejó que ni se me ocurriese llevar la carta, de modo que me la tragué y volví a acostarme. Pocos días después de este episodio, un oficial de la policía militar me llamó a su casa y me contó que él y otros oficiales habían tenido una reunión con Kazini y que éste los había interrogado acerca de mí. En resumen, quería saber si yo sería capaz de colaborar en un intento de fuga de Kashilingi. Algunos contestaron que no, pero otros vacilaron. Entonces Kazini les anunció que iba a tenderme una trampa, a ver cuáles eran mis verdaderos sentimientos acerca de Kashilingi. Pero no dijo nada más ni explicó en qué iba a consistir. Aquel oficial conocía a Kashilingi y yo recordaba haberlo visto varias veces en casa de éste. Yo era una de las pocas personas que conocían de esa relación.

Entonces me mandó llamar Kazini, y esta vez yo estaba decidida a darle una buena demostración. Me preguntó si deseaba visitar a mi ex jefe, y cuadrándome contesté:

–*Afande*, odio a Kashilingi tanto como usted, puesto que ha traicionado al NRA. No quiero tener nada que ver con él, señor.

Él, sentado detrás de su escritorio, se balanceaba lentamente con las manos apoyadas en la mesa. Yo me mantuve firme observando su piel clara y los ojos que se le empequeñecían como los de una cobra a punto de atacar. Entonces mandó llamar al teniente Ruhinda, y cuando éste apareció, oí el tintineo de un gran llavero. Era un sujeto alto y flaco, con una larga nariz en medio de una cara también larga. Solía mostrarse muy amigo de todo el mundo, excepto cuando se hablaba con él desde el otro lado de una reja. Tan pronto como llegó, Kazini le ordenó:

–Llévala a la celda de Kashilingi y que hablen todo lo que quieran.

Al principio me sorprendí, pero como era una orden tuve que obedecer. Entre el despacho de Kazini y los calabozos mediaba cierta distancia, así que dispuse de tiempo para reflexionar. Cuando Ruhinda entró en la sección de los calabozos, yo eché a correr y permanecí el resto del día en las calles de la ciudad. La actitud de Kazini me hizo pensar que aquel individuo maléfico buscaba lograr un ascenso gracias a mí, creando las apariencias de un intento de fuga de Kashilingi que él, naturalmente, habría abortado personalmente gracias a su diligencia.

Pocos días después Kazini dispuso mi traslado de Kampala al puesto del puente de Karuma, el único lugar donde la policía militar tenía un destacamento. Por consejo de un oficial fui al despacho de Kazini con mi hijo en brazos, pero no me dejó ni hablar y me echó. Karuma era todavía un destino peligroso. Quedaban algunos rebeldes, pero lo peor era el clima, malsano y con abundantes plagas de mosquitos y de la mosca tsetsé. Kazini lo sabía, pero obviamente no le importó. En fin, dejemos lo de James Kazini, pero no querría dejar pasar la oportunidad de mencionar que recibió la recompensa debida por sus desvelos. Tardó menos de un año o dos en ascender de capitán a general de división, pasando por delante de todos sus compañeros de escalafón.

Llevaba yo pocos meses en Karuma cuando supe que Kazini había ascendido y que estaba destinado en Gulu, al mando de la Cuarta División. Para mi asombro, como jefe de la policía militar había dejado a su escolta el cabo Kinyata. Kazini, que utilizaba a Kinyata, sabía sin duda que éste era odiado en todo el cuerpo. Le hicieron la vida imposible y no sé qué habrá sido de él, pero Kazini es ahora general de división y jefe supremo del ejército.

UN SOLO CORAZÓN Y MUNDOS SEPARADOS

Mi hijo cumplió nueve meses y, como no quería dejarlo con la familia de Drago, lo llevé a casa de mi hermana Margie. Después de contarle lo que ocurría, ella se avino a quedarse con el niño, pero su marido se opuso diciendo que no quería cargar con un chico de tan corta edad. Margie me acompañó a un orfelinato y hablamos con una mujer que aceptó hacerse cargo. Cuando volvimos a casa, mi cuñado había cambiado de opinión, de modo que al otro día salí hacia Karuma contenta y sintiéndome un poco más fuerte.

La carretera de Karuma a Pakwach pasaba por un parque nacional donde los rebeldes tenían uno de sus reductos. Todas las mañanas acudíamos a uno de los controles de carretera a esperar la llegada de los vehículos civiles. Nuestra misión consistía en escoltar a los paisanos, cuyo destino solía ser Arua, la población natal de Idi Amin. Me agradó la estancia en Karuma no por las condiciones climáticas, sino porque teníamos un buen comandante de destacamento y porque lo pasaba bien con mis compañeros sargentos. Uno de ellos, Stephen, más tarde llegó a ser casi como un hermano para mí. Juntos nos encargábamos de la escolta. Sin embargo, no le conté nada de mi ajetreada vida, porque no olvidaba que un amigo fácilmente se convierte en enemigo. Nuestro trabajo era peligroso y se había cobrado muchas vidas. Todas las mañanas mis compañeros y yo nos comíamos medio pollo, conscientes de que podía ser nuestra última comida. Yo había llegado al punto en que me importaba poco morir, pero debía seguir esquivando las balas a causa de mi hijo. Otra dificultad de aquellas misiones era la necesidad de controlar a los paisanos, que sólo pensaban en sus urgencias y no reparaban en el peligro. Se viajaba muy despacio a causa de la caravana de camiones, y los que conducían automóviles potentes perdían la paciencia. Todos los días nos veíamos en la necesidad de apalear a algún conductor imprudente que hacía que peligráramos todos; odiábamos ese tipo de desobediencia. En aquella carretera habían caído muchos camaradas protegiendo a los civiles, así que cuando éstos discutían nuestra autoridad, nos poníamos furiosos. No niego que yo debí de ser de los peores, convencida como estaba de que los palos eran el único medio para hacerlos entrar en razón. Los hubo que se negaban a emprender el viaje cuando sabían que yo estaría de servicio.

La razón principal para evitar la disgregación del convoy era reducir al mínimo el número de bajas en caso de emboscada. Por eso iban los camiones delante, seguidos de los coches particulares y, cerrando la marcha, los autobuses cargados de pasaje. Una de aquellas mañanas, mientras nos disponíamos a partir, se me acercó un chico, un soldado que apenas tendría doce años, queriendo decirme algo. Yo andaba muy ocupada y no le hice caso, pese a que me siguió todo el rato mientras yo distribuía a los soldados en los camiones. Ese día hubo emboscada y el muchacho fue de los que cayeron, derramando su preciosa sangre sobre mi uniforme. Me aborrecí por no haberle escuchado y lloré. Estuve mucho tiempo pensando en qué habría querido decirme. Su muerte me afectó mucho y casi a diario pensaba en la mía. Así pues, acudí al comandante del destacamento y le rogué que me permitiera saltarme un par de aquellos turnos de escolta.

Entonces me asignaron la supervisión de los soldados de Karuma, especialmente en los dos puestos de control que vigilaban los dos lados del puente. En el destacamento sólo había dos chicas, y yo era la única mujer sargento, con mando sobre varios cabos veteranos. Esto me obligaba a ser dura como una roca para conseguir que se cumplieran mis órdenes. Una tarde, mientras inspeccionaba uno de aquellos controles, me dijeron que el oficial al mando había abandonado el puesto. Fui al centro de la población, donde encontré a aquel cabo tomándose unas copas. Cuando le dije que estaba arrestado me amenazó con pegarme un tiro, y delante de todo el mundo me obligó a arrodillarme y suplicarle, mientras su querida me hacía burla. Comprendí que él estaba dispuesto a cumplir su amenaza si no le obedecía. Al cabo de un rato se desentendió de mí, y ése fue su error. Hirviendo de rabia, regresé al puesto de control y ordené a dos soldados que fuesen por él, lo desarmasen y lo condujesen a mi presencia. Los soldados regresaron diciendo que no habían podido hacerlo porque el cabo llevaba el arma al hombro. Se estaba haciendo tarde, por lo que, antes de regresar al campamento, les dije a los soldados que me trajeran arrestado al cabo a primera hora de la mañana. Aquella noche no pude dormir. No hacía más que dar vueltas en la cama recordando la humillación que me había infligido el cabo en presencia de gran número de paisanos. Por la mañana, los soldados lo llevaron a mi presencia. Ordené que se tumbara boca abajo delante de todos. Luego lo rodearon varios soldados armados de varas recién cortadas en el matorral y lo apalearon hasta romper diez varas.

Pocos días después de este incidente y estando de guardia en uno de aquellos puestos, apareció una furgoneta blanca todoterreno. Al volante iba un hombre blanco, y mientras los soldados inspeccionaban el vehículo, él se acercó y, tras presentarse como Paul, me invitó a un trago. Dijo que era norteamericano y colaborador del World Food Program de Kenia. Era alto y llevaba el pelo largo, que le daba cierto aire de bucanero. Preguntó que cómo había entrado yo en el ejército, pero no se lo conté porque sabía que estaba prohibido comentar los asuntos del ejército y menos con un blanco. Paul quiso saber si aquella vida me hacía feliz, a lo que contesté que sí con una sonrisa. Para cambiar de conversación le pregunté si él tenía hijos, pero eso no evitó que él me preguntase cuánto tiempo llevaba en el ejército. Las preguntas de Paul se volvían cada vez más indiscretas, por lo que me puse en pie diciendo que tenía cosas que hacer. Pero antes de marcharse, él dijo que podía encontrarle en el hotel Acholi Inn de Gulu. Pensé que aquel hombre podía ser mi oportunidad para alcanzar una vida mejor, porque por entonces yo creía que no había nada imposible para un hombre blanco. Rápidamente fui al despacho del comandante y le dije que acababa de recibir un mensaje de Drago reclamando mi urgente presencia en Gulu. Sin titubear, él me concedió un día de permiso.

Regresé al control de carretera y me hice conducir por el primer vehículo que vi. En menos de lo que se tarda en contarlo me planté en la recepción del hotel. El empleado vio mi uniforme y dijo que no podía dejarme pasar. Estaba yo empezando a perder la paciencia cuando apareció Paul, que se sorprendió al verme de uniforme y me aconsejó que comprase ropa de paisano en el pueblo. Al cabo de un rato nos reunimos en el restaurante del hotel, que a mí me pareció cosa de otro mundo. Todo estaba perfectamente organizado, desde las mesas hasta la manera de comer. Todos estaban sentados con la espalda bien erguida, comiendo despacio, de una manera ceremoniosa y usando cubiertos. Sin hacer caso, decidí servirme de mis manos como lo haría cualquier persona normal. Paul, sonriendo, me dijo que por qué no lo intentaba con el cuchillo y el tenedor. Lo hice pero desistí cuando se me escapó un trozo de carne por tercera vez. Regresamos al bar y entonces comenzaron las preguntas. Quiso saberlo todo: mi edad, mi vida en el ejército, la fecha de mi ingreso. Lo que más le extrañaba era mi graduación, porque no la veía congruente con mi edad. En su país, dijo, normalmente un sargento no tendría menos de treinta años. Todas las preguntas que me hizo eran de las que teníamos prohibido contestar, así que desconfié y respondí con un montón de mentiras. Él dijo que volveríamos a vernos y que en tal día le esperase en el control de carretera, ya que pasaría otra vez por allí en su retorno de Sudán a Kenia.

Paul continuó hacia Sudán, y poco después yo volví a Karuma. Me acordaba mucho de él y realmente deseaba verle otra vez, pero mi esperanza de ser salvada por él se había desvanecido a causa de la desconfianza que sus preguntas me habían suscitado. Sin embargo, necesitaba un amigo. No olvidaba la fecha del prometido regreso y ese día me planté en el control a las siete de la mañana, con la mirada fija en la dirección de Sudán. Él apareció con un montón de regalos, aunque muchos de éstos eran de dudosa utilidad para mí. Allí estaba yo, rodeada de cremas faciales y lociones corporales, una linterna y una caja grande de pastas. Dijo que regresaba a Estados Unidos y que ignoraba si volvería. Cuando se marchó me dejó anegada en lágrimas. Entonces lamenté no haberle contado nada sobre mi desdichada vida.

Volví a las misiones de acompañamiento del convoy, y la primera mañana iban en la fila muchos camiones viejos. Uno de ellos tuvo una avería. Me acerqué al conductor y le dije que se quedase allí, en espera del convoy siguiente. Él dijo que no era nada, que lo arreglaría enseguida. Como aquel camión andaba muy despacio, le ordené que pasara a la cola y me subí con otros seis soldados, uno de ellos provisto de un lanzagranadas. El sargento Stephen se colocó a la cabeza del convoy. Cuando estuvimos en plena zona de peligro, el camión se detuvo y el chófer se metió otra vez debajo del vehículo.

En esa expedición no llevábamos megáfono ni radio, y no tenía manera de decirle a Stephen que se detuviese. Disparé al aire, pero la cabeza siguió avanzando y el apuro empezaba a ser importante, porque yo no quería arriesgar la vida de ninguno de mis soldados. El camión avanzaba muy poco. Monté en cólera y ordené a los soldados que le diesen unos palos al conductor para ver si espabilaba.

Así anduvimos un rato hasta que llegamos a lo alto de una cima, donde tuve el alivio de ver que la cabeza del convoy nos esperaba al final del descenso. De súbito el conductor fue presa del pánico al tiempo que gritaba:

–*Banange nze nfudde, brake silina!* («¡Estoy muerto, me he quedado sin frenos!»)

El camión bajaba sin control y teníamos delante los autobuses cargados de gente. Comprendí que debía hacer algo porque el accidente aplastaría a muchos, eso si además no hacían explosión las granadas. Con el arma en una mano, me sujeté del retrovisor y les dije a los soldados que hicieran ruido, todo el ruido del mundo, pero la distancia todavía era grande y nadie nos oyó. Una vez más decidí disparar al aire, pero era demasiado tarde. Yo quería que Stephen echase el convoy a un lado de la carretera para que pudiéramos pasar y el camión se detuviera en el llano. Presa del pánico, el conductor quiso saltar, por lo que me vi en la necesidad de apoyarle la boca del arma en la nuca. En algún momento también deseé saltar, pero no ignoraba que si yo sobrevivía y otros morían, tendría que enfrentarme a un severo castigo. El conductor estaba tan asustado que lloraba. Me sentí superior a aquel civil y pensé que para un soldado hay cosas que están por encima de la propia vida. Stephen por fin se dio cuenta de nuestro apuro, pero era tarde para hacer nada, excepto presenciar la catástrofe. En ese momento no supe qué pensar ni qué le habría dicho a mi hijo, que estaba tan lejos de mí. Podéis creerme que veía llegado mi fin. Con lágrimas en los ojos le ordené al conductor que virase hacia el matorral. Como tenía el arma apuntándole, hizo lo que se le decía, y todavía no sé cómo salí viva de aquello. Lo único que recuerdo es que estaba en medio de la carretera mirando a un chico que tenía la cabeza aplastada y el cuerpo destrozado. Los civiles hacían corro despreocupadamente, con las manos en los bolsillos y mirando como quien contempla un jabalí atropellado. Sentí que eran los culpables de aquella muerte y deseé con desesperación matarlos a todos. Pero mi arma la había recogido Ramadan, chófer de uno de los autobuses. Se la reclamé, pero Stephen no permitió que me la devolviera. Entonces arranqué una rama de un árbol cercano y me lié a golpes con los civiles, al tiempo que lloraba como una criatura. Por último caí al suelo y lo único que recuerdo es que mis compañeros me devolvieron al campamento.

Tenía una herida bastante fea en la rodilla, producto de uno de mis disparos de advertencia. La herida era profunda y la hemorragia parecía incontenible. Me convencí de que perdería la pierna, como Regina, y que con ello acababa mi carrera. Me cargaron sobre un colchón en la plataforma del Land-Rover y me llevaron a un hospital a unos diez kilómetros del campamento. Allí, un médico llamado Odongo me aplicó una dolorosa inyección en la misma herida. Esto lo aguanté, pero protesté cuando se puso a coserme sin limpiarla. Su contestación fue que si no me gustaba, podía coserme yo misma. Y continuó, creo que operando a ojos cerrados. Cuando me quejé otra vez, él ordenó a mis compañeros que me retuvieran, y al terminar dispuso que me llevaran a una cama del hospital, donde quedé con la pierna colgada verticalmente.

Al anochecer sentí mucho dolor y de nuevo se presentó a mi lado el mismo médico. Quiso ponerme otra inyección, pero me negué, temiendo que me administrase una sobredosis. El motivo de mi desconfianza era su modo de tratarme, con tan escasa consideración. Además era un lango, de la misma tribu que el doctor Obote, y durante la guerra siempre se nos había dicho que no confiáramos en la gente del norte. A lo mejor ésa era la razón de la antipatía de Odongo contra mí, un soldado del NRA. En el norte, a los nuestros se les acusaba de haber violado a muchas chicas. Además, los acholi odiaban a nuestros soldados por otras razones. Se decía que habían permitido que los rebeldes secuestrasen a muchos niños y niñas para utilizarlos como soldados y mujeres de aquéllos. Al ver que rechazaba la inyección, Odongo meneó la cabeza y sólo masculló despectivamente:

–¡Soldados!

Yo me tapé la cabeza y le dije que se marchara.

Por la mañana se presentaron dos soldados, y celebré mucho verlos porque tenía una tremenda necesidad de ir al servicio, que estaba en el exterior del hospital. Los dos hombres me ayudaron y lo pasé bien paseando por el recinto en silla de ruedas empujada por ellos. Al atardecer regresaron al campamento y de nuevo me hallé sola y sin que me atendiera nadie del hospital. La cuestión era que necesitaba las dos manos para mantener recta la pierna y eso me impedía maniobrar con la silla de ruedas. Esa noche necesité casi una hora para llegar hasta el váter. Y cuando por fin lo conseguí, la necesidad ya había pasado, de modo que me tumbé al lado del váter y me reí de todo.

Enseguida me harté de aquel lugar donde todo tenía olor o sabor a medicamentos. La siguiente vez que aparecieron los soldados los convencí de que me sacaran de allí. Me colocaron en la trasera del Land-Rover y pronto me hallé de nuevo en el campamento, donde fui recibida por una multitud de soldados que me saludaban con sus voces agudas, entonando cánticos. El comandante me invitó a sus habitaciones y más tarde los sargentos organizaron una pequeña fiesta de bienvenida. Pasamos el resto de la jornada bebiendo alegremente, y todo el mundo se alegró de que yo no hubiese perdido la pierna.

Al día siguiente se me concedió el permiso para continuar el tratamiento en Kampala. Me costó casi media hora llegar hasta el control de carretera, y allí me subí a un autobús. Fue grande mi sorpresa al comprobar que lo conducía Ramadan, el mismo héroe que había impedido que yo me liase a tiros con los civiles. Estuve en casa de Karamagi durante una semana, y luego me encaminé a la compañía de transportes cuyo conductor había sido el causante del accidente. Allí me atendió un hombre que dijo ser el encargado. Le enseñé la pierna y lo puse al tanto del caso. Él dijo que esperase, que iba a llamar al conductor. Cuando compareció éste, el encargado le dijo que debía asumir toda la responsabilidad, incluida la indemnización por mis lesiones. El hombre se encontraba todavía maltrecho y vi que no era posible que pagase ningún dinero. Aunque lo tenía por responsable de la calamidad, preferí presionar al encargado. Me pagó con un cheque, y por primera vez en mi vida entré a cobrar en un banco. Hice todo el recorrido de regreso sonriendo y con 300 dólares en el bolsillo. No todos los días le llovía a una semejante cantidad, y no deseaba gastarla en pollo frito. Me quedé sentada en la sala durante horas, pensando qué clase de negocio podía emprender.

Pocos días después regresé a Karuma y reanudé el servicio de control de carreteras. Me gustaba porque se recibían muchas propinas. El comandante del destacamento no sabía nada de eso. Él se conformaba con la paga del ejército y no parecía disconforme. Su imaginación no iba más allá de las alubias y las tortas de maíz, y mientras tanto los soldados rasos comían pollo y se reían de él. Mi trabajo me dio la oportunidad de conocer a varios hombres de negocios que defraudaban a Hacienda. Éstos se hacían amigos míos y me ofrecían dinero, y yo, a cambio, dejaba pasar sus camiones sin revisarlos. Me volví tan codiciosa que cuando no estaba de servicio me desplazaba a Gulu, cerca de la frontera con Sudán. Allí compraba leche en polvo a los refugiados sudaneses para revenderla en Kampala. No estoy segura de si era delito o no el comprar o vender esa leche, pero desde luego me consta que venía destinada a dichos refugiados. En Kampala los precios de la leche oscilaban mucho. Unas veces se ganaba y otras se perdía. Y los refugiados también vendían otras cosas, como el aceite de pescado, en su mayor parte procedente de Estados Unidos.

Al poco tiempo, uno de mis amigos de la policía militar invirtió dinero en mi negocio, pero no tardé en perderlo todo. Pensé que debía decírselo, pero como no se sabía cuál sería su reacción, seguí contándole que todo iba viento en popa. Y cada vez me mordía la lengua, como tratando de convencerme yo misma. Todavía estaba luchando por rehacerme de mis pérdidas cuando un francés me presentó a un amigo suyo recién llegado de Suiza. El suizo tenía una empresa especializada en café y girasol. En su alojamiento, cerca del despacho de la compañía en Kampala, vivía con su amante africana, una chica que me cayó mal nada más verla. No sé por qué. Quizá porque yo sabía que aquel hombre tenía esposa en su país. Pero como la muchacha conocía al general Salem Saleh, me convenía más fingirme muy amiga de ella. Más tarde, el suizo abrió otro despacho en Arua, donde compraba el café y la semilla de girasol directamente a los cultivadores. Me hice amiga del suizo y le ayudé todo lo que pude, por ejemplo evitando que sus camiones fuesen registrados en los controles de carretera. Meses después se cansó de pagarme sobornos, por lo visto, y me ofreció mil dólares para que los invirtiera en negocios. Me hizo firmarle un pagaré y me explicó que no era un regalo, puesto que me reclamaría el dinero dentro de algún tiempo. Me sentí coaccionada, pero no quise devolverle el dinero que ya tenía en las manos. Además tenía muchas ganas de comprarme un reloj que había visto en la capital. Llena de felicidad, me encaminé al centro y cuando llegué a casa, ya me había gastado la mitad del dinero.

Apenas daba crédito a lo que acababa de hacer, pero mi mente se hallaba demasiado fatigada para pensarlo. Muchos asuntos me preocupaban y todos me parecían urgentes, pero no conseguía distinguir la importancia ni la prioridad de cada uno de ellos. Por último, me asaltó una jaqueca tan fuerte que Drago me ingresó en una clínica privada. Se asustó tanto de verme en aquel estado que se llevó a nuestro hijo, por lo que pudiera pasar. Estuve tres días en la clínica con un gotero intravenoso.

Después de pasar dos semanas en Kampala regresé a Karuma, donde hice un trato con el oficial que había quedado a cargo del destacamento. Él me dio permiso para continuar hasta Arua, donde me reuní con mi amigo suizo. Muy contento al verme, éste me invitó al hotel donde vivía con su novia africana. Después de tomar unas cervezas le dije que debía marcharme, pero él insistió en que me quedara y prometió pagarlo todo. Era un hotel muy caro y servían una comida muy rara que no ocupaba más que la décima parte del plato. Aunque no pagaba yo, al ver los precios de la carta monté en cólera, escandalizada por aquel despilfarro. Yo no era aficionada al lujo, y habría agradecido igual la hospitalidad en un establecimiento menos caro. Casi estaba por decirle al suizo que me diese a mí el dinero que pensaba gastar en aquella invitación, pero luego lo pensé mejor y decidí pedirle consejo a la muchacha. Ella se rió de mí y dijo que yo era la típica militar, de modo que al final no dije nada.

Hacia las ocho el local empezó a llenarse de gente y apareció el jefe de la brigada de Arua, el teniente coronel Katagara. Como yo iba de uniforme, me puse en pie y lo saludé, pero él no me correspondió. Me conocía de cuando yo era escolta de Kashilingi, y yo lo conocía por la matanza que había perpetrado en un lugar cercano a Karamoja. Estaba tomándose su cerveza de pie y sin quitarme el ojo. Por suerte, yo no tenía ninguna necesidad de mostrarme humilde, ni de ocultarme, y una vez más le agradecí mentalmente al *afande* Kaka mi incorporación a la policía militar. Entonces Katagara me llamó con una seña y me dijo en voz baja que le acompañase a su habitación.

–No, señor –le contesté, y entonces él perdió los estribos.

–¿Qué haces aquí con un hombre blanco? ¿Acaso eres una espía?

Sonreí y le pregunté qué hacía él. No le hizo ninguna gracia mi contestación, y antes de marcharme me comunicó que tarde o temprano me obligaría a responder a su pregunta.

Tuve miedo, pero como no se me ocurrió nada que pudiese hacerme, decidí tomarme sus palabras como la amenaza de un cobarde. Poco después, el suizo, su amiga y yo subimos a la habitación. El hombre me ofreció un cigarrillo, que rehusé porque llevaba en el bolsillo un paquete entero. Él insistió, y cuando le di la primera calada los dos se quedaron mirándome con gesto risueño. Me figuré que estarían algo borrachos. A continuación el suizo me pidió el mismo cigarrillo que estaba fumando yo, lo que me pareció extraño porque hasta entonces había creído que únicamente los soldados los compartían. Al cabo de un rato me di cuenta de que pasaba algo raro. Toda la habitación se había puesto a dar vueltas. Al principio conseguía sujetarla concentrándome mucho, pero tan pronto me distraía, el efecto retornaba. Yo trataba de disimular, porque me parecía que estaba volviéndome loca. Veía las caras gigantescas, y era todavía peor cuando abrían la boca para reír. Yo me eché a reír también y entonces el suizo dijo que me imaginase siendo un soldado muy malo dispuesto a matar. Entonces todo se normalizó, pero durante unos diez segundos nada más. Dijeron que lo intentase de nuevo, y esta vez cerré los ojos. Vi todo lo que había hecho, y parecía de lo más real. Sin embargo, no podía dejar de reírme. Al pasarme la mano por la cara tuve la sensación de que también me había crecido, los ojos grandes como platos, y cuando traté de tapármelos, la boca pasó a reclamar su lugar proporcional. Me noté cansada y me aconsejaron que me tumbase en la cama. Había perdido el sentido del tacto y se me antojó que mi cuerpo flotaba ingrávido. Me asusté, creyendo que estaba muy enferma y que iba a pasarme algo terrible. Por último, ellos confesaron que me habían dado un cigarrillo de marihuana. Reí con alivio, pero me prometí que aquella sería la primera y la última vez. Aunque apreciaba al suizo como amigo, porque lo suponía un hombre serio y responsable, esa vez me sentí traicionada por su frivolidad. Por la noche se desvaneció para siempre el respeto que le había tenido.

Al amanecer me marché sin despedirme, temiendo que él intuyera lo que sentía. En la ciudad me enteré de que los habitantes de Lira estaban sin alimentos y pagaban cualquier precio por conseguirlos. Fui a hablar con un mayorista, quien me aseguró que en cuestión de días iba a recibir una gran partida de maíz en grano. Todo mi dinero quedó invertido en maíz, pero con las prisas olvidé que era necesario transportarlo y no reservé lo suficiente para alquilar un camión. Y había que llegar a Lira entre los primeros, antes de que empezasen a bajar los precios. Corrí al despacho del suizo, donde encontré a su amigo francés sentado detrás de su escritorio. Se puso en pie con su gran barriga para saludarme. Por lo visto colaboraban, pero yo no sabía si eran socios o si el suizo simplemente alquilaba los camiones del francés. Delante del edificio se alineaban muchos vehículos y la mayoría era propiedad del francés. Le dije que me corría prisa un transporte a Lira, pero sin ocultarle que no podía pagar por adelantado. Él dijo tener noticias de que había mucho girasol en Lira, y me ofreció el transporte a cambio de que yo ayudase al chófer a comprar girasol. Cuando le pregunté cómo se lo tomaría el suizo, dijo que no tenía por qué enterarse, pero en todo caso estaba seguro de que lo comprendería.

Después de cargar mi maíz, el francés le dio dinero al conductor para comprar girasol. En Lira nos esperaba un gran número de compradores, y vendí toda la carga en cuestión de minutos. Cansada pero satisfecha, me registré en un hotel y dejé al conductor la tarea de buscar su mercancía. Al cabo de un rato regresó con la noticia de que no había girasol en toda Lira. Como el beneficio de la operación del girasol iba a cubrir los gastos del transporte, supuse que me tocaría pagar, aunque no tenía la menor intención de hacerlo. Mientras trataba de idear una solución, el chófer propuso que nos pasáramos por el distrito de Mbale, donde creía que podríamos cargar alguna mercancía destinada a Kampala. Con eso pagaríamos al menos el gasoil consumido en la expedición. Me pareció buena idea.

Sin embargo, todos los almacenes de Mbala parecían haber despachado sus expediciones aquella misma mañana. Regresamos a Kampala con el camión vacío, y decidí que el conductor podía volver solo a los almacenes del suizo.

Después de un par de días en Kampala conocí a un cincuentón entendido en el negocio del café, pero decía hallarse sin capital para una operación por su cuenta. Aseguraba que con el café se hacían fortunas de la noche a la mañana. ¡Cuánto me agradaron esas palabras! Me pareció un tipo honrado, de modo que le confié todo mi dinero. Además había persuadido a otros inversionistas. El viejo era el único que sabía dónde estaba el café, pero dijo que no revelaría el secreto ni aunque lo descuartizaran. Antes de partir nos enseñó un almacén que iba a ser nuestro punto de reunión cuando él regresara al cabo de quince días. Yo pedí licencia por enfermedad porque tenía previsto irme a Karuma tan pronto volviese el viejo.

Pasó una semana y cada vez que pensaba en mis futuros beneficios me saltaba una comida.

Pasaron dos semanas y un día. Ni rastro del viejo. Busqué a los demás inversionistas, pero ninguno sabía dónde paraba el viejo, así que no me quedó más recurso que rezar. Pasaron varios días más, y cuando fui a los almacenes resultó que el viejo y el café habían llegado la víspera. Me daba vergüenza mirarle a los ojos, al recordar los epítetos que le había dedicado cuando no llegaba. El café todavía estaba caro cuando lo vendimos.

El hombre nos propuso otra inversión, pero yo no quise más riesgos, así que cogí el dinero y me compré un minibús. Una semana más tarde comprobé que el vehículo se hallaba en muy mal estado. Lo llevé a un taller, pero cada vez que solucionaban una pega aparecía otra. Aquel minibús parecía enamorado del taller, y yo estaba en un apuro considerable, porque se comió todo mi dinero y me vi en la necesidad de regresar a Karuma.

Poco después de mi llegada, el jefe del destacamento llamó al operador de radio y le hizo leer un mensaje enviado por el teniente coronel Katagara: «A todas las unidades: se busca a la sargento China, de la policía militar. Durante su estancia en Koboko desarmó a la escolta del dirigente rebelde sudanés coronel John Garang. Hasta la fecha las armas no han aparecido. Por tanto, yo, el infrascrito teniente coronel Katagara, la insto a la entrega de las mismas o deberá considerarse arrestada».

«¿Iba a terminar así mi vida?», pensé. El jefe del destacamento creía en mi inocencia, pero eso no bastaba, porque su palabra no tenía peso suficiente contra la de Katagara, y yo, por mi baja graduación, no podía defenderme a mí misma. Decidí no esperar al día siguiente y solicité permiso para acudir al cuartel general de la policía militar y explicar los motivos de la persecución de Katagara. El comandante me lo concedió y dijo:

–Confío en que salga con bien de este asunto, sargento, porque no quiero perderla.

En mi fuero interno estaba segura de que regresaría a Kampala, sólo que de momento no se sabía cuándo ni cómo. Subí al autobús y no pude dejar de mirar por la ventanilla, entristecida por todo lo que dejaba atrás.

Al llegar a Kampala decidí visitar a mi amigo el suizo. Él me recibió con cordialidad, como siempre. Nos sentamos y entonces vi que no era el suizo de siempre. Estaba pálido, pero cuando le dije que no tenía los tres mil dólares se puso morado. Me reclamaba el dinero que me había prestado, más las pérdidas de la expedición a Lira. Me asusté porque él sólo me dio de plazo hasta el día siguiente. Lo único que yo tenía era aquel minibús. Pensé en dárselo, pero no estaba segura. Él me advirtió que no olvidase que su querida conocía al general Salem Saleh. Cuando eran amigos míos yo les había contado muchas cosas, y ese día comprendí que había cometido un gran error al mencionarles el terreno que había comprado para mi madre. Él lo quería para dárselo a su amante africana. Dijo que me quedase en la casa y me amenazó para el caso de que se me ocurriese marcharme. Me quedé sentada sin moverme hasta la tarde. Todos los de la casa tenían prohibido dirigirme la palabra, hasta el jardinero y la doncella.

Al día siguiente nos pusimos en marcha, y por mucho que supliqué no quisieron compadecerse de mi madre. En todo el viaje de trescientos kilómetros las únicas palabras que se oyeron fueron mis súplicas. El trato que me daba el suizo no me dolió en realidad, pero sí el de su amiguita, que también había pasado sus penurias. Mi madre se alegró mucho al vernos y creo que ni siquiera se acordó de saludarme antes de correr a llamar a todos los vecinos. Regresó con un viejo que fumaba en pipa. Nos dejó con él y fue a la cocina para preparar una comida. Ella había intuido que yo me hallaba en un apuro, por mucho que yo lo negase. Sentada aparte, yo sufría en silencio mientras el suizo y su amiga fotografiaban al anciano. Los demás comieron, pero yo no pude tragar ni un bocado. Hasta que llegó la hora de enseñarles la finca. La amiga dijo que no le gustaba, que era demasiado pequeña y además no le agradaba el lugar. Debía de creer que iba a entrar en posesión de un rancho. Le cogí la mano y rogué que la aceptase, pero ella se negó y me dijo que hablase con el suizo. Cabizbaja, se lo conté todo a mi madre. Ella lloró y yo también. Luego mi madre les suplicó que me perdonasen porque yo era la única hija que tenía y no contaba con nadie más. Intuí que las circunstancias iban a separarnos otra vez, quizá para siempre. Y no me equivocaba.

Cuarta Parte

Una nueva vida

Cuenta atrás

Durante el regreso a Kampala le propuse al suizo que se quedase con mi soldada hasta que pudiese devolverle su dinero, pero él se puso a golpear el volante frenéticamente y me dijo que cerrase el pico y que iría a la cárcel. Eso me dolió y estrujé el cinturón de seguridad con ambas manos para contener la cólera. Era medianoche cuando llegamos a casa de Karamagi, y ya tumbada en la cama me acordé de Paul. En aquellos momentos una sola idea ocupaba mi mente: América.

Por la mañana fui a hablar con un chico que acababa de regresar de Italia. Después de escuchar mis apuros dijo que lo único que me hacía falta era un pasaporte extendido a nombre falso. Tras conseguir los formularios, nos pusimos a rellenarlos. En «nombre del titular» pusimos Kyomujuni Innocent y en «oficio o profesión», secretaria. Fue preciso distribuir propinas a tres niveles hasta llegar al despacho del administrador del distrito, donde hubo que dar propina al secretario para que mis impresos quedaran en lo alto del montón. Luego fui al negociado de los pasaportes, donde soborné a otros dos funcionarios para evitar que el mío permaneciese atascado durante meses. En vista de que todo el mundo pedía dinero, decidí vender el minibús. El motor se hallaba en mal estado y yo tenía poca paciencia, así que lo vendí por mil dólares. El pasaporte se los llevó casi todos, y cuando me marché de casa de Karamagi supe lo cara que se había puesto la vida. Me alojaba con una familia a la que conocía de mis tiempos con Kashilingi, y no me cobraban alquiler, pero a cambio me tocaba comprar la comida. Al cabo de unos días recibí mi pasaporte. Ya sólo faltaba el visado.

Fui a hablar con algunos muchachos baganda amigos míos, y todos se mostraron dispuestos a ayudarme de muchas maneras, excepto con dinero. Me llevaron a presencia de Babumba, mánager de un equipo que iba a participar en los Novenos Juegos Olímpicos Especiales de 1995. Babumba y yo nos habíamos visto varias veces en la Casa de la República, pero cuando le pedí que me ayudase me miró como si acabase de quemarse los dedos. Dijo que no podía arriesgar el pescuezo facilitando el visado estadounidense a un soldado.

–¡Oh, señor Babumba! –repuse–. ¿Se refiere usted por casualidad a mi hermana, la que estaba de servicio en la Casa de la República?

Por fortuna me creyó. Dijo que el visado iba a costarme 920 dólares. Bajé los ojos un momento antes de preguntarle si podía hacerme una rebaja. Con una sonrisa, él replicó que su oficina no era el mercadillo de Owino (uno de los zocos callejeros más grandes de Kampala en aquella época). Dejé mi pasaporte en sus manos y prometí regresar pronto con el dinero.

Ese día recorrí toda Kampala, pero todas las personas a las que otrora había ayudado con sus trapicheos se negaron a echarme una mano aduciendo esto y lo otro. Estaba cansada y hambrienta, e iba a darme por vencida cuando me tropecé con Ronald, el marido de Justine. Después de escuchar mis penas, propuso que le vendiera la finca de mi madre. Disponía de dinero y yo no tenía otra cosa que vender. Mientras subíamos por la escalera hacia el despacho de su notario las lágrimas afloraron a mis ojos, lo mismo que el día en que él me había atacado. Estaba tan confundida que hice todo lo que me dijeron, pero esta vez fue diferente. Una herida para toda la vida. Regresé a la oficina de Babumba, pagué y quedé convencida de que no me hacía falta nada más para partir rumbo a América.

Al llegar a casa me contaron que Kashilingi estaba a punto de comparecer ante los tribunales. A las ocho de la mañana nos personamos allí. Vimos a Kashilingi, de pie frente a nosotros y con aspecto de estar ansiando la libertad desesperadamente. Llevaba casi cuatro años en la cárcel y aquélla era la primera vez que lo juzgaban. Estaban presentes algunos amigos suyos y unos periodistas del *New Vision*. No me pareció que las autoridades hubiesen decidido concederle un juicio justo, sino más bien que Museveni estaba convencido de que Kashilingi ya no conseguiría rehacerse jamás. Para empezar lo acusaron de traición, cargo rebajado luego a deserción. Decían que había sido capturado con las armas en la mano y peleando en el bando de las Fuerzas Aliadas Democráticas, un grupo rebelde. Ante los jueces, Kashilingi declaró que había sido secuestrado de su hotel en la república de Zaire (hoy República Democrática del Congo). Y que el secuestro lo había organizado su propio amigo el comandante

Kyakabale, entonces oficial al mando en Kasese. Poco después de la detención de Kashilingi habían ascendido a teniente coronel a Kyakabale, pero más tarde lo encarcelaron a él también bajo no sé qué oscura acusación.

El juicio de Kashilingi duró dos días y al final lo pusieron en libertad. Pero había perdido toda su fortuna y nadie recordaba ya su nombre. Tal vez alguno de sus hijos lo rehabilitará algún día.

Poco después de la liberación de Kashilingi, dejé a la familia con la que vivía y me fui a casa de una prima, muy cerca del cuartel de la policía militar. Me pareció un lugar más seguro para mí, porque no sospecharían que estuviese tan cerca, casi al otro lado de la valla. No le dije que era una desertora, habría sido demasiado peligroso para ella. Y además podía ocurrir que tuviese miedo y me echase a la calle. Le hablé de mis planes de abandonar el país, pero no me creyó. Supongo que consideró que yo era una chica demasiado atolondrada para llevar a buen fin una aventura tan grande.

Iba a enterarme de cómo andaba el asunto de mi visado cuando me tropecé con Stephen, al que no veía desde hacía bastante tiempo. Preguntó cómo marchaban mis negocios. Le dije que acababa de comprar un minibús nuevo de fábrica y que en esos momentos estaban descargándolo en el puerto keniata de Mombasa. Me supo mal mentirle de esa manera, y espero tener ocasión de pedirle excusas algún día.

Babumba me anunció que el visado estaba arreglado, pero que el equipo olímpico saldría desde el aeropuerto internacional de Entebbe. Eso era peligroso para mí, porque allí las medidas de seguridad eran más estrictas, de modo que cogí el pasaporte y me dispuse a encontrar por mi cuenta la manera de salir del país. Mientras regresaba a casa, recordé que no podía volar sin billete. Pero no tenía tanto dinero, y ya había vendido el terreno. ¿Qué otra cosa iba a vender? Tras cavilar muchas horas, decidí ir a casa de mi padre, aunque sin saber para qué iba a servirme eso.

En el autobús me encontré con una amiga de mi hermana Maggie. Me contó que Maggie le había dicho que mi otra hermana Grace había muerto. La miré con incredulidad, y entonces ella explicó que Grace había perecido en el genocidio de Ruanda.

Contó que los hutus se habían presentado en su casa. Primero mataron a la niña y al marido, y luego sacaron a Grace a la calle, la mataron y la dejaron atada a un tronco con un cartel colgado del pecho: «Los que no sepan lo que les espera a los tutsis, aquí tienen una muestra». Tras escuchar el relato de la mujer le pregunté cómo se había enterado Maggie de estas cosas. Dijo que por mi abuela materna, que había regresado a Ruanda en 1982 cuando Obote expulsó a los tutsis. Procuré no pensar en la muerte de mi hermana, porque temía perder la razón.

Al llegar a casa de mi padre lo hallé muy enfermo. Se había divorciado de su mujer. Ya no les pagaba el colegio a mis hermanos y hermanas, y ellos estaban muy enfadados con él. Querían irse a casa de su madre, que había alquilado una vivienda de dos habitaciones a diez minutos de allí. Mi padre se había abandonado y llevaba días sin comer, de modo que le preparé algo de alimento antes de ir a ver a mi ex madrastra. Ella intentó presentarse como una santa y dar a entender que el malvado había sido mi padre, pero me negué a aceptar su versión. Ella no tenía dinero, pero deseaba que sus hijos asistieran al colegio. Sin embargo, podía vender las vacas de mi padre. Hablaba dando muchos rodeos, hasta que me cansé y le dije:

–Dime sólo lo que quieres que haga.

Entonces me pidió que vendiera tres vacas y le diese a ella el dinero. Hablaba como si creyera que todavía estaba en condiciones de mandar.

Me dolió recordar que mi padre agonizaba sin compañía de nadie, después de haber tenido una familia tan numerosa. Había perdido casi todas sus posesiones, supongo que engullidas por mi insaciable madrastra. Estaba claro que tendría que marcharme, sin saber si a una nueva vida o a la tumba. Tenía muchas cosas que echarle en cara a aquella mujer, pero no me atreví, porque en el fondo aún le tenía miedo. Así que le pedí que me acompañara a casa, lo cual aceptó. Cuando mi padre oyó su voz intentó levantarse, pero como no lo consiguió, me llamó. Lo ayudé a sentarse en el sillón de la sala y él pidió que nos reuniéramos todos a escuchar lo que tenía que decirnos.

–Lo siento, Baby, es que estaba fuera de mí –empezó–. Me casé con esta mujer, y ahora os he perdido a todos. Sois los únicos hijos a los que quiero, y si muero todo será para vosotros. –Y de repente, casi incorporándose del sillón–: ¡No! ¡No les deis nada! ¡No son hijos míos! –Luego, dejándose caer otra vez, continuó–: Sólo me arrepiento de una cosa... –Me miró y se interrumpió.

Mi madrastra se abalanzó hacia él enfurecida, como si la hubiese picado una abeja, pero yo la retuve e impedí que lo atacase. Con dificultad, mi padre regresó a su habitación, y hasta el día de hoy lamento haberlo escuchado. Sus frases confusas no tenían sentido para mí. Lo que me hizo durante toda mi infancia no resultaba coherente con aquellas últimas palabras. Eran como si se lavase las manos y me dejase toda la carga del remordimiento. Sigue siendo un misterio no aclarado de mi vida.

Mi madrastra y yo acordamos vender tres vacas aunque él no lo autorizase. Cuando ella se marchó, los pequeños y yo salimos a dar un paseo y, puesto que yo me iba del país, sentí la necesidad de despedirme de mis amigos... y enemigos. Fuimos casa por casa, y la última fue la de Rehema, pero por desgracia ella ya no estaba allí. Me vi rodeada de muchas personas de mi pasado que trataban de recordar quién era yo, pero al final no pude seguir escuchándolos, ni despedirme de ellos, pensando en los peligros que me esperaban. Fue un adiós en silencio, dominado por el temor a que aquella reunión fuese la última. A eso de las diez regresamos y me senté junto a la cama de mi padre, que dormía profundamente. Contemplé su rostro hasta que me aprendí de memoria todos los detalles. Luego fui a la habitación de los niños y me quedé viéndolos jugar. Eran demasiado inocentes para preocuparse por su futuro más que incierto.

Por la mañana temprano fuimos todos a la granja. Mi abuela estaba ciega, pero me reconoció por el tacto.

–¿Cómo está mi hijo? ¿Se está muriendo? –preguntó con ingenuidad infantil.

–No. Se curará, pero necesita ir al hospital. Por eso he venido a llevarme algunas vacas –contesté.

–Salúdalo de mi parte –fue lo último que dijo antes de meterse en la casa.

Las vacas estaban pastando, y cuando hubimos cargado tres en el camión dije que tal vez haría falta otra más, pero los chicos se negaron. Fuimos al mercado y vendí las vacas al capataz de uno de nuestros vecinos. Cogí el dinero y fuimos a un restaurante, donde les dije que pidiesen lo que quisieran. Mientras ellos comían, yo planeé la siguiente jugada. Así pues, les dije que había cambiado de parecer en cuanto a lo de darle dinero a la madre de ellos. Les pregunté si tenían fotos tamaño pasaporte, y contestaron que las tenían en casa.

–Bien –les dije–, quiero que ahora vayáis por las fotos. Las necesito para abriros una cuenta en el banco.

Les expliqué dónde nos reuniríamos luego, y cuando se marcharon se me rompió algo por dentro. Por eso los llamé y les di un poco de dinero antes de despedirlos.

Cuando hubieron desaparecido de mi vista, corrí a la parada del autobús y subí al de Kampala. Tenía todo el dinero, pero aún no era bastante, así que me apeé en Arua. Fui a casa de una familia de asiáticos musulmanes. Yo había ayudado al hombre y sus hijos en Karuma. Por aquel entonces él estaba sin blanca y se le había acabado la gasolina, pero yo se la conseguí. De todos aquellos a quienes había hecho favores en el pasado, él era uno de los pocos en que todavía confiaba. Necesitó cinco días para darme la mísera suma de veinte dólares. Pensé acudir a Drago, pero lo quería demasiado, y también temía que se mostrase igual que los demás. Estaba desesperada. La validez del visado estaba a punto de expirar; de los tres meses sólo me quedaban once días. A la mañana siguiente le dije a la doncella de los vecinos de mi prima que fuese con los chicos a comprar dos gallinas. Mi prima todavía estaba en su trabajo. Cogí el petate más grande que encontré y metí dentro el televisor pequeño. Iba a marcharme cuando me di cuenta de que el televisor de los vecinos cabía también. No sin dificultad, me encaminé a la parada de minitaxis con los dos televisores cargados a hombros. El pánico me embargó cuando comprobé que nadie compraba televisores en blanco y negro. Se me ocurrió devolverlos, pero supuse que nadie entendería el significado de mi hurto. Al otro día conseguí venderlos por quince dólares a un tipo que reparaba electrodomésticos. Tenía suficiente para comprar un pasaje, pero como iba a viajar por Kenia me faltaba todavía el dinero para el transporte.

La ansiedad se apoderaba de mí al ver que sólo faltaban nueve días para que expirase el visado. Fui a una agencia de viajes ugandesa y compré el pasaje, pero el hombre dijo que debía recogerlo en

Kenia, donde tenían otra oficina. Dicho esto llamó a Kenia, y luego me dio un papel donde había anotado la dirección y los teléfonos. El mismo dia me encaminé a una tienda que Drago tenía con Rita, su nueva novia, pero él no estaba allí. Rita y yo nunca habíamos sido buenas amigas. Drago le había confiado a mi hijo, y ahora que necesitaba despedirme del padre y del hijo resultaba que no estaban. Sentí dolor, pero, como siempre, no quise demostrar mi debilidad y mi pena en presencia de nadie. Me senté delante del mostrador y la miré un rato antes de decir:

–Me marcho, y quiero pedirte que cuides de mi hijo hasta mi regreso.

Ella no contestó, limitándose a mirarme fijamente. Al salir me tropecé con Eric, el hermano de Drago, y le pregunté por su paradero. Dijo que se había marchado a la boda de un amigo. Eso me hizo pensar en que Drago tenía dinero y además se estaba haciendo poderoso, pero su mundo era muy diferente del mío. Él siempre se ocupaba de todos, y esto era lo que le hacía popular y querido entre los soldados y los civiles. En cambio, yo tenía la sensación de encaminarme hacia una oscuridad impenetrable.

Aunque parezca raro, conseguí moverme a mi antojo por la ciudad, porque muy pocas personas me habían visto con indumentaria civil. Una vez más fui a mendigar a los que en otros tiempos había ayudado, hasta que reuní el dinero para el transporte. Fui a la parada del minibús y tomé uno de los que iban a Busia, en la frontera de Kenia y Uganda. Durante el viaje encontré a dos muchachos que conocía y ellos prometieron ayudarme a pasar la frontera. Yo no llevaba equipaje, únicamente lo puesto y algunas fotos mías en compañía de antiguos camaradas, todos de uniforme. Aunque tenía mucho miedo, me había jurado a mí misma no permitir que me capturasen. Sabia que me iba la vida en ello.

En la frontera enseñé mi pasaporte. El funcionario escrutó mis facciones y me preguntó por qué no utilizaba el aeropuerto internacional de Entebbe. No supe qué contestar, de modo que preferí callar. Él selló mi pasaporte y me dijo que pasara al otro lado, a la oficina de la Organización de Seguridad Interior. Muchos funcionarios de Seguridad me conocían, y mi corazón se puso a latir con fuerza. La salida estaba custodiada por un policía civil, y eso me tranquilizó porque yo no era conocida en ese cuerpo. Mis amigos no sabían qué hacer, así que todo dependía de mí. De pronto me fijé en unos servicios que estaban a un lado de la oficina de Seguridad, y me dije para mis adentros: «Este retrete será mi salvación o mi ruina».

Me metí dentro y me entretuve un rato, y cuando salí me encaminé derecha a la puerta, que pasé sin detenerme. Cuando mis pies pisaron suelo keniata me senté y di las gracias, no sé a quién. Mis amigos, que ya habían pasado, me miraron perplejos y menearon la cabeza.

Luego subimos a un autobús y por la mañana llegamos a Nairobi, la capital de Kenia. Allí todo era diferente, en comparación con el lugar del que yo procedía, como si acabara de salir de la selva. Todo el mundo andaba deprisa, y los coches me azuzaban a bocinazos. Mis dos amigos me acompañaron a la agencia de viajes, donde pedí mi billete. Entonces un empleado me pidió a su vez que le enseñase el pasaporte. Se lo di. Él explicó que la embajada norteamericana había solicitado a todas las agencias de viajes que los clientes con destino a Estados Unidos se pasaran por la embajada antes de expedirles el pasaje. No me pareció que tuviese importancia, y el 2 de agosto de 1995 fui a la embajada norteamericana en Nairobi. La fecha de caducidad del visado era el 9 de agosto de 1995.

Entré y me puse a la cola delante de una ventanilla enrejada, pasaporte en la mano. Una cuarentona examinó el pasaporte y me lo devolvió diciendo que esperase un momento. A continuación salió un hombre, también cuarentón, bajito pero fuerte, con barriga y pelo corto. Él también examinó mi pasaporte y dijo que los Juegos ya habían comenzado.

–¿Qué otro asunto le lleva a América? –preguntó, y añadió que iba a tener que cancelar mi visado.

Cuando cogió el sello de goma me venció el pánico y le grité que no lo hiciera. Mientras sacaba del sobre las fotografías y los permisos me afloraron las lágrimas. Miré al hombre que se disponía a condenarme. Se lo di todo y mientras él contemplaba perplejo las fotos, yo lloraba y le suplicaba que me ayudase. En vista de que vacilaba, me puse a explicárselo todo, pero finalmente él dijo que lo sentía y canceló el visado. Debido a la reja de la ventanilla ni siquiera podía cogerle la mano. Puso dos sellos y se alejó dejándome hecha un mar de lágrimas. Cuando miré la página de los visados obtuve la única explicación, salvo que no entendí las palabras en inglés:

CANCELADO
SIN PERJUICIO
EMBAJADA NORTEAMERICANA
NAIROBI

Me alejé unos metros y seguí llorando. Lo veía todo negro, y mi cerebro estaba como paralizado. Fui adonde me esperaban los dos muchachos y les conté lo ocurrido. Regresamos a la agencia de viajes y pedí que me reembolsaran el importe del billete, pero dijeron que no era posible. Si quería reclamar el dinero, debía hacerlo en la oficina de Uganda donde lo había comprado. Por primera vez en mi vida di rienda suelta a mi frustración y anuncié que me iba a lanzar bajo un coche.

–Para qué vivir si no hago ninguna falta en este mundo –gemí.

Ellos se quedaron mirándome y uno me recordó las muchas vicisitudes que yo había superado. Y que cómo una comando iba a querer suicidarse por haber perdido un visado. Pese a ignorar los motivos que yo tenía para suicidarme, al menos su opinión era que yo merecía vivir.

Los muchachos continuaron su camino y yo, deshecha, me encaminé hacia un hotel, porque necesitaba ordenar mis pensamientos a solas.

–¡China! –exclamó una voz a mi espalda, y cuando me volví mis ojos encontraron a Boxer, un ex camarada al que había conocido durante mi temporada de servicio en la Casa de la República.

No tengo palabras para describir lo que sentí en ese momento. Sola en un país extranjero y, de pronto, se me aparecía un ángel. Se lo conté todo, y él opinó que sin dinero no había nada que hacer. Boxer se había convertido en otro hombre. Bebía de todo, desde destilados caseros hasta cerveza, y en aquellos momentos estaba ya bastante achispado. Paseamos por la ciudad recordando nuestras aventuras pasadas. También me dijo que era peligroso quedarse en Kenia, por la numerosa presencia de funcionarios de la Seguridad ugandesa.

Al atardecer del mismo día emprendí el regreso a Uganda. Había decidido arriesgar la vida, puesto que la tenía perdida de todos modos. Llegamos por la mañana temprano y fui a la agencia de viajes, donde me reembolsaron los mil dólares. Fui a la parada del autobús para regresar a Kenia. En el puesto fronterizo de Busia un hombre hojeó mi pasaporte y se puso a hacerme preguntas. Quería saber por qué salía y entraba con tanta asiduidad. Estaba intrigado porque, según me dijo, nunca había visto un ir y venir semejante. Le dije que había ido a reclamar un dinero, y cuando pidió verlo, se lo enseñé. Él contó los mil dólares y retuvo cien antes de decirme que estaba autorizada a entrar en Kenia.

Me reuní con Boxer y después de pasear un rato le pedí que me llevase a un hotel barato. Después de pagar la habitación me sugirió la compra de un pasaporte falso con visado que me permitiese ir a Inglaterra. Él llevaba mucho tiempo traficando en este género de cosas y se conocía todos los trucos. Yo no tenía más que seguirle como una oveja extraviada. Me llevó a un fotógrafo y me hice las fotos de identidad. Luego fuimos a un taller donde había numerosos jóvenes trabajando. Muchos le saludaron, pero él sólo habló con uno de ellos, un individuo de unos treinta años. No pude escuchar lo que hablaban, aunque era de suponer. Boxer se volvió adonde yo le esperaba y me pidió cien dólares. Cuando por fin le dieron el pasaporte regresamos a mi hotel, y entonces pedí verlo. Me pareció que pertenecía a una mujer malaui, según el documento, de treinta y siete años de edad y ojos negros. Miré a Boxer y le dije que cualquiera podía darse cuenta de que yo no tenía treinta y siete años, y además mis ojos eran castaños. Él rió y dijo que eso no tenía importancia. A mí me pareció una chapuza, así que le dije que lo devolviera y me reembolsase el dinero. Él contestó que las cosas no funcionaban así, pero que si le daba otros cien dólares encontraría un pasaporte más adecuado. Regresó al cabo de una hora, esta vez con un pasaporte sudafricano. Lo leí y resultó que su propietaria tenía los ojos azules. Él me miró y dijo:

–¡Caramba, pues no me había dado cuenta! ¡Si resulta que tienes los ojos azules también!

Me eché a reír y le pregunté si se le ocurría alguna otra idea, aparte de los pasaportes falsos.

–Si. Podrias ir a Sudáfrica, incluso usando tu pasaporte auténtico.

Parecía buena idea, pero entonces me di cuenta de que ya había gastado casi la mitad de mi dinero. Yo creía que el precio de un pasaje era el mismo para todo el mundo. Entonces Boxer me dijo que se podía viajar a Sudáfrica por tierra, aunque me costase creerlo. Y aseguró que si lo ayudaba, a cambio él me daría escolta y protección durante el viaje. Como no tenía opción, acepté. Le di algo de dinero para que comprase los billetes del autobús y cien dólares para un pasaporte falso ugandés, porque hacía tiempo que había vendido el suyo.

El 4 de agosto de 1995 Boxer y yo partimos en dirección a Tanzania, adonde llegamos a última hora de la tarde. Pernoctamos en la capital, Dar es Salaam, y por la mañana tomamos un autobús que iba a la frontera con Zambia. Llegamos por la tarde, y el 7 de agosto salimos hacia Lusaka (Zambia), adonde arribamos la mañana siguiente. De ahí continuamos hacia Zimbabwe. Alcanzamos la frontera en la mañana del 8 de agosto, cruzamos todo Zimbabwe y el 9 de agosto entramos en Sudáfrica.

Los de Inmigración se sorprendieron al ver semejante recorrido por tantos países. Por fortuna, los ugandeses caían bien en Sudáfrica debido a una larga historia común de lucha contra el apartheid.

–¿A qué vienen ustedes y por cuánto tiempo? –fue lo único que preguntaron.

–De turismo por un par de semanas –contestamos.

Sellaron mi pasaporte con un *«permiso de residencia temporal»* y añadieron el sello *«válido hasta el 23/8/1995»*.

Hacia las nueve de la mañana subimos a un minibús y llegamos a Johannesburgo a las cuatro de la tarde. Tan pronto me apeé del minibús se me congeló el cuerpo, pero ningún sudafricano llevaba chaqueta, cosa incomprensible para mí, que tiritaba de frío. Tomamos un taxi y le dijimos al conductor que nos llevase a un hotel económico. El hombre nos dejó en el Chelsea de Hillbrow. En la recepción pagué cien rands por los dos. En la habitación también hacía mucho frío, de modo que bajé a pedir más mantas. El recepcionista, oriundo de la isla Mauricio, preguntó de dónde éramos y se lo dije.

Como se me estaba acabando el dinero, le recordé a Boxer que sólo podría mantenerlo dos días más, según habíamos convenido.

Aunque tenía más de treinta años, se echó a llorar y dijo que yo era como una madre para él. Era fácil ver que estaba destrozado por el abuso de la marihuana, y me dio pena. Así que decidí que seguiríamos juntos hasta que se me acabase el dinero. Él buscó un alojamiento aún más económico en lo que llamaban un «hotel para pobres», sin desayuno ni vigilancia. Regresó diciendo que era un lugar peligroso, por lo que convinimos que yo me quedaría en el Chelsea. Él se presentaba todas las mañanas y yo le daba mi desayuno, puesto que me bastaba con una taza de té y un huevo.

El segundo día fuimos al Ministerio del Interior, donde conocí a los primeros afrikaans de mi vida. Tinus van Jaarveld era un hombre de unos treinta y cinco años. Le mostré los mismos papeles que había enseñado en la embajada americana, pero esta vez la reacción fue positiva. Con una sonrisa se volvió para llamar a un colega:

–¡Eh! Acércate y ayuda a esta rebelde en lo que puedas.

También Boxer tenía una fotografía suya, en la que parecía un Rambo exhibiendo una ametralladora pesada. Sacaron fotocopias de las fotografías y nos dieron un permiso de estancia por tres meses.

–No damos empleo ni alojamiento, sólo el permiso de estancia –aclararon–. A vosotros os toca buscaros la vida.

A mí no me importaba, con tal de quedar a salvo de mis perseguidores.

Boxer dijo que era preciso buscar un puesto de la Cruz Roja. Allí explicamos mi situación a la encargada y dije que estaba embarazada. Ella me dio la dirección de un refugio para mujeres. Era una sala grande con suelo de cemento, y el propio suelo estaba recubierto de toda clase de gente. Eso me indignó. Era un asilo para alcohólicas, drogadictas y locas, ¿acaso yo me parecía a ellas? No porque yo despreciase a esas personas, sino por el temor a que, si me quedaba en semejante lugar, no volvería a salir jamás. Me marché del refugio y conté mi dinero. Me quedaban cincuenta dólares, lo justo para pagar las habitaciones otros cinco días más.

Hacía una mañana agradable, soleada, de modo que me senté en la terraza del hotel para reflexionar sobre mi situación. El vecino de mesa llevaba una pistola, y como no parecía policía ni militar me asusté. En mi país no se habría consentido que un civil anduviese armado, y supuse que sería por algún buen motivo. Entonces se acercó por la acera una mujer de unos treinta años luciendo una minifalda muy provocativa, lo que también fue algo nuevo para mí. Pero antes de que pudiera fijarme bien, se acercó a un hombre y sin siquiera saludarlo le preguntó:

–¿Hacemos negocio?

Entonces se tomaron de la mano y entraron en el hotel. Sentí curiosidad. Deseaba saber qué vendía aquella chica. Fui a la recepción y cuando se lo pregunté al *boy*, que era un muchacho blanco, éste se echó a reír y me preguntó que de dónde había salido yo. Me sentí un poco idiota. Cuando iba a subir al ascensor, un hombre de mediana edad apoyó la mano en mi hombro y me preguntó quién era yo, y sin esperar contestación me invitó a pasar a un despacho. Dijo que él era judío y que se llamaba Morocka. Me faltó poco para desmayarme cuando agregó que era el propietario del hotel. Creí ver un destello de esperanza y confié en caerle bien. Estuvimos un rato charlando y le conté la difícil situación que atravesábamos Boxer y yo. Él apuró su whisky y luego llamó al chico blanco:

–Ven un momento, Bryce.

Enseguida se presentó el recepcionista, y el judío le dijo que en adelante Boxer y yo teníamos habitación y comida gratis. Yo no sabía cómo darle las gracias, y estaba a punto de arrodillarme delante de él cuando me tendió las manos y dijo:

–No, por favor. No hagas eso.

Luego abandonó el despacho, y cuando me asomé a la calle vi que subía a un BMW blanco.

Pocos días después quedamos contratados, yo como camarera del bar y Boxer como vigilante de seguridad. El bar estaba dividido en dos partes. La de abajo era un bar normal. La de arriba, que era donde yo iba a trabajar, lucía un letrero de «Sex-Shop». En la entrada había una tienda de artículos porno, con películas y toda una serie de objetos raros. Al fondo, la barra de un topless con una gran pantalla en la pared, donde pasaban películas porno ininterrumpidamente. Me quedé boquiabierta, y los primeros días ni siquiera me atrevía a hablar. En principio yo también debía servir llevando los pechos al aire, pero me negué. El encargado aceptó mi negativa y me pusieron como ayudante de barra. Una de las chicas, Dee, era un verdadero ángel y se encargó de mi protección. Después del trabajo siempre me invitaba a acompañarla. Íbamos con Ryan, su novio, al cine y a restaurantes, y en todas partes pagaban ellos. Por supuesto, ella cobraba mucho más que yo, que ganaba cincuenta dólares al mes. Ella recibía 180 dólares semanales por trabajar medio desnuda y hacer striptease. Dee también tenía una habitación en el Chelsea, y su puerta siempre estuvo abierta para mí. La otra chica, Nicole, ganaba lo mismo que Dee, pero el dinero era lo que más le gustaba en el mundo. También tenía novio, pero vendía su cuerpo a los clientes que entraban a ver los espectáculos de desnudo.

Una noche, después del trabajo, Nicole celebró una fiesta de cumpleaños y nos invitó a todos. Cuando terminamos el pastel, Nicole me dio sus llaves y dijo que fuese a buscar una botella de whisky que tenía en su habitación. Hice lo que me pedía y al cabo de un rato los dejé bebiendo y fui a acostarme. A primera hora de la mañana oí los gritos del encargado diciendo que abriese. Venía con uno de los guardias. Quedé horrorizada cuando me acusó de haberle robado cincuenta dólares a Nicole. Me eché a llorar, no sólo por verme acusada, sino por la humillación, que me afectó mucho. Le enseñé al encargado mi sueldo, que él mismo me había pagado la víspera. Él me creyó, pero dijo que no obstante debía acompañarle a la habitación de Nicole. Ella estaba sentada en la cama y abrazaba un oso de felpa muy grande. La miré a la cara y le pregunté por qué había mentido. Ella no supo qué contestarme y yo le espeté:

–Sabes muy bien cuál es la verdad, Nicole, y espero que Dios te castigue por esto.

Ella bajó los ojos y no dijo nada. Cuando Dee se enteró de este incidente se enfadó mucho y dijo que jamás volvería a dirigirle la palabra a Nicole.

Dos semanas después, Nicole rompió con su novio, y al poco la vi en compañía de un muchacho blanco que era cliente del bar. A la hora de cerrar, Nicole y el chico salieron juntos. La mañana siguiente, al despertar, oí gritos en la recepción. Cuando bajé, los de seguridad estaban dándole una paliza al acompañante de Nicole. Ella se hallaba de pie entre dos cajas de cartón llenas de películas porno. Me dijeron que habían pillado al chico tratando de robar en la tienda. Y siguieron atizándole. Sentí miedo, porque era la primera vez que veía apalear a un blanco. Siempre había creído que los de esa raza no sobrevivirían a una paliza, con aquella piel tan frágil. De improviso se presentó Morocka y me alegré, porque puso fin a la paliza antes de preguntar qué había pasado. Ellos se lo explicaron, pero él se volvió hacia mí:

–Confío en ti, Innocent. Dime qué ha ocurrido.

–Señor Morocka, cuando bajé aquí ya estaban pegándole. Lo único que sé es que este chico anoche estuvo bebiendo en el sex-shop –dije.

Morocka no creía que la culpa fuese del muchacho, por lo que dijo que lo soltaran y despidió a Nicole.

Semanas más tarde, Dee y su novio empezaron a fumar cocaína, lo que me entristeció mucho. Ella era una bellísima persona, pero yo sabía que la droga acabaría por matarla. Traté de advertírselo, pero al parecer ya era demasiado tarde. Dee empezó a gastar en cocaína todo lo que ganaba e incluso le presté dinero alguna vez, aun sabiendo que nunca me lo devolvería. Pero en realidad no me importaba, pues ella había hecho mucho por mí sin esperar ninguna compensación.

Mi barriga empezaba a crecer, con gran desesperación por mi parte. A causa de mi nerviosismo fumaba más de cuarenta cigarrillos al día, lo que perjudicaba mi salud. Pero no me atreví a hablar con Morocka ni con nadie, porque temía que me despidieran. El mismo trabajo era un tormento para mí, y ahorro al lector los detalles más desagradables. Dee se estaba matando con la droga y yo no tenía a nadie en quien confiar. Al cabo de un mes perdió el empleo, y quedé sola a cargo del bar. El sex-shop estaba perdiendo clientela, por lo que era de temer que yo también perdería mi trabajo. Para evitarlo me puse a servir dos copas por el precio de una.

El encargado no tardó en descubrir que los licores estaban desapareciendo, ya que él era el responsable del inventario. En vez de pedirme una explicación fue a hablar con Morocka, que me llamó. Estaba sentado detrás de su escritorio bebiéndose un vaso de whisky.

–¿Has almorzado, Innocent? –me preguntó.

–No, señor Morocka.

Cogió el teléfono y pidió a la cocina un par de tortillas. Yo no conseguía adivinar si estaba enfadado conmigo, pero entendí que debía decirle la verdad.

–¿Me estás robando, Innocent? –preguntó.

–No, señor Morocka –dije, y entonces le expliqué lo que ocurría. Al cabo de un rato él sonrió y dijo que en adelante no hiciera nada sin consultárselo antes.

Las tortillas llegaron, pero yo no pude comerme la mía. Tenía la garganta seca y deseé que el jefe diese por terminado el asunto, como así sucedió.

Regresé al trabajo y hacia las cuatro de la tarde se presentó Boxer y me dijo que el teniente coronel Moses Drago había muerto en una emboscada. Las rodillas me flaquearon y me apoyé contra la pared. Sentí que la vida quería abandonarme, pero tenía que ser fuerte por mi hijo, Moses Drago junior. Bajé y le pedí permiso al encargado para usar el teléfono. Era la primera vez que llamaba desde mi partida de Uganda. Para mi sorpresa, contestó el propio Drago. Cuando le conté que alguien me había dicho que estaba muerto, rió con ganas y repuso que se hallaba más fuerte que nunca. No obstante, yo me sentía tan confusa que apenas podía creer que estuviera hablando con él. Drago me contó que a él también le habían dado la noticia de mi muerte, y supuse que habían sido los dos chicos de Kenia. Luego agregó que estaba muy contento de oírme y me pidió que regresara. Pero yo me negué. Él prometió que hablaría con los del NRA y arreglaría el asunto. No obstante, yo conocía bien a los de nuestro ejército, y no pensaba arriesgar la vida. Además sabía que Drago nunca podría darme lo que necesitaba realmente: la libertad. Antes de despedirnos me hizo prometer que volvería para cuidar de sus hijos algún día. Sonreí y asentí. Antes de colgar le dije que volvería a llamar al día siguiente.

Alrededor de las seis llamé y se puso Eric, quien con voz vacilante dijo que su hermano se había ido. Esto me sorprendió y le pregunté por qué no había llamado Drago. Pero Eric no supo qué contestar, y yo me asusté, temiendo lo peor. Empecé a llorar sin soltar el auricular, con una vaga esperanza de que no hubiese ocurrido nada malo. Entonces oí ruido y voces alrededor de Eric y me di cuenta de que había pasado algo grave. Así se me arrebató mi última esperanza. Llamé otra vez al día siguiente, pero estaba escrito que jamás llegaría a saber cómo murió Drago. Tres compañeros de armas de la misma tribu, los tenientes coronel Drago y Bruce y el comandante Moses Kanabi, desaparecieron en un lapso de cuatro años.

Drago era el padre de mi hijo y por esta razón necesitaba conservar un buen recuerdo de él. Cualquiera que haya pasado por una experiencia similar lo entenderá. Yo había perdido mi infancia, y todos mis seres queridos estaban desapareciendo, muertas mi madre y mis hermanas. Me hallaba sola y privada de afectos. No sabía dónde ni en quién buscarlos. Deseaba olvidar, pero me resultaba imposible. Rodeada de drogas, más de una vez experimenté la tentación. Pero como había visto los lamentables efectos en las mismas personas que me las ofrecían, nunca me atreví a probarlas. Lo que ocurrió fue que empecé a beber mucho. Perdí el empleo, y entonces me di cuenta de que estaba a punto de hundirme.

Decidí acudir a un hombre al que consideraba amigo mío. Era un cliente que frecuentaba el espectáculo de striptease. Le llamé y le dije que había tenido problemas en el trabajo, y que lo dejaba por algún tiempo. Me abstuve de decirle que me habían echado, por temor a que entonces se aprovechase de mí e intentase explotarme. Estuve con él algún tiempo, pero aquel hombre no tardó en cambiar. Dijo que estaba cansado de alimentarme a cambio de nada, y agregó:

–Vives en mi casa a cambio de nada, así que ya va siendo hora de que me des tu...

Decidí abandonarle y, puesto que no tenía nada, pensé que bien podía llevarme algo suyo. Ignoro si le hice daño con eso. Estas cosas me ocurrían continuamente, y lo que hace realmente daño es tener que acostarse con alguien sólo para no tener que dormir en la calle. Hice muchas cosas buenas y malas para sobrevivir, y para evitar la destrucción de esa última prueba de mi existencia, mi propio cuerpo. Después de haber sido tan maltratada por muchos, me preguntaba: ¿Acaso la gente tiene sentimientos? Si les hago lo mismo, ¿sufrirán como yo?

TIEMPO DE SER

Cuatro años más hubieron de pasar para que encontrase la salvación. Habría necesitado tiempo para asimilar mis experiencias, pero nunca lo tuve. Estaba sola. No sabía adónde iba, únicamente me limitaba a caminar. Llevaba una carta y sólo sabía que debía entregarla. Entré en un edificio grande que ostentaba el letrero de «Naciones Unidas. Alto Comisariado para los Refugiados». Hablé con la recepcionista, pero aquella muchacha no me escuchaba, sólo me miraba boquiabierta. Yo era una africana vestida de blanco, con un pañuelo blanco, como los musulmanes que regresan de La Meca. Le di la carta y cuando vi que la cogía, me eché a llorar. Ella hizo una breve llamada, y un minuto después una mujer me introdujo en su despacho. Se llamaba Pamela, y yo me senté omitiendo presentarme. Ella acababa de leer la carta y me pidió que se lo contase todo.

Aquella pregunta fue como la llave que abrió algo encerrado muy dentro de mí, y en una fracción de segundo todo se desarrolló ante mis ojos. No podía hablar, cada vez más hundida en el asiento, y un velo de oscuridad se alzó ante mis ojos. Ante esta reacción imprevista la mujer no supo qué hacer y salió diciendo que volvía enseguida. Regresó con un hombre que me tomó de la mano y me condujo a otro despacho. Me preguntó si fumaba, me dio un cigarrillo y me aconsejó que me soltara, que dejase salir lo que llevaba en mi interior. Luego bajó los ojos y esperó pacientemente, mientras yo lloraba como una cría. Cuando se hubieron secado mis lágrimas, el hombre dijo que se llamaba Burt Leenschool. Me pregunto cómo había conseguido la carta, y entonces yo comencé mi relato:

–Hace unos meses conocí a un ugandés que vive en Inglaterra, pero viaja por todo el mundo para promocionar una organización suya que lucha contra el régimen de Museveni. Cuando él mencionó ese nombre sentí pesar por Drago, por mis amigos y por mí misma. Me uní a su grupo. La sección sudafricana constaba de quince miembros, la mayoría ex soldados de Museveni. El jefe era un musulmán y nos dijo que había otros grupos. Yo estaba tan impaciente por incorporarme a la lucha que confié en ellos. Regresaba a lo único que sabía hacer bien, y esta vez sería por propia voluntad, y sabiendo para qué luchaba. Más tarde el jefe alquiló unas oficinas en el centro de Johannesburgo, y en muchas reuniones se proyectaban películas de los discursos de Idi Amin. Uno de los del grupo tenía mucha prisa por retornar a la lucha. En la quinta reunión oí que los compañeros hablaban del comandante Kasaija, un oficial del ejército ugandés. Éste era amigo mío y deseé averiguar más acerca de su paradero. Cuando supe que estaba destinado en la embajada ugandesa me propuse ir a verle. Creí que él entendería mis razones, y me proponía preguntarle qué debía hacer yo para regresar en paz a mi país. Busqué el número de teléfono de la embajada y llamé. Hablé con Kasaija, pero él no se acordaba de mí. Yo tenía la seguridad de estar hablando con él porque reconocía el dialecto. Para refrescarle la memoria, le hice un resumen de mis servicios. Él me invitó a su despacho. Aunque éramos amigos, yo no deseaba correr riesgos, así que me hice acompañar por un individuo de Zambia y le dije que me esperase en la recepción. "Si oyes que grito, corre a buscar ayuda", fueron mis instrucciones.

»Al entrar en el despacho me encontré con un sujeto al que no había visto en mi vida. El supuesto Kasaija se puso en pie y me saludó con respeto, supuse que debido a lo que yo misma le había contado. Tan pronto le vi, supe que aquel individuo no había sido soldado jamás, pero él insistió en que conocía al verdadero comandante Kasaija. Me ofreció un té, que no acepté. Entre tanto cerraron las oficinas de la embajada, de modo que me hallé a solas con mi interlocutor y el secretario. La presencia de un testigo me tranquilizó un poco. El falso Kasaija dijo que, en su opinión, yo había sido víctima de un gran error, que yo era una luchadora distinguida y merecedora de mejor suerte.

»Empezaba a creer que aquel hombre estaba de mi parte, por lo que decidí hablarle de mi nuevo compromiso. Mis palabras provocaron un cambio repentino. En realidad fue sorprendente comprobar lo bien que él había disimulado hasta entonces. Ahora sí parecía un soldado en toda regla. Exigió que le diera los nombres de mis compañeros a cambio de inmunidad. Me reí interiormente, ya que en vista de lo ocurrido no era cuestión de creer en semejante ofrecimiento. Él me dio algún dinero y yo prometí volver después de hacer algunas averiguaciones. Pensé que lo había convencido y que no sabía que acababa de gastar su dinero para nada.

»Varias semanas más tarde fui por mi cuenta a una fiesta que ofrecían las líneas aéreas ugandesas. Hacia las once de la noche me hallaba en compañía de unos individuos que prometieron llevarme en coche de regreso a Johannesburgo. Yo estaba bebida y no recuerdo si dije algo sobre el régimen de Museveni, aunque sí estoy segura de que presumí de mi pasado para darme aires. Cerca de las doce, tres de ellos y yo dejamos la fiesta. No supe si me llevaban en la dirección correcta porque no conozco mucho Pretoria. El coche se detuvo de pronto delante de un edificio, y dos de ellos me condujeron a rastras hasta una habitación, donde me ordenaron que me desnudara. Registraron mis ropas, y cuando preguntaron por mi pasaporte les dije que lo tenía en casa. Me preguntaron si mantenía contacto con Kashilingi, y dije que no.

»Por la mañana temprano, dos de ellos me sujetaron, mientras el tercero empezó a pegarme en la espalda con algo que quizá era un punzón para hielo, lentamente. Ellos sabían quién era yo, y deseaban averiguar cuánto había hablado y con quiénes. Les conté mi versión de la historia, explicando los motivos de mi marcha, pero ellos insistieron en que yo era una desertora. Además me aseguraron que aquello no era nada en comparación con lo que me harían cuando fuese devuelta a mi país. Tras haberme quebrantado hasta la última brizna de dignidad, les pedí que me llevaran a Uganda de una vez para correr la suerte que me tocase. Pero no pudo ser, porque estaba muy maltrecha. Yo exageraba y fingía estar peor de lo que estaba, para demorar al máximo mi traslado, y creo que este truco me salvó la vida. Finalmente llegó el día, y cuando el coche se detuvo en un semáforo en medio de la espesa circulación de Pretoria, decidí que aquélla era mi oportunidad. Justo en el momento en que el chófer iba a arrancar, rompí el cristal de atrás para distraerlos, y cuando ellos se volvieron abrí la puerta de mi lado y salté fuera.

»En esa ocasión fui a parar al hospital y las heridas físicas se curaron, pero mi alma estaba rota. Había padecido en las garras de aquella gente varios meses, que recuerdo todavía como si hubiesen sido años. En el momento de ingresarme debí parecerles una aparición espectral. Después de una operación, y tan pronto me hallé en condiciones de caminar, fui al Ministerio del Interior y conseguí que me recibiese Tinus van Jaarveld.

»"¿Qué te ha pasado, rebelde?", exclamó. "¡Pareces un fantasma!" Y se horrorizó sinceramente cuando le enseñé mis heridas. Le di el informe del hospital y, mal que bien, conseguí relatarle lo ocurrido.

Entonces me condujo a otra oficina, y allí le repetí mi historia resumida a una mujer llamada Heidi. Ella escuchó con mucha atención el relato de mi vida y cómo me había convertido en niña soldado. Sin embargo, me resultó difícil hablar, porque por primera vez en mi vida notaba que estaba perdiendo el dominio de mí misma. Nunca quise que ninguna mujer me viese llorar, y ahora allí estaba yo hecha un mar de lágrimas. Además me daba rabia llorar en presencia de una funcionaria, porque pensaba que los civiles eran incapaces de entender los asuntos militares. Pero no tenía elección. En el lugar donde ahora me hallaba, los civiles mandaban. Cuando terminé, me pareció que ella se desentendía de mí, porque se volvió y se puso a escribir con vehemencia. Era una carta que metió en un sobre dirigido al Alto Comisionado de Naciones Unidas para los Refugiados.

Así acabó mi relato ante Burt, en el edificio de Naciones Unidas. Bajé los ojos y se hizo un silencio. Al cabo de un rato anunció que llamaría a una persona para que examinase mis lesiones. Era una mujer, Victoria W. Stofile, quien dispuso mi inmediato ingreso en una clínica de Johannesburgo especializada en traumatismos. Allí me interpeló otra mujer muy amable, pero sus muchas preguntas me impacientaron. Dentro de mí, una voz que deseaba suplicar auxilio combatía con otra que me incitaba a ponerme en pie dando gritos y patadas. Al mismo tiempo estaba muerta de miedo, pensando en lo que podía ocurrirme cuando me despidieran de allí. Con el tiempo acabé por apreciar a esa mujer, la única que tuvo paciencia para escucharme durante horas. Pero yo no quería ceder el control. Que nada afectase mi alma. Yo era consciente de ser una luchadora, con todo lo que había soportado, pero ahora me veía en manos de otras personas sin saber adónde me llevarían.

Ella no desistió. Procuraba convencerme de que no todo el mundo deseaba hacerme daño, y poco a poco empecé a confiar en ella. Estaba abrumada por mis propias emociones. La presión era demasiado grande y era preciso ceder por algún lado, por mucho que yo me hubiese convertido en guardián de mi propia conciencia. Día y noche reinaba en mi cabeza una confusión enorme. Y, sobre todo, temía las sesiones con la doctora. Sentía deseos de gritar «¡no!», pero al mismo tiempo también temía las consecuencias que eso pudiera provocar, y no quería que ella se enfadase conmigo. En el pasado no había aprendido otra cosa que a decir sí, incluso a las mayores barbaridades.

En la clínica me asignaron un psiquiatra, y pasé a tener sesiones con ambos. Naciones Unidas reservó una habitación para mí, y cada vez que me tocaba ver al psiquiatra me recogía un Land Cruiser con distintivos de la ONU. El psiquiatra era un afrikaans cuarentón, hombre alto, barbudo y de aspecto severo. Me recetaron una medicación que convirtió mis pesadillas en sueños vaporosos y distantes. Ahora yo podía reír en sueños y no sólo llorar. Creo que me hizo bien ese psiquiatra. Empecé a reconciliarme conmigo misma, a abrirme, y comprendí que no era culpable de algunas de las cosas malas que había hecho.

A las diez de la mañana un coche me recogió en mi hotel. Esta vez el conductor me dijo que íbamos al despacho de Burt. Acababa de sentarme frente a su escritorio cuando él me preguntó dónde preferiría reinsertarme. No lo entendí, de manera que él aclaró la pregunta:

–Quiero decir que en qué país te gustaría vivir.

–En Estados Unidos –contesté sin vacilar.

–¿Conoces a alguien allí?

–No.

Entonces dijo que no creía que fuese buena idea, pero que pensaba enviar mi declaración a Ginebra, y que estaba seguro de que allí decidirían lo mejor para mí. Yo no daba crédito a mis oídos. Notaba un cosquilleo en todo el cuerpo y, como si el asiento me quemase, me puse en pie gritando de júbilo. No tanto porque iba a vivir en otro país, sino porque se me había concedido el derecho a elegir. Eran demasiadas emociones para mí y no sabía cómo asumirlas. Si no le hubiese tenido tanto respeto a Burt, le habría dado un abrazo de oso.

Entonces llegó el momento de discutir sobre mi hijo, con el que no había hablado desde la muerte de su padre. Yo no sabía por dónde empezar ni cómo terminar. Sólo tenía el número de teléfono de un amigo. Burt me autorizó a llamarle. Le pedí que hablase con otros oficiales que habían conocido a Drago. De esta manera se averiguó que Drago había dejado el niño al cuidado de su novia Rita.

En aquellos momentos estaba con ella, que no pensaba ceder la custodia. Supongo que debió de encariñarse con él, porque lo tenía desde que lo saqué de casa de mi hermana Margie. Pero ahora no me importaban los sentimientos de Rita. Lo único que quería era recuperar a mi hijo.

Cuando los funcionarios de Naciones Unidas en Uganda consiguieron ponerse en contacto con Rita, ésta intentó pasar por pariente del niño. Pero ellos no la creyeron y fue acusada de tentativa de secuestro. Además, se hicieron cargo de la tutela de Moses. Pero Rita no era persona que diese fácilmente el brazo a torcer, y fue preciso pleitear. Ella perdió el juicio porque no era familiar de Drago ni mía. Burt me aseguró que estaban haciendo todo lo posible para que mi hijo pudiese reunirse conmigo. Todo parecía marchar en la buena dirección, y sólo me restaba esperar a que los de Ginebra decidieran mi destino. El afecto y los cuidados que recibí de los funcionarios de Naciones Unidas hacían que me sintiera como una niña. Aprendí a sonreír de nuevo y, hasta cierto punto, a confiar en la gente.

La medicación que recibía del psiquiatra me tenía como liberada, lo que se manifestaba en un ansia de contar mi vida a todo el mundo. Pero como me daba vergüenza contar la realidad, decidí relatar una peripecia inventada. Resultaba que yo era una canadiense que estaba de vacaciones, y cuando me preguntaban qué hacía, contestaba que era estudiante. En mi país es muy común pergeñar historias acerca de uno mismo, y puede ocurrir que uno se haya acostado sin probar bocado, pero si le preguntan cómo le van las cosas, sonríe y dice «estupendamente, gracias». Muchos lo prefieren así, porque a nadie le gusta humillarse. Una vez que alguien me pidió que escribiera mi nombre, al leer el papel se echó a reír. Al preguntarle qué le hacía tanta gracia me indicó que había escrito el nombre con minúscula. «¡Ah!», exclamé bajando los ojos antes de decir la verdad.

La cuestión era que siempre decía esas mentiras sin pensarlas y, puesto que me desconocía a mí misma, siempre les resultaba fácil desenmascararme. A veces trataban de abrirme los ojos explicándome que quien me apreciara de verdad me admitiría tal como yo era. Yo escuchaba estos consejos, pero el efecto duraba poco.

Una mañana fui a ver a Lori, pero antes de llegar al despacho me tropecé con Burt. Pareció alegrarse y me invitó a su despacho.

–¿A que no adivinas? Has sido aceptada por Dinamarca.

Al oír Dinamarca me entristecí, y cuando él me preguntó por qué, le dije:

–Señor Burt, no quiero ir a Dinamarca porque está demasiado cerca de África.

–Vaya –sonrió–. Lo siento, debí decirte antes que Dinamarca está muy lejos.

Mis temores desaparecieron una vez me aseguró que Dinamarca quedaba todavía más lejos que Alemania. Salí del despacho de Burt y me senté en la sala de espera. Mientras tanto iba cavilando: «¿Qué clase de país será Dinamarca, que ha decidido admitirme, a mí que tengo una vida fracasada y ninguna instrucción? ¿Cómo habrán adivinado mi dolor desde tan lejos?». Puesto que no encontraba respuesta a estas preguntas, regresé al hotel, donde me senté a solas y seguí tratando de imaginar ese país desconocido, Dinamarca.

Dos días después me condujeron a la embajada danesa y me dieron la documentación para el viaje. De regreso en el hotel conocí a un hombre llamado Alex Kugler. Formaba parte de un equipo médico alemán que estaba haciendo prácticas en un hospital sudafricano. Kugler era cristiano y hablaba un poco el suajili, que había aprendido recorriendo Kenia y Tanzania. Sus deseos se asemejaban a los míos. Dijo que cuando terminase sus estudios se quedaría a vivir en África para ayudar a los niños. Le admiré por ello y poco después le pedí que me avisase cuando se celebrara uno de los oficios religiosos a los que él solía asistir. Por la tarde Kugler se presentó en mi habitación y dijo que nos llevarían a la iglesia. En la calle nos esperaba un BMW, y cuando subimos me encontré con un afrikaans que dijo llamarse Wily van Wyk. Me intimidaba un poco, pero como siempre, decidí ver qué salía de aquello. Durante el camino Van Wyk me habló de Cristo y me aseguró que su vida, la de Van Wyk, había mejorado mucho cuando decidió seguir al Señor. En vista de que conducía un BMW tan caro, me incliné por creerlo, aunque a mi entender Dios siempre tiene la última palabra. La iglesia era grande y en su interior blancos y negros veneraban juntos a Cristo. Me senté al lado de

Kugler, y el otro lado del banco fue ocupado por una pareja de ancianos afrikaans. Yo no estaba acostumbrada a permanecer sentada mucho rato y además empezaba a aburrirme, pero conseguí aguantar toda la ceremonia. Antes de regresar al hotel, Kugler se tomó un café y a mí me invitó a un trozo de pastel.

La tarde siguiente, Kugler pasó a recogerme de nuevo, pero esta vez me llevó a casa de su amigo. Era una tarde muy fría de invierno, pero en la casa pudimos quitarnos las chaquetas. Yo era la única negra, de modo que cuando entró una china jovencita me sentí un tanto aliviada. El oficio empezó con un cántico, y luego nos invitaron a quitarnos zapatos y calcetines. Yo me apuré porque tenía los calcetines llenos de agujeros, pero conseguí quitármelos con disimulo y sin que nadie se fijase en mí. Entonces una dama afrikaans preparó una jofaina con agua y anunció que iba a lavarnos los pies, tal como Cristo había hecho con sus discípulos. Yo ardía en deseos de fumarme un cigarrillo, y también de salir corriendo de allí. Cuando nos hubieron lavado los pies se nos invitó a orar en silencio, pero me resultó imposible porque recordaba las muchas historias que había oído acerca de la hostilidad entre blancos y negros. Me pregunté si lo de lavar los pies sería lo acostumbrado, o si se trataba de una conmemoración especial. Por más que miré alrededor no vi ningún odio, ni rastro alguno del apartheid que, según sospechaba, andaba oculto por los rincones. Aquellas personas parecían haber crecido en una Sudáfrica totalmente distinta, pero yo todavía no estaba muy segura. De regreso al hotel, Kugler anunció que se marchaba al día siguiente de excursión por las montañas con unos amigos, aunque prometió visitarme antes de mi partida hacia Dinamarca.

Por aquellas fechas conocí también a una joven alemana llamada Judith Osseforth. Estaba en el grupo de Kugler y estudiaba el último curso de medicina. Más tarde me presentó a Alexander Müller y a Eberhard Reithmeier. Lo pasé muy bien con ellos, y la víspera de mi partida me invitaron a una cena de despedida en un restaurante, con helado de postre y todo. Esa noche no pude conciliar el sueño. Sentada en la cama, pensaba en el país que pronto iba a conocer. Aunque había pasado muy malos ratos en Sudáfrica, sentía marcharme. Era desde luego un país notable, pero mi corazón y mi alma se negaban a mirar hacia el pasado.

Al día siguiente mi estado de ánimo fue de tristeza y excitación a un tiempo. Imposible quedarme quieta en un mismo sitio. Hacía mucho frío, pero yo sentía calor. El corazón me latía con tanta fuerza que temí padecer un ataque. Bajé a recepción y allí estaba cuando apareció de pronto Kugler, que fue a su habitación a dejar el equipaje. Luego se reunió conmigo y fuimos a ver el famoso edificio de la Unión Sudafricana. Anduvimos por allí tomando muchas fotos, pero no recuerdo nada de lo que vi, porque mi espíritu estaba ausente.

A las seis de la tarde apareció Pamela con un coche de Naciones Unidas para llevarme al aeropuerto. Ella se encargó de todos los trámites y cuando se despidió de mí lloré, porque me pareció estar viendo a mi hermana Margie, a la que no veía desde hacía cuatro años. Recorrí el pasillo y me vi en un amplio recinto lleno de asientos. Algunas personas ya estaban sentadas y me pregunté: «¿Qué es esto, un teatro o un avión?». No lo entendía, y opté por preguntar a una de las chicas que andaba por allí. Todos los presentes rieron al escuchar mi pregunta. Me indicaron mi asiento, y poco después se sentaron a mi lado dos españoles.

Cuando el avión estaba a punto de despegar observé que todo el mundo tenía una mesita delante. Miré, pero no conseguí ver la mía. «¿Cómo es que todos tienen mesita menos yo?», pero por más que buscaba no la encontré. Pensé preguntar a uno de los españoles, pero temí servirles de burla durante todo el viaje. Entonces anunciaron que debíamos ponernos los cinturones, y al ver que tampoco encontraba el mío uno de mis vecinos me lo indicó, y desde ese momento me ayudó en todo. Aterrizamos de madrugada en el aeropuerto de Frankfurt, donde tuve que cambiar de avión, el que me llevaría a mi destino final. Llegué a Copenhague a las doce del mediodía del 21 de junio de 1999. Al bajar del avión, aún no había echado a andar cuando oí una voz que decía mi nombre. Era un hombre alto, que después de saludarme tomó mi mano y me condujo a la oficina de la policía. Allí se encargó de las formalidades, y luego cedió mi custodia a una pareja que me estaba esperando. Ella se presentó como Birgitte Knudsen, y su colega se llamaba Karl Erik. Fuimos en coche a otra oficina, donde me presentaron a una señora llamada Pia. En la vida me había visto tan bien atendida, y realmente no entendí qué podía haber visto en mí aquel país. Sin embargo, supe que no tardaría en quererlo con toda mi alma.

Transcurrido un rato salí con Birgitte y Karl a dar una vuelta por Copenhague. Después de enseñarme la ciudad me llevaron a un lugar llamado Diakonisse Stiftelsen, donde se me asignó una habitación. Todo era nuevo para mí. El almuerzo me lo sirvieron en una mesa tan grande y tan bien puesta que me sentí fuera de lugar.

Al mirar atrás, y considerando de dónde venía y dónde me hallaba, me pareció encontrarme en el polo opuesto del mundo. Cuesta años familiarizarse con un país extranjero donde todo es diferente. Dondequiera que una mire se tropieza con miradas extrañas, que pueden parecer hostiles, y ésta es una de las razones por las que nunca se deja de recordar el pasado. Que no tiene por qué ser necesariamente bueno, ni malo, pero obliga a pensar siempre en la tierra natal, y ese pasado nos persigue a todas horas. Y cuando hablamos con la gente del país es fácil caer en malentendidos porque no sabemos expresarnos bien. Hasta los chistes que cuentan ellos son diferentes de los de nuestra tierra natal. Cuando ellos ríen, los acompañamos en su jovialidad aunque muchas veces no sepamos siquiera por qué. Hay que hacer muchas comparaciones, y muchas preguntas, y contestar a otras tantas, y así poco a poco se aprende a convivir. Callar es lo peor, porque nos perdemos la oportunidad de conocernos. Hay que tratarse, como el gato y el perro que, de ser razas enemigas, pasan a dormir juntos. Para mí el mundo al que acababa de llegar era como una imagen del cielo, y hubo de transcurrir algún tiempo para que me diera cuenta, no sin sorpresa, de que no todo era igual. Yo nunca había visto, ni esperaba llegar a ver, que una persona de raza blanca tuviera que dedicarse a hacer la limpieza para ganarse la vida. Por eso me sobresalté la mañana que vi a un hombre blanco limpiando la cocina, contigua a mi habitación en la Diakonisse Stiftelsen. Regresé a mi habitación y respiré hondo varias veces antes de decirme: «Desde luego aún te queda mucho por aprender».

Dos días después de esto me hallaba desayunando cuando se acercó un hombre de unos cincuenta años y se puso a preparar el café. Cuando estuvo hecho, me ofreció una taza. Yo nunca había tomado café, pero una vez más fui incapaz de decir que no, temiendo ofender a mi interlocutor. Nos presentamos, y dijo llamarse Knud Held Hansen. Era un hombre casado y con tres hijos ya mayores, Jette y dos gemelos llamados Carsten y Jens. Vivía en Aalborg y estaba en Copenhague por unos asuntos. Me agradó la franqueza con que me hablaba, y por primera vez en mucho tiempo bajé las defensas. Observé que se fijaba en mi cabeza, como si echase algo en falta. Estábamos casi acabando el café cuando preguntó:

–¿Qué pasó con tu cabello? ¿Te volverá a crecer? Creo que estarías más bonita con todo tu cabello.

Tuve la impresión de que hacía muchos años que nos conocíamos. Apuramos nuestras tazas y entonces me preguntó si deseaba dar un paseo por Copenhague. Fue entonces cuando vi por primera vez la Sirenita. Durante el regreso me preguntó si quería ver el Bakken. Naturalmente, yo no tenía ni idea, lo mismo que me ocurría con todo lo demás, pero como no deseaba que el paseo se acabase dije que sí. Él estacionó el coche y recorrimos un camino de tierra que discurre entre un bosque de árboles enormes y viejísimos. Por todas partes la gente reía y paseaba a pie o en coches de caballos. Admiré los extraños uniformes de los cocheros, que parecían recién salidos de un cuento de hadas. En los claros del bosque habían encendido fogatas y Hansen dijo que en ellas quemaban a las brujas. Quedé estupefacta, y por más que miré con atención aquellos fuegos no conseguí ver ninguna bruja. Por último entramos en un parque de atracciones que mi acompañante comparó con el Tívoli, que para mí era una tienda de alquiler de vídeos en Uganda. Estaba abarrotado de personas que al parecer lo pasaban muy bien. Entonces vi unas máquinas enormes con pasajeros que subían y bajaban. Todos reían y lanzaban chillidos. Para mí aquello era el cielo. No veía el momento de probarlo todo, y monté en todas las atracciones. Como un padre, Hansen me esperaba abajo y contemplaba divertido mi excitación.

Cuando me cansé de estas diversiones sentí hambre y fuimos a un restaurante italiano. Mientras esperábamos nuestras pizzas, nos saludaron desde una mesa vecina. Era una pareja que hablaba de manera diferente que Hansen y los de la Diakonisse Stiftelsen. Entonces le comenté que a mi parecer no eran daneses, y él dijo que había acertado, pues eran suecos. Pero era evidente que él los entendía a la perfección. Por la tarde regresamos a la Diakonisse Stiftelsen. Hansen se tomó su café fuerte, pero yo preferí una taza de té. Entonces sonó el teléfono móvil de mi acompañante y así tuve ocasión de cambiar unas palabras con su mujer y su hija. Hansen regresaba a Aalborg el día siguiente, y me dejó hecha un mar de lágrimas, aunque sabía que volveríamos a vernos. Me había tratado como a uno de sus hijos, y desde entonces lo miré como a un verdadero padre. El afecto que me demostró en esos días me hizo pensar que el hecho de no haber podido entrar en Estados Unidos había sido consecuencia de una disposición superior. Pero, puesto que no estuve allí, en realidad no puedo decir cuál habría sido mi destino en aquel país.

En Dinamarca miran la vida de otra manera. Hasta los animales tienen sus derechos. Nadie me ordenaba matar ni odiar a nadie como en el ejército, pero lo mejor era que no estaba obligada a actuar por cuenta de otros, ni contra mi propia voluntad. No obstante todas estas libertades, yo acarreaba todavía el temor a tener que seguir viviendo el resto de mi vida con esa desesperación, que es la marca que queda en casi todos los soldados. Es una desesperación que muchas veces traiciona al inocente, mientras todos se disputan el favor de los superiores. Para mí es una especie de última humillación el tener que relatar los abusos vergonzosos y la indefensión que padecíamos, pero no hay más remedio si se trata de salvar a otros. Yo estuve ahí, y sé lo que siguen sufriendo. Los abusos y las humillaciones son para el alma como las cicatrices que llevo en el cuerpo, y que no desaparecerán mientras viva. Ese temor es permanente y me acompañará siempre. En mis sueños veo las sombras de mis compañeros, los niños soldado que pusieron fin a su vida con sus propias armas para escapar de aquel infierno. Ahora mi dolor se ha mitigado, pero las guerras continúan, y estoy convencida de que muchos niños necesitan todavía la ayuda que podamos aportarles. La batalla no ha terminado, así que alcemos la voz y exijamos nuestros derechos.

A YOWERI K. MUSEVENI

Aquí estoy, preguntándome.

Cuando miro el espejo, es tu rostro el que veo. Incluso cuando voy a dormir, en mis pesadillas estás tú, empuñando ese viejo fusil, el de los tiempos en que tú hablabas y yo me dejaba atrapar por ese discurso persuasivo que me incitaba a derramar mi sangre por ti.

He jugado a tu juego y no conocía las reglas. Veo tu rostro brillante mientras que el mío ha perdido su color. Estoy demasiado cansada para lavarme la cara, porque el peso de este fusil me agobia los brazos. Mientras hacía tu trabajo sucio, mi alma planteaba preguntas que únicamente tú podías contestar. Pero no lo hacías, porque te ocultabas en un lugar donde yo tenía prohibido el acceso. Tuviste miedo de mi alma y les dijiste a tus guardaespaldas que no la dejaran pasar, y cuando quise forzar la entrada, les ordenaste que me atraparan y me la robaran. He corrido mucho como fugitiva para alejarme de esas armas que compraste para mí. Intenté alzar la voz para que me oyeras, pero el acoso ya había empezado.

Ahora que tienes lo que deseabas, ni siquiera sabes cómo me llamo. ¡Es tan extraño! Ahora ya no jugamos. ¿Por qué? Lloro a menudo. ¿Es que no he levantado el arma a la altura correcta? Quizá sea porque ya conseguiste lo que deseabas. ¿Por qué no cumpliste tus promesas? He pasado muchos años tratando de descubrir el motivo. ¿Por qué no haces caso de esas lágrimas? ¿Es porque te has encerrado entre esas paredes tan altas, o por los guardaespaldas que te rodean las veinticuatro horas del día? ¿No recuerdas que prometiste una vida diferente a unos niños, cuando ellos más la necesitaban y estaban contigo frente a las líneas enemigas? Muchos murieron y a lo mejor tú dirás que eso no es tan malo, pero sus padres siguen buscándolos. Me gustaría conocerlos. Poner una vida en tus manos es como enamorarse de un león.

Recuerdo que una madre recurrió a ti. Buscaba a su hijo. Te dijo cómo se llamaba, y cuando vio tu reacción, te dio la descripción de ese niño que aún no había dejado de mojar la cama. Pero tú ya le habías dado otros nombres, nombres extranjeros, nombres de película destinados a ocultar la realidad. Ella bajó los ojos y dijo llorando que allí de donde ella venía no se conocían esos nombres. Tú le dijiste que no tenías tiempo, que estabas a punto de comenzar la construcción de una carretera. Yo vi sus lágrimas, y cuando salió a la escalera las piernas le flaquearon. Apuesto a que más tarde te diste cuenta de lo que habías hecho, pero mientras la tuviste delante preferiste mirar para otro lado. Apuesto a que no puedo felicitarme a mí misma por lo que hacía entonces: acribillar a balazos nuestra tierra siguiendo tus consignas, en aquellos tiempos en que tus bolsillos todavía no estaban agujereados. Eran juegos de llorar y ahora te toca a ti. Pero todavía tienes un turno y no hace falta que dejes tu vida en prenda. Si le devuelves a la madre ese hijo, tal vez otros seguirán tu ejemplo.

De tu niña soldado

Índice

Tercera Parte
Niña soldado

Cuarta Parte
Una nueva vida

La **Coalición Internacional para Acabar con la Utilización de Niños Soldado** fue creada en 1998 por organizaciones no gubernamentales para evitar el reclutamiento militar y la utilización de cualquier persona menor de 18 años en ejércitos y grupos armados. La Coalición promueve el cumplimiento de las normas legales nacionales, regionales e internacionales, incluido el Protocolo Facultativo de la Convención Internacional de los Derechos del Niño, que prohíben esta práctica abominable.

Si deseas recibir más información,
entra en **www.menoressoldado.org**